AQA AS French

ATOUTS

Clive Bell and Anneli McLachlan

www.heinemann.co.uk

✓ Free online support
✓ Useful weblinks
✓ 24 hour online ordering

01865 888080

Tableau des contenus

Module de Transition · objectifs

(t) Thèmes

- Parler de ce qui est important dans la vie
- Parler de l'informatique
- Parler de la mode
- Parler des stages sportifs
- Parler des risques pour la santé des jeunes

- Donner son opinion sur les émissions de télé-réalité
- Parler de l'amitié
- Parler de l'amitié, l'amour et la jalousie
- Décrire un voyage
- Parler des vacances

(g) Grammaire

- L'article défini (**le**, **la**, **l'**, **les**)
- Les verbes à l'infinitif
- Le présent des verbes réguliers
- Les adjectifs
- Le présent des verbes irréguliers
- Les verbes suivis de l'infinitif
- L'article partitif
- Les pronoms emphatiques

- L'interrogation
- Le passé composé des verbes réguliers et irréguliers
- Le passé composé avec l'auxiliaire **être**
- Le pluriel des noms
- Les adjectifs possessifs
- Les verbes pronominaux
- Le futur proche

(S) Stratégies

- Repérer les mots-clés et les synonymes
- Préparer et donner une présentation orale
- Identifier des synonymes et des mots apparentés
- Utiliser des tableaux de conjugaison
- Choisir le bon registre

- Écrire un court essai (50 à 80 mots)
- Adopter un point de vue contraire
- Prendre des notes
- Raconter une histoire
- Expliquer des statistiques
- Résumer un texte

I · L'important dans la vie, c'est …

Qu'est-ce qui est important pour toi dans la vie?

l'école, les amis

le bac, la famille, le sport

la détente, la musique, les études

la famille, l'amitié

les loisirs, le sport, les sorties

Alexis   Medhi   Juliette   Tiffany   Jean-François

Écouter 1 Écoutez. Qui parle? Écrivez les prénoms dans le bon ordre.

You don't need to understand everything. Listen for the key words and for synonyms (words which mean the same thing), for example: **les copains/les amis/l'amitié**.

i culture

le bac (abbréviation de «baccalauréat»): L'examen qu'on prépare en deux ans au lycée et qu'on passe en classe de première et de terminale, normalement à l'âge de dix-sept ou dix-huit ans.

Qu'est-ce qui est important pour toi dans la vie?	
Ce qui est important pour moi, c'est …	le sport.
L'important dans ma vie actuelle, c'est …	la famille.
Ma priorité en ce moment, c'est …	l'amitié.
	les études.
Pour toi, c'est pareil?	
Oui, pour moi, c'est pareil.	
Non, pour moi, le plus important, c'est plutôt …	

Parler 2 Écoutez et imitez.

é	**é**cole	**é**tudes	d**é**tente		
i	am**i**s	fam**i**lle	lo**i**sirs	sort**i**es	v**i**e
é/i	am**i**t**i**é	pr**i**or**i**té			

Mes pr**i**or**i**tés dans la v**i**e sont les **é**tudes et mes am**i**s.

Grammaire

L'article défini (*the definite article*)

All nouns in French are either masculine (definite article **le**) or feminine (definite article **la**). **Le** and **la** shorten to **l'** in front of words which begin with a vowel or a silent *h*. The plural definite article is **les**.

gender	singular	plural
masculine	**le** bac **l'**important	**les** loisirs
feminine	**la** famille **l'**école	**les** études

In French, you sometimes use the definite article, when you would not use *the* in English.

Ce qui est important, c'est **le** sport.
What's important is sport.

Ma priorité, c'est **la** détente.
My priority is relaxation.

Prononciation

Getting vowel sounds right makes a big difference to how French you sound and how easily you are understood.
é   (not *ay* as in English – stretch your mouth into a smile!)
i   (not *ee* as in English – smile really widely and push out your breath as you say it!)

Parler 3 Avec un(e) partenaire ou en groupes, discutez de ce qui est important pour vous. Mentionnez plusieurs choses et utilisez autant de phrases-clé que possible.

Exemple:
● *Qu'est-ce qui est important pour toi dans la vie?*
■ ***Ce qui est important pour moi, c'est d'abord*** *la famille, ensuite les études, puis ... Et pour toi, c'est pareil?*
● *Oui, **pour moi, c'est** un peu **pareil**. /Non, **le plus important pour moi, c'est plutôt** ... /**Ma priorité, c'est** ... /mais le/la/les ... et le/la/les ... **sont** aussi mes priorités.*

Parler 4 Test de mémoire! Expliquez ce qui est important pour votre partenaire ou pour les autres dans votre groupe.

Exemple: *Ce qui est important pour Ryan, c'est ..., mais ... et ... sont les priorités de Sam.*

Quels sont tes rêves et tes espoirs?

> Réussir mes études, découvrir de nouvelles choses et rencontrer des gens.
> **Medhi**

> Devenir comédienne (je suis passionnée de théâtre) et avoir des amis sur qui pouvoir compter.
> **Juliette**

> Faire une brillante carrière, à la fois devenir très riche et garder les pieds sur terre!
> **Alexis**

> Être heureuse, voyager, rencontrer des gens, avoir des enfants, être libre de mes choix.
> **Tiffany**

> Réussir ma vie d'un point de vue relationnel et professionnel. Faire plein de choses différentes, quoi!
> **Jean-François**

Écouter 5 Écoutez et lisez. Puis trouvez dans l'article l'équivalent des phrases en anglais.

1 your hopes and dreams
2 to discover new things and meet people
3 to become an actress
4 friends you can count on
5 a brilliant career
6 to keep my feet on the ground
7 to be happy
8 to have a successful private and professional life

Grammaire

L'infinitif (*the infinitive*)

The infinitive of a verb is the form listed in a dictionary. In French, infinitives end in **-er**, **-ir** or **-re**. Most of the time you have to 'conjugate' the verb (change its ending according to the subject of the sentence: *I, we, they*, etc). Sometimes the infinitive is used unchanged and means *to* or *-ing*.

e.g. L'important pour moi, c'est d'**avoir** des enfants et de **devenir** très riche.

The important thing for me is *to have* children and *become* very rich/*having* children and *becoming* very rich.

Lire 6 Relisez l'article de l'exercice 5. Identifiez dix autres verbes à l'infinitif et traduisez-les. Utilisez un dictionnaire, si nécessaire.

Infinitif	Sens en anglais
réussir	to succeed

Lire 7 Écrivez le prénom de la bonne personne.

1 Qui veut être mère?
2 Qui veut gagner beaucoup d'argent?
3 Qui veut avoir une vie variée?
4 Qui veut avoir de bons résultats à ses examens?
5 Qui veut devenir actrice?
6 Qui veut visiter d'autres pays?
7 Qui veut faire de nouvelles expériences?
8 Qui veut avoir de bons copains?

Écrire 8 Traduisez ce texte en français, en adaptant les expressions de l'article de l'exercice 5.

What are my hopes and dreams? To become an interior designer (I am passionate about design), have a good career and become very rich but keep my feet on the ground at the same time. What's important to me, too, is having friends I can count on, travelling, meeting people and being happy. So, my priority is to have a successful private and professional life.

 You put **de** in front of the infinitive, when it follows **c'est**.
Ce qui est important pour moi, c'est **de** réussir mes études.

Écrire 9 Écrivez un paragraphe en répondant aux questions suivantes.

Qu'est-ce qui est important pour vous dans la vie actuellement? Quels sont vos rêves et vos espoirs?

2 · Mon ordi, c'est ma vie!

**Tu joues?
Tu achètes?
Tu tchates?
Tu télécharges?
Comment te sers-tu de
ton ordinateur?**

Je joue relativement peu sur mon ordinateur, mais parfois, quand je vais chez des copains, on joue à la console. J'utilise mon ordinateur surtout pour communiquer. Je corresponds avec mes amis par email et on tchate beaucoup. Nous avons tous des blogs sur lesquels nous partageons nos photos. À part ça, je visite régulièrement des sites Web tels que *Google* et *Wikipédia*, pour faire des recherches scolaires ou personnelles. Mon ordinateur m'est donc indispensable.   **Thibaud**

Je m'en sers beaucoup! Mon ordi, c'est mon supermarché virtuel et je remplis souvent mon caddie! Je télécharge pas mal de musique, mais j'achète aussi des CD sur amazon.fr. Je suis également accro à *eBay*, où je vends un peu de tout: des jeux, des CD, des DVD ... C'est chouette, parce que comme ça, je gagne un peu d'argent pour faire d'autres achats! Je passe pas mal de temps chez ma copine Lili et toutes les deux on écoute de la musique sur radioblogclub.com ou bien on regarde des vidéos marrantes sur *YouTube*. On finit souvent par passer des heures devant l'écran.

Alexandra

se servir de	*to use*
caddie *(m)*	*shopping trolley*
être accro à	*to be hooked on*

Lire 1 Lisez l'article, puis décidez si les informations ci-dessous sont vraies, fausses ou ne sont pas mentionnées dans le texte.

1 Thibaud joue souvent sur son ordinateur.
2 Thibaud et ses amis tchatent et correspondent par email.
3 Thibaud regarde les photos de ses amis sur leurs blogs.
4 Il utilise des sites Web pour faire son travail scolaire.
5 Il n'écoute pas de musique sur son ordinateur.
6 Alexandra aime faire des achats sur son ordinateur.
7 Elle ne télécharge pas beaucoup de musique.
8 Elle vend des choses en ligne pour gagner de l'argent.
9 Alexandra et Lili jouent ensemble à la console.
10 Elles passent beaucoup de temps sur l'ordinateur.

Lire 2 Trouvez les synonymes des mots suivants dans l'article. Pour vous aider, utilisez le contexte. Puis vérifiez dans un dictionnaire.

1 pas beaucoup
2 de temps en temps
3 souvent
4 aussi
5 beaucoup de

Lire 3 Relisez l'article et notez les verbes réguliers au présent et leur infinitif. Pour vous aider, regardez les terminaisons (endings).

Trouvez: 12 verbes en **-er**, 2 en **-ir**, 2 en **-re**

Grammaire

Le présent des verbes réguliers (*the present tense of regular verbs*)

Regular verbs follow a pattern (the biggest group is **-er** verbs). To form the present tense of regular verbs, you take off the infinitive endings **-er**, **-ir** and **-re**, leaving you with the 'stem' and then add the following endings:

-er	-ir	-re
e.g. utiliser (*to use*) stem: **utilis-**	e.g. remplir (*to fill*) stem: **rempl-**	e.g. vendre (*to sell*) stem: **vend-**
j'utilis**e** (*I use*)	je rempl**is** (*I fill*)	je vend**s** (*I sell*)
tu utilis**es** (*you use*)	tu rempl**is** (*you fill*)	tu vend**s** (*you sell*)
il/elle/on utilis**e** (*he/she uses / we use*)	il/elle/on rempl**it** (*he/she fills / we fill*)	il/elle/on vend (*he/she sells / we sell*)
nous utilis**ons** (*we use*)	nous rempl**issons** (*we fill*)	nous vend**ons** (*we sell*)
vous utilis**ez** (*you use*)	vous rempl**issez** (*you fill*)	vous vend**ez** (*you sell*)
ils/elles utilis**ent** (*they use*)	ils/elles rempl**issent** (*they fill*)	ils/elles vend**ent** (*they sell*)

Some verbs have regular endings but there are small spelling changes to the stem in some parts of the verb to reflect the pronunciation.

acheter: j'ach**è**te, tu ach**è**tes, il/elle/on ach**è**te, nous achetons, vous achetez, ils/elles ach**è**tent

Verbs ending in **-ger** (**nous** form only): nous partag**e**ons, nous télécharg**e**ons

 Tu is used to address one person that you know well or a young person.

Vous is used to address politely a person you need to be more formal with or to address more than one person.

On and **nous** are both used to mean *we*. **On** is often used in spoken French. It is also the equivalent of *one, people, you* in English.

Écrire 4 Traduisez les phrases suivantes en français. Adaptez les phrases de l'article (pensez à changer la terminaison des verbes si nécessaire!) et utilisez les expressions de l'exercice 2.

1 I often chat and share photos on my blog.
2 Do you (familiar) download music or do you buy CDs?
3 My friends and I spend a lot of time on the computer.
4 My sisters don't correspond much by email.
5 We sell books and games and earn a bit of money.
6 You (plural) also use websites to do research.
7 Hugo fills his virtual shopping basket online.
8 Sometimes I stay on the computer until midnight.

Écouter 5 Écoutez trois personnes parler de comment elles utilisent leur ordinateur. Utilisez les mots des deux listes pour compléter le tableau.

	Activité	Fréquence
1	email	*tous les jours*
2		

recherches sur Internet
blogs
achat en ligne
téléchargement de musique
tchat   jeux d'ordinateur
vente en ligne
email

beaucoup   tous les jours
pas mal de   parfois
(pratiquement) tout le temps
pas beaucoup
souvent
deux fois par semaine
régulièrement
une fois par semaine
relativement peu

Parler 6 Préparez et donnez une présentation d'une à deux minutes au sujet de: «Mon ordinateur et moi».

● Use or adapt phrases from the texts in exercise 1.
● Aim to use **on** or **nous**, as well as **je**.
● Include as many adverbs and expressions of frequency as possible.
● Write out what you are going to say in full, then reduce it to four or five bullet points.
● Memorise and practise your presentation.

Exemple:
J'utilise mon ordinateur surtout pour télécharger de la musique. Mon copain Sayed et moi tchatons pas mal sur MySpace et on partage également des photos ...

 in order to do something = **pour + infinitive**.
J'utilise mon ordinateur **pour faire** des recherches.

Écouter 7 Écoutez les autres présentations et prenez des notes. Résumez en quelques phrases en français ce que vous avez compris. Vérifiez les terminaisons des verbes pour il/elle/ils/elles.

Exemple:
*James utilis**e** beaucoup son ordinateur pour télécharger de la musique.*

*James et Sayed tchat**ent** souvent sur MySpace et ils partag**ent** aussi des photos ...*

à l'examen

Learning to listen to people is good training for your oral exam, as you will be expected to listen to others and respond to what is said.

 culture

Le Minitel = un précurseur d'Internet qui permet aux Français de se familiariser avec le numérique dans les années 80.

- **t** Parler de la mode
- **g** Les adjectifs
- **s** Identifier des synonymes et des mots apparentés

3· C'est le look qui compte

Lire 1 Travaillez avec un(e) partenaire. Trouvez l'équivalent en anglais des adjectifs suivants.

1 divers	2 épaisses	3 étriqués	4 étroits	5 foncées	6 nombreux
7 noires	8 platines	9 populaires	10 premier	11 rouges	12 sombre
13 vintage	14 violettes	15 usé			

A black	B dark (x 2)	C first	D narrow	E numerous
F platinum blond		G popular	H purple	I red
J thick	K tight	L various	M vintage	N worn-out

Try to work out as many of the words as possible, without using a dictionary.

Look for synonyms (words which mean the same thing as another word) e.g. **violettes** = violet, a synonym for purple; **sombre** = sombre, a synonym for dark. When you've worked out as many as possible like this, try guessing the rest then check all your answers in a dictionary.

Écouter 2 Écoutez et complétez le texte avec les adjectifs de l'exercice 1.

LE LOOK 'EMO', QU'EST-CE QUE C'EST?

Deux styles vestimentaires populaires sont généralement considérés comme emo. Le **1** _____ style est issu de la scène emo indie des années 1990 et n'est pas sans rapport avec l'indie rock et le punk. Il comprend davantage de vêtements **2** _____ glanés aux puces qui offrent un aspect **3** _____. Les t-shirts sont plutôt **4** _____ avec des motifs très **5** _____, parfois venus tout droit des années 1980. Les sacs sont souvent décorés de patchs et de badges de groupes.

L'autre style tend davantage vers les couleurs **6** _____. Les cheveux sont teints, le plus souvent noir de jais, mais parfois aussi avec des mèches **7** _____, **8** _____ ou **9** _____ par exemple. Les garçons portent des jeans «allumettes» (très **10** _____), garçons et filles affichent de **11** _____, piercings (au sourcil, aux lèvres) portent un maquillage **12** _____ (essentiellement de l'eyeliner noir). Les lunettes à montures **13** _____ souvent **14** _____, sont également très **15** _____ et parfois portées par des personnes n'ayant pas besoin de verres de correction.

être issu de	come from, emerge from
sans rapport avec	unrelated to
glané aux puces	gathered from flea-markets
afficher	to display

Grammaire

Les adjectifs (*adjectives*)

Most adjectives change their ending according to whether the noun they describe is **masculine** or **feminine**, **singular** or **plural**. This is called agreement (*l'accord*) in number and gender.

The most common pattern of agreement is to add the following endings to the masculine singular form of the adjective:

masc sing	fém sing	masc pl	fém pl
étroit	étroite	étroits	étroites
usé	usée	usés	usées

- add **-e** for the feminine
- add **-s** for the masculine plural
- add **-es** for the feminine plural.

Other groups of adjectives follow different patterns:

no extra e	sombre	sombre	sombres	sombres
no extra s	divers	diverse	divers	diverses
change of ending	nombreux	nombreuse	nombreux	nombreuses
	premier	première	premiers	premières
	vif	vive	vifs	vives
-aux in masc plural	original	originale	originaux	originales
doubling consonant	épais	épaisse	épais	épaisses
	violet	violette	violets	violettes

Some adjectives are invariable (do not change). These are usually derived from nouns or come from another language, e.g. les vêtements **vintage**.

A number of very common adjectives are irregular, such as **beau** (**belle, beaux**) and **vieux** (**vieille, vieux**).

Most French adjectives come after the noun they describe, e.g. des mèches **rouges**. However, there are exceptions regarding the position of adjectives (see page 128).

Écrire 3 Complétez le tableau pour les adjectifs 1–15 du texte de l'exercice 2.

	Adjectif	Genre et nombre	Accord avec le nom …
1	*premier*	*masculin, au singulier*	*style vestimentaire*

Lire 4 Complétez en anglais le résumé du texte de l'exercice 2.

First type of emo fashion

Comes from the _____ and includes more _____, gathered from flea-markets, which look _____. Tee-shirts are usually rather _____ carrying various _____, sometimes straight from the _____. _____ are often decorated with _____.

Second type of emo fashion

Hair is often dyed jet _____ sometimes with _____, _____ or _____ streaks. Boys wear very _____. Boys and _____ have _____ their eyebrow or their lips and _____ make-up. Thick-framed _____ are also _____ and sometimes worn by people who don't need _____.

Écrire 5 Notez le sens anglais des mots suivants, sans utiliser un dictionnaire. Pour vous aider, relisez les textes des exercices 2 et 4!

davantage	plutôt	teint(s) en noir
la mèche	porter	le sourcil	la lèvre
le maquillage	les lunettes	avoir besoin de

Parler 6 Écoutez et imitez.

mèche   sombre   gens   nombreux   vêtement
violet   nombreuse   étroite   violette

De nombreuses personnes portent des vêtements sombres, des lunettes à montures épaisses et ont une mèche violette dans les cheveux.

Prononciation

Les lettres muettes (*silent letters*)

e (but not **é**), **d**, **s**, **x** and **t** at the end of a French word are normally silent, e.g. mèch**e**, compren**d**, sombre**s**, gen**s**, nombreu**x**, vêtemen**t**, violet**s**.

However, if there is an **e** or **es** after the final consonant, the consonant has to be pronounced, e.g. nombreu**s**e, étroi**t**es, viole**tt**es.

Parler 7 Relisez l'article et répondez oralement aux questions suivantes.

1 Comment s'appelle cette mode?
2 Que portent les gens qui suivent cette mode?
3 Leurs cheveux sont comment?
4 Portent-ils du maquillage?
5 Quelle sorte de bijou portent-ils?

Écrire 8 Écrivez un article sur une autre mode. Adaptez l'article de l'exercice 2 avec les informations suivantes, et ajoutez d'autres détails particuliers à ce style.

Exemple: *Le look skateur est issu … Les t-shirts sont …*

Style: *skateur*
Origine: *culture populaire californienne*

un bandana

cheveux longs, frisés, années 70

un sweat à capuche

un t-shirt large

un pantalon ample laissant voir le caleçon

une casquette

de grosses chaussures avec des lacets épais

Parler 9 Choisissez ou inventez un autre style vestimentaire. Faites la liste des caractéristiques de cette mode selon vous. Ensuite, interviewez votre partenaire sur sa mode en utilisant les questions de l'exercice 7.

Exemple:
● *Comment s'appelle cette mode?*
■ *Elle s'appelle «éco-fou».*
● *Que portent les gens qui suivent cette mode?*
■ *Ils portent souvent des vêtements verts ou marron, en papier ou en carton, décorés de feuilles …*

4 · Il va y avoir du sport!

Les passionnés de la voile

La célèbre école de voile des Glénans, située en Bretagne, est la première école de voile d'Europe. Chaque année, à peu près 14 000 stagiaires viennent aux Glénans. Les débutants suivent leurs premiers cours de voile et ceux qui ont plus d'expérience apprennent à se perfectionner en catamaran, dériveur ou planche à voile. Les 800 moniteurs et monitrices bénévoles qui sont responsables des stages sont tous diplômés de la Fédération française de voile. Ils savent transmettre leur passion de la voile et s'assurent que chaque stagiaire devient autonome en toute sécurité.

«C'est grâce à mon père que je fais de la voile. Mais tu vois, chez moi à Rouen, on n'a qu'un lac, alors pour sortir en mer, je vais en Bretagne», dit Noémie, 16 ans, qui vient aux Glénans pour la seconde fois.

Le seul inconvénient, c'est la combinaison de plongée qu'on porte pour les cours pratiques: «La combi n'a pas le temps de sécher en une nuit. C'est la galère, le lendemain tu la remets mouillée, ça colle et c'est froid!». Un petit détail qui n'affecte pas l'enthousiasme de Gaétan, qui suit un stage d'une semaine aux Glénans: «Je crois que les sports comme le cata sont très physiques, tu es toujours en train de bouger», explique-t-il. Il sourit, en ajoutant: «C'est hyper technique, tu apprends quelque chose chaque fois que tu sors en bateau. Quand il y a beaucoup de vent, j'adore, t'as l'impression de voler, une sensation géniale!».

bénévole	*voluntary*
ne … que …	*only*
sécher	*to dry*
la galère	*a pain, a drag*
coller	*to stick*

Écouter 1 **Écoutez et lisez l'article. Puis trouvez dans cet article les mots correspondant à ces définitions.**

1 les gens qui participent à un stage
2 les gens qui font quelque chose pour la première fois
3 trois sortes de bateaux
4 les gens qui organisent des stages
5 indépendant
6 un grand bassin d'eau
7 un vêtement en caoutchouc qu'on porte pour faire des sports aquatiques
8 le contraire de sec/sèche
9 faire des mouvements
10 naviguer dans les airs, comme un oiseau ou un avion

Lire 2 **Relisez l'article et répondez aux questions en français.**

1 Les Glénans, qu'est-ce que c'est?
2 Combien de personnes font un stage aux Glénans chaque année?
3 Quels sont les deux types de stagiaires?
4 Qui organise les stages et donne les cours?
5 Où Noémie fait-elle de la voile chez elle?
6 Pourquoi est-ce désagréable de mettre une combinaison de plongée?
7 Selon Gaétan, pourquoi le catamaran est-il un sport physique?
8 Selon lui aussi, quand a-t-on l'impression de voler?

Grammaire

Le présent des verbes irréguliers (*the present tense of irregular verbs*)

Some of the most commonly used verbs are irregular in the present tense and do not follow a pattern. These need to be learned individually and they include:

aller	to go	prendre*	to take
avoir	to have	savoir	to know (how to)
croire	to think, to believe	rire*	to laugh
dire	to say, to tell	sortir	to go out
être	to be	suivre	to follow
faire	to do or make	venir*	to come
mettre*	to put (on)	voir	to see

* Compound verbs (verbs with a prefix added) follow the same pattern as the original verb they come from:

mettre (*to put on*) → remettre (*to put on again*)
prendre (*to take*) → apprendre (*to learn*)
rire (*to laugh*) → sourire (*to smile*)
venir (*to come*) → devenir (*to become*)

Lire 3 Écrivez le pronom sujet (subject pronoun), le sens en anglais et l'infinitif de chacun des 22 verbes irréguliers de l'article (en bleu dans le texte). Pour vous aider, utilisez les tableaux de conjugaison de ce livre (voir les pages 146–157).

Exemple:
1 elle est   (it is)   être   (to be)

Écrire 4 Complétez ce témoignage avec les formes correctes des verbes irréguliers. Pour vous aider, consultez les tableaux de conjugaison. Ensuite, traduisez le texte en anglais.

Je **1 (venir)** aux Glénans chaque année, avec mon frère. Cette année, nous **2 (faire)** un stage de planche à voile. C' **3 (être)** génial car on **4 (apprendre)** quelque chose à chaque fois qu'on **5 (sortir)** en mer. Les moniteurs **6 (avoir)** beaucoup d'expérience, ils **7 (savoir)** enseigner les techniques de base et donner confiance en soi. Chaque matin, quand je **8 (mettre)** ma combi, je **9 (sourire)**, parce que je **10 (savoir)** qu'on **11 (avoir)** de la chance de faire un stage ici. Mon frère et moi, on pense tous les deux que c'est une expérience fantastique. Le soir, quand on **12 (aller)** se coucher, je me **13 (dire)** «Tu **14 (voir)**, t'**15 (être)** un vrai marin maintenant!»

Écouter 5 Écoutez ce reportage sur des stages d'escalade et d'alpinisme dans les Vosges et notez les détails suivants:

- le nombre de stagiaires et de moniteurs/monitrices
- le niveau des stages proposés
- la durée des stages
- la fonction principale des moniteurs
- le niveau en escalade de Julia et Romain
- l'opinion de Julia et Romain sur ce sport et sur leur expérience

à l'examen

- Notice how the language the reporter uses in exercises 1 and 5 is quite formal and factual, whereas the young interviewees who speak in both exercises use more informal language, including some slang (e.g. vachement, truc, etc.).
- Note also the abbreviation of **tu** before a vowel in familiar language (e.g. **t'**as l'impression de … **t'**es crevé).
- You will need to understand and recognise different registers of language (formal or informal) in your exam. It is also important to use the correct, formal register when addressing your examiner in the oral test!

Écouter 6 Réécoutez le reportage et notez les expressions familières ou argotiques suivantes dans l'ordre dans lequel vous les entendez.

hyper	vachement	plein de	être crevé
un truc	c'est la galère	ben	avoir la trouille

Lire 7 Choisissez dans les deux listes ci-dessous la traduction et la version plus formelle de chacune des expressions de l'exercice 6.

Sens en anglais	Version plus formelle
thing	être fatigué
to be scared	beaucoup de
really	bien
to be worn out	c'est embêtant
well,	très
it's a pain	une chose
loads of	avoir peur

Parler 8 Avec un(e) partenaire ou en groupes, préparez et enregistrez un reportage pour la radio ou la télé sur une école de ski. Incluez les informations suivantes:

- Use and adapt language from the texts in exercises 1 and 4.
- Include the correct forms of a range of regular and irregular verbs.
- As well as giving factual information about the school include short interviews with one or two young skiers.
- Include at least three opinions.
- Use the correct register for the reporter (formal) and the young interviewees (informal).

skiing-school in the Alps:

Les Sapins

Courses in *ski alpin, ski nordique, ski de fond* and *snowboard*

- 3,000 participants per year, beginners' level and beyond
- 200 organisers/tutors, qualified by the École de Ski Français

5 · Santé en danger

A Un jeune Français sur trois est fumeur.

C 18% des enfants de 7 à 9 ans présentent un surpoids et 4% sont obèses.

B 51% des garçons de 16 à 17 ans et 47% des filles déclarent avoir été ivres au moins une fois au cours de leur vie.

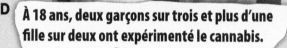

D À 18 ans, deux garçons sur trois et plus d'une fille sur deux ont expérimenté le cannabis.

Lire 1 Lisez les statistiques ci-dessus. Traduisez les statistiques en anglais.

> When you translate from French into English, it's important to translate accurately, but also to make sure the English sounds right. For example, *51% of boys … declare having been drunk …* doesn't sound very natural. How would we say this in English?

Écouter 2 Écoutez ces trois dialogues. Associez chaque dialogue à l'une des statistiques de l'exercice 1.

Grammaire

Les verbes suivis de l'infinitif (*verbs followed by the infinitive*)

- Certain verbs are followed immediately by a second verb in the infinitive. Some common verbs which work like this are:
  aimer (*to like*), détester (*to hate*), préférer (*to prefer*)
  Je **préfère sortir** toute seule, mais il **aime inviter** ses copains.
  *devoir (*to have to/must*), *pouvoir (*to be able to/can*), *vouloir (*to want*)
  Ils **veulent arrêter**, mais ils ne **peuvent** pas.
  **il faut (*it is necessary to/have to/must*)
  Il **faut faire** attention à ce qu'on mange.
  (For a fuller list, see page 134)

  * These three are called modal verbs and are irregular. To find out how to form them, see Verb tables, pages 146–157.

  This verb is impersonal and only exists in the **il form. It can be used to refer to *I*, *you*, or *we*.

- Modal verbs are sometimes used without a second verb in the infinitive, but the infinitive is implied.
  Ils ne **peuvent** pas (arrêter).   They can't (stop).
  Oui, je **veux** bien   Yes, I'd like to
  (boire un coup).   (have a drink).
- The two parts of a negative expression go around the <u>first</u> verb.
  Tu **ne** peux **pas** continuer comme ça.
  Il **ne** faut **jamais** essayer le cannabis.
- Some other verbs use **à** or **de** with an infinitive. This is dealt with on page 78.

Écouter 3 Réécoutez les dialogues afin de compléter les phrases suivantes.

Dialogue 1

1 Il _____ attention à ce qu'on mange quand on est jeune.
2 Tu veux dire que je _____ de la salade, des légumes, tout ça?
3 Tu _____ de la viande, mais il _____ de la viande moins grasse.

Dialogue 2

4 Eux, ils _____ un coup, et donc je bois aussi.
5 Je _____ toute seule avec Luc, mais lui il _____ ses copains.
6 Je vais lui dire qu'il _____ entre ses copains et moi.

Dialogue 3

7 Si tu fumes beaucoup de marijuana, tu _____ des troubles de la mémoire, des difficultés de concentration et tu _____ de dépression.
8 Ils _____ pas mal de joints pour être comme ça.
9 Mon frère dit qu'ils _____ mais ils _____.

Écrire 4 Traduisez ce paragraphe en français, en faisant attention aux verbes suivis de l'infinitif et aux articles partitifs. Utilisez le vocabulaire de l'exercice 3.

- Here, *you* does not refer to one person but to people in general, so it's best to use **on**.
- *You must* can be translated as either **on doit** or **il faut**.
- When talking to a friend, *you must* can be translated as either **tu dois** or **il faut**.

You have to be careful about what you eat when you are young. You can eat meat, but you must eat less fatty meat, like chicken. You must eat lots of fruit and vegetables every day, too. You mustn't drink alcohol in order to impress your friends. You can drink something non-alcoholic, like cola, or water. If you smoke a lot of cannabis, it can have harmful effects. You can have memory problems, difficulty concentrating, or suffer from depression.

Parler 5 À deux. Imaginez que vous donnez des conseils à un(e) ami(e) qui fume des cigarettes. Utilisez les arguments des deux listes et commencez comme ceci:

- ● *Salut, ça va?*
- ■ *Non, ça ne va pas. J'ai trop fumé hier soir.*
- ● *Qu'est-ce que t'es bête, toi!*
- ■ …

Smoker
- Don't smoke much, can stop when want to
- Smoke when out with boyfriend/girlfriend and his/her friends
- If you don't, they make fun of you
- Don't really like smoking
- Know must stop
- Must speak to boyfriend/girlfriend
- Think they don't like smoking either

Friend giving advice
- Must be careful what you do when you're young
- If continue, can have problems later in life, like heart disease and lung cancer
- Stupid to smoke to impress boyfriend/girlfriend's friends
- Boyfriend/Girlfriend must choose between friends and you

les maladies du cœur	heart diseases
le cancer du poumon	lung cancer
se moquer de	to make fun of
non plus	neither (in a negative sentence)

Grammaire

Les articles partitifs (*partitive articles*)

The partitive article means *some*.

article	masc sing	fém sing	devant une voyelle ou 'h' muet, sing	masc et fém pl
défini	le	la	l'	les
partitif	du poulet	de la viande	de l'eau	des fruits

The partitive is often used in French where the word *some* is not used in English, but is implied.

Il faut boire **du** coca ou **de l'**eau. — You must drink (some) cola or (some) water.

Tu peux avoir **des** bonbons. — You can have (some) sweets.

But use only **de** (shortened to **d'** in front of a vowel or silent **h**):

- after most negatives: On ne doit pas fumer **de** cannabis.
- after expressions of quantity (e.g. plus/moins de, un kilo de, etc.):
  Il faut manger moins **de** viande et pas trop **de** frites.
  Je veux acheter une bouteille **d'**eau.

- Plan first. Make a list of health risks to young people.
- Include one or two sets of statistics, to back up what you write.
- Use language and ideas from the spread to help you.
- Use the **ils/elles** part of the verb when referring to young people. (e.g. Les jeunes boiv**ent**/fum**ent**/doiv**ent**/peuv**ent** …)
- Use expressions from the list below to enhance your writing.

Écrire 6 Écrivez un court essai intitulé *Les jeunes et la santé*.

Opening sentences		Presenting facts and information		Closing sentences	
Les jeunes sont-ils en bonne santé?	*Are young people in good health?*	Selon les statistiques	*According to statistics*	En conclusion	*In conclusion*
Quels sont les plus grands risques pour la santé des jeunes?	*What are the biggest risks for young people's health?*	Beaucoup de/Trop de/50% des jeunes …	*A lot of/Too many/50% of young people …*	Pour conclure	*To conclude*
		De plus/D'ailleurs, …	*Moreover/What's more, …*	Avant qu'il ne soit trop tard	*Before it's too late …*
		Il faut …	*You/We must …*		
		Il est essentiel de …	*It is essential to …*		

6 Divertissement ou télé-poubelle?

Quelle est la définition des émissions de

télé-réalité?

Ce sont des émissions qui font du spectacle avec la vie des gens ordinaires, en particulier avec leur intimité. Dans les années 1980-1990, ces émissions étaient surtout des témoignages ou des «confessions» de personnes qui exposaient leurs problèmes ou leurs souffrances d'ordre privé: les reality shows. Aujourd'hui, la télé-réalité recouvre davantage des divertissements dans lesquels les participants sont placés dans des situations de compétition, donnant souvent lieu à des procédures d'élimination de certains d'entre eux, et où l'on observe leurs réactions psychologiques ou physiques à un certain nombre d'épreuves.

Lire 1 Lisez l'article et donnez le sens en anglais des termes ci-dessous dans le contexte de l'article. Utilisez un dictionnaire, si nécessaire.

1 émission (f)
2 faire du spectacle avec
3 intimité (f)
4 témoignage (m)
5 souffrance (f)
6 recouvrir
7 divertissement (m)
8 donner lieu à
9 certains d'entre eux
10 épreuve (f)

Lire 2 Relisez l'article. Ensuite, fermez le livre et travaillez à deux. Essayez de résumer l'article en anglais, de mémoire.

Écouter 3 Écoutez ce reportage sur l'émission de la télé-réalité *Loft Story* (l'équivalent français et canadien de *Big Brother*). Écoutez bien les chiffres mentionnés et notez en français:

1 l'âge des participants
2 le nombre d'heures que les participants sont filmés
3 la durée de la série
4 le nombre de caméras et de microphones
5 le nombre de techniciens et réalisateurs
6 le nombre de candidats qui veulent y participer
7 le nombre de psychologues qui les sélectionnent

Lire 4 Réécoutez et complétez ces phrases extraites du reportage. Ensuite, traduisez-les en anglais.

1 Le concept de *Loft Story* est de tout montrer de _____ qui sont enfermées et coupées _____.

2 _____ et le voyeurisme est de rigueur. Rien n'échappe aux _____.

3 Les _____ au hasard. Ils sont soigneusement sélectionnés, afin de _____ photogéniques, narcissiques et désinhibés.

4 Pour eux, *Loft Story* est surtout _____ en passant _____.

Lire 5 Lisez ces opinions sur les émissions de télé-réalité et décidez pour chacune si elles sont en faveur (F) ou contre (C) ce genre d'émissions.

A J'apprécie le fait que je peux y participer un peu moi-même. Si je veux favoriser un candidat en particulier, je peux voter pour lui.

B Je n'y vois pas de mal, je crois qu'il ne faut pas les prendre trop au sérieux. En fin de compte, ce n'est qu'un divertissement.

C Je les trouve plutôt débiles, mais mes deux filles, elles, elles en parlent tout le temps: «Tu crois que c'est lui ou c'est elle qui va être éliminé?».

D Je dois avouer que, moi, j'y suis un peu accro.

E Ça change un peu de regarder un programme où il s'agit de gens ordinaires, comme vous et moi. C'est comme si, nous, les téléspectateurs, on passait nous-mêmes à la télé.

F Heureusement que chez nous on a deux télés, donc je peux regarder autre chose!

G Il y a beaucoup de jeunes qui regardent des émissions comme *Loft Story* et eux, ils prennent ça au sérieux. Pour eux, les participants sont souvent des personnes qu'ils veulent imiter et je trouve ça dangereux.

H Je n'ai aucun intérêt à regarder des gens s'exposer comme ça. Selon moi, c'est du voyeurisme et c'est malsain.

I Si les gens n'aiment pas ce genre d'émissions, ils peuvent toujours changer de chaîne.

J Les participants cherchent la notoriété à tout prix. C'est de la télé-poubelle!

Lire 6 Trouvez sept pronoms emphatiques dans les textes de l'exercice 5 et justifiez leur emploi en anglais.

Grammaire

Les pronoms emphatiques (*emphatic or disjunctive pronouns*)

Emphatic pronouns refer to specific people whose identities are obvious from the context.

moi (*me*)	lui (*him*)	nous (*us*)	eux (*them* – masculine)
toi (*you*)	elle (*her*)	vous (*you*)	elles (*them* – feminine)
soi (related to **on**)			

Moi, je trouve *Loft Story* débile.   Selon **vous**, c'est de la télé-poubelle.

Lire 7 Répondez en anglais aux questions sur l'article.

1 According to the article, what **three** types of video can be seen on these sites?
2 Name **three** reasons why the author of the article believes such sites are popular.
3 What comparison does the article make between these sites and reality TV programmes?
4 What, according to the article, makes it difficult to control the content of the sites?
5 Name **three** types of material which the author says should be prevented from being shown on such websites.

▶ Cliquez ici pour devenir célèbre

La frontière entre monde réel et monde virtuel semble chaque jour devenir de plus en plus mince. Avec des milliers de vidéos téléchargées quotidiennement, les plateformes de vidéos en ligne telles que YouTube ou son homologue français Dailymotion connaissent un succès phénoménal.

Grâce à de tels sites, vous pouvez regarder un programme télé que vous avez raté, le dernier clip de votre chanteur préféré ou la vidéo de l'anniversaire de votre copain Simon. L'engouement pour ce type de média s'explique également par la possibilité qu'il offre aux internautes d'ajouter des commentaires, de rejoindre une communauté, ou de partager des vidéos avec ses amis. Qui plus est, tout le monde peut avoir son quart d'heure de célébrité. Pour les mêmes raisons que certains veulent participer à des émissions de télé-réalité, d'autres publient leurs propres vidéos sur Internet. Un simple clic suffit pour une diffusion planétaire et pour recevoir les réactions de son audience.

Mais le nombre considérable de vidéos mises en ligne chaque jour rend pratiquement impossible le contrôle systématique de leur contenu afin d'éviter la propagande politique ou religieuse et la diffusion d'images répréhensibles par la loi. En effet, il ne s'agit plus de divertissement mais de crime lorsqu'on passe du vidéo-gag au «happy slapping», une pratique qui consiste à filmer l'agression d'une personne, le plus souvent avec un téléphone portable, dans le but de la diffuser sur Internet.

Parler 8 À deux. Adoptez deux points de vue opposés au sujet des émissions de télé-réalité ou des sites Web vidéo. Préparez vos arguments et anticipez ceux de votre adversaire. Qui aura le dernier mot? Attention: évitez d'utiliser un registre trop informel et soyez toujours poli(e)!

Exemple:
● *Pour moi, la télé-réalité, c'est du voyeurisme et c'est malsain.*
■ *Oui, mais si tu n'aimes pas ça, tu peux changer de chaîne.*
● *On ne montre pas vraiment «la réalité» puisque les personnes sont sélectionnées.*

Contredire

Au contraire
Mais c'est une absurdité/c'est n'importe quoi!
C'est un argument ridicule.
C'est absurde de dire que …
Vous avez complètement tort/Là, je ne suis pas du tout d'accord (avec toi/vous).
Je suis désolé(e) mais tu oublies/vous oubliez que …
Tu ne prends pas/Vous ne tenez pas compte de …

Écrire 9 Écrivez un court article, en présentant le pour et le contre des émissions de télé-réalité ou des sites Web vidéo.

Exemple:
Certains considèrent que les sites Web tels que YouTube ne sont qu'un divertissement et qu'il ne faut pas les prendre trop au sérieux. D'autres, au contraire, estiment que …

Beaucoup de gens/Certains/Certaines/personnes/D'autres	*A lot of people/Some/Some people/Others*
disent/croient/trouvent/déclarent/maintiennent/affirment/soutiennent/considèrent/estiment	*say/believe/find/declare/maintain/claim/maintain/consider/think*
Une majorité de personnes/Une minorité/On pense/considère/estime	*Most people/A few people/One think/consider/thinks*
D'après certains …	*According to some …*
selon d'autres …	*to others …*
Les uns … les autres …	*Some … others …*
D'une part … De l'autre …/	*On one hand …*
D'un côté … De l'autre …	*On the other hand …*
En revanche …/Alors que …/Tandis que …	*Whereas …*

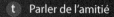
t Parler de l'amitié
g L'interrogation
s Choisir le bon registre

7 · Quel genre d'ami(e) êtes-vous?

Parler 1 Selon vous quelles sont les qualités essentielles d'un ami? Faites une liste de 10 noms avec les adjectifs correspondants.

Exemple: *générosité (f)   généreux/se*

Écouter 2 Complétez les phrases en choisissant la bonne fin de phrase. Écrivez la lettre correspondante.

You need to build your vocabulary systematically. Record items of vocabulary you don't know and *learn* vocabulary regularly.

- Start to list words dictionary-style.
- List nouns in the singular, with (m) or (f) to indicate their gender.
- Use a dictionary to look up any genders you don't know.
- List verbs in the infinitive.

1 Christelle parle
2 Quand elle est avec sa meilleure amie, Christelle
3 Soizic et Christelle s'entendent
4 Christelle et son amie
5 Soizic aime
6 Christelle croit qu'elles

a se sent plus forte.
b se disputent souvent.
c beaucoup à sa meilleure amie.
d toujours bien.
e seront amies pour toujours.
f est malheureuse.
g passent leur fin de semaine ensemble.
h rigoler.

Read through the questions carefully before listening. Check that you understand the vocabulary, trying to make an educated guess at words you don't know. Have a guess at the answer before listening. Is there a logical one? Is there one that is not possible?

Lire 3 Faites correspondre les questions et les réponses.

1 Combien d'amis avez-vous?
2 Comment se faire des amis?
3 Êtes-vous sûr que vos amis sont de vrais amis?
4 Peut-on être ami avec quelqu'un qui habite très loin?
5 Est-ce que l'amitié est importante pour vous?
6 Quel genre d'ami êtes-vous?
7 Quelles sont les qualités que vous recherchez chez un ami?
8 Qu'est-ce que vous faites avec vos amis?
9 Que faut-il faire pour garder ses amis?
10 Vos amis peuvent-ils compter sur vous?

a Oui, dans ma vie quotidienne, mes relations avec mes amis sont essentielles.

b Il faut aller vers les gens. Si l'on ne veut pas se retrouver seul, il faut vraiment faire un effort.

c La fidélité, la disponibilité, la diplomatie, toutes ces choses sont capitales.

d On ne peut jamais être certain à 100%, mais oui, je crois que j'ai bien choisi mes amis. On est toute une bande et on s'amuse bien ensemble, il y a rarement des malentendus entre nous.

e Il faut être gentil. Il faut donner sans compter. Entre amis, il faut savoir exprimer ce que l'on ressent. Il faut s'expliquer sur tout si on veut garder ses amis.

f Oui, ils peuvent toujours compter sur moi, en toutes circonstances.

g Je crois que je suis sensible et diplomate et je ne suis pas trop égoïste. Voilà.

h J'ai une dizaine d'amis, mais j'ai un très bon copain, c'est mon meilleur ami, quoi.

i Bien sûr, mais il faut faire un peu plus d'efforts pour rester en contact.

j On discute, on va boire un pot et puis le week-end, on fait la fête, on va danser ou bien on va au cinéma. Ça dépend.

Écrire 4 Identifiez les questions de l'exercice 3 que vous utiliseriez plutôt à l'oral (registre informel) et celles que vous utiliseriez plutôt à l'écrit (registre formel). Ensuite réécrivez chaque question dans le registre opposé.

Exemple: *1 Formal. Combien d'amis avez-vous?*
In speech: Vous avez combien d'amis?

Parler 5 Avec votre partenaire, faites ce quiz.

Quel genre d'ami es-tu?

1 Comment dis-tu bonjour à tes amis?
- ♣ Tu les embrasses.
- ♦ Avec un hochement de tête.
- ♥ Avec une tape dans la main.

2 Quand quelqu'un te dit que tu es son ami ...
- ♣ ça te réchauffe le cœur.
- ♦ c'est qu'il a probablement quelque chose à te demander.
- ♥ enfin quelqu'un qui reconnaît ta valeur!

3 Toi, tu es plutôt l'ami ...
- ♣ qu'on appelle pour se confier.
- ♦ qu'on vient voir quand on se prend la tête pour un devoir.
- ♥ qu'on appelle pour faire une partie de foot.

4 Pour toi, c'est quoi le pote idéal?
- ♣ Celui avec qui tu joues à la Playstation jusqu'à 4h du mat' et qui ne te prend pas la tête.
- ♦ Celui qui rapplique quand tu as besoin de lui.
- ♥ Celui qui te file son devoir de maths.

5 Les dates d'anniversaire de tes super potes, tu en connais combien?
- ♣ Au moins la moitié, tu as du mal avec les chiffres.
- ♦ Toutes, tu te donnes au max pour l'anniversaire de tes copains!
- ♥ Une peut-être, mais tu ne sais plus si c'est le 6 ou le 8 mai ...

6 Tu vis un grand moment de solitude, ton meilleur copain a trahi un de tes secrets.
- ♣ Tu essaies de comprendre, mais tu es hyper déçu.
- ♦ Ton pote et toi, c'est fini, tu ne pourras plus jamais lui faire confiance.
- ♥ Tu lui pardonnes, après tout il doit se sentir encore plus mal que toi.

7 Depuis quand connais-tu tes amis?
- ♣ Certains depuis la maternelle, d'autres depuis un mois.
- ♦ Depuis peu, chaque année tu changes de groupe.
- ♥ Ce sont les mêmes depuis la maternelle.

8 Quand tu dis à quelqu'un qu'il est ton ami, ça veut dire que ...
- ♣ tu as quelque chose à lui demander.
- ♦ vous passez des bons moments ensemble.
- ♥ le monde serait vide sans lui.

C'est l'heure du verdict! ... Compte le nombre de ♣♦♥.

Une majorité de ♣
Bon et sincère, tu es l'ami fidèle. Tu ne lâches jamais un copain en difficulté. Même s'il doit t'en coûter un peu d'argent ou ta réputation.

Une majorité de ♦
Tu es un ami qu'il faut apprendre à connaître et conquérir, mais une fois ton amitié gagnée, on est bien récompensé. N'hésite pas à aller vers les autres, tu verras, ça change la vie!

Une majorité de ♥
Tu es toujours de bonne humeur et tu adores faire rire les autres. Tu es invité partout et tu es apprécié par presque tout le monde. Mais, attention, pour tenir, l'amitié a besoin d'être équilibrée, réciproque et respectueuse ...

hocher		to nod
se confier		to confide
se prendre la tête		to get worked up (familiar)
prendre la tête de quelqu'un		to get on someone's nerves (familiar)
faire confiance		to trust
se sentir mal		to feel bad
vide		empty

pote	=	copain
mat'	=	matin
rappliquer	=	venir
filer	=	donner
avoir du mal	=	avoir des difficultés

Grammaire

L'interrogation (*the interrogative*)

You can form questions in French in different ways.

In speech:
- turn statements into questions simply by using rising intonation at the end; Tu as des amis?
- or use **Est-ce que ...** + statement +?; Est-ce que tu as des amis?

Don't confuse **Est-ce que ...?** with **Qu'est-ce que ...?**, which means *What ...?*

Qu'est-ce que vous faites avec vos amis?

In more formal language, invert the subject and the verb (swap them around). If the subject is a noun, you add a pronoun, after the verb.

	Subject = a pronoun	Subject = a noun
Statement	**Ils** peuvent téléphoner quand ils veulent.	Les amis peuvent téléphoner quand ils veulent.
Question	**Peuvent-ils** téléphoner quand ils veulent?	**Les amis peuvent-ils** téléphoner quand ils veulent?

Open questions require question words or phrases, such as:
qui? que? quand? où? comment? quoi? pourquoi? de quoi? combien? quel? De quelle façon? Quelles sortes de?

Note that **quel** is an adjective and must agree with the noun it refers to: **Quelles** sont **les qualités** essentielles d'un ami?

(Informal)
Quoi? On sort **quand?**
Qu'est-ce que tu dis?
Quand est-ce qu'on va au café?

(More formal)
Que dis-tu?
Quand va-t-on* au café?

*If the verb ends in a vowel, add **-t-** to make pronunciation easier.

Écrire 6 Écrivez cinq questions au sujet des meilleurs amis. Utilisez le vocabulaire ci-dessous pour vous aider.

complice	donner des conseils
hypocrite	se disputer
égoïste	s'écouter
prêt à	aller vers les gens
compter sur	se respecter mutuellement
rendre service	la diplomatie
faire des sacrifices	la sensibilité

Écrire 7 Écrivez vos réponses aux questions de l'exercice 3.

8 · Bien avec les autres

L'amitié et la Jalousie

Lire 1 **Lisez cet article sur l'amitié et la jalousie. Remplissez les blancs dans ce texte avec des mots choisis dans la liste. Utilisez chaque mot une fois seulement. Il y a quatre mots de trop.**

amitié   ressentiment   sentiment   bonheur

jalousie   problèmes   attachement   sœur

dépendance   confiance   amour   copine

L'amitié est l'une des clés du **1**_____. Elle aide dans les bons moments comme dans les périodes difficiles. L'amitié, c'est moins compliqué que l'**2**_____. Avec un ami, on n'a pas les mêmes **3**_____qu'on a avec un amant. En allant vers la vie adulte, on passe de plus en plus de temps avec ses amis, et on a tendance à se confier plus à ses amis qu'à sa famille. Une **4**_____ solide où l'on se respecte mutuellement peut être très solide et peut durer toute la vie. La jalousie est un **5**_____ aussi vieux que le monde. Dès l'enfance, en effet, nous avons besoin d'être aimés et préférés à notre **6**_____ ou notre frère et puis, qui n'a pas été jaloux/jalouse de ne pas avoir comme son voisin le dernier Action Man ou la nouvelle Barbie 'Star Ac'?

Tous les spécialistes tombent d'accord pour dire que la **7**_____est un manque de confiance en soi et un doute quant à ses propres capacités à séduire. Mais, tu n'es pas fou! Si tu es jaloux/jalouse, c'est parce que tu tiens à lui ou à elle et que tu traverses une petite perte de **8**_____ en toi. Mais attention à ne pas laisser ce sentiment envahir ta relation au risque de la transformer en enfer pour toi et pour l'autre …

à l'examen

When completing an exercise like the one above:

- think carefully about meaning;
- look at the gender of words;
- do apostrophes give you a clue? does the noun begin with a vowel?
- is the word plural?

Parler 2 **Travaillez avec votre partenaire. Répondez à ces questions.**

1   De quoi s'agit-il?
2   Quelle est votre réaction à la jalousie de Stéphane?
3   Quels conseils pouvez-vous lui donner?
4   À votre avis, quelles sont les qualités d'un(e) bon(ne) ami(e)?
5   Pour vous, les amis sont-ils plus importants que la famille?

Je suis jaloux de mon meilleur ami

Salut,
Mon meilleur ami va sortir avec la fille que j'aime. Je suis très fâché contre lui et surtout, très jaloux de ce couple. Que faire?
Stéphane, 17 ans

à l'examen

For the speaking exam, you will be given twenty minutes preparation time; use it wisely.

Prepare one of the two stimulus cards given to you. Look carefully at both cards and make your choice.

Make notes on the Additonal Answers Sheet and refer to this in the exam.

Make notes for each question. Write in capitals or underline words or structures you definitely want to use.

à l'examen

Note-taking

- You will need to make notes in your speaking exam.
- Don't try to note down everything – just key words.
- Abbreviate longer words.
- Use simple symbols instead of some words, e.g. ♥ contact avec gens

Grammaire

Le passé composé avec l'auxiliaire *avoir* (*the perfect tense of verbs with the auxiliary verb avoir*)

1 The perfect tense of regular verbs

Use the perfect tense to describe completed actions in the past. It translates into English in three ways:

J'ai rencontré …

1 *I met*   2 *I have met*   3 *I did meet*

For the majority of verbs, the perfect tense is formed using the relevant part of the auxiliary verb **avoir** (*to have*) and a past participle.

To form the perfect tense of regular **-er**, **-ir** and **-re** verbs:

	-er verbs (e.g. rencontrer)	-ir verbs (e.g. choisir)	-re verbs (e.g. rendre)

auxiliary **avoir** past participles

	-er → é	-ir → i	-re → u
j'ai	rencontré	choisi	rendu
tu as			
il/elle/on a			
nous avons			
vous avez			
ils/elles ont			

J'**ai pleuré** en quittant mes copains.
I cried when leaving my friends.
J'**ai choisi** un camp en Corse.
I chose a camp in Corsica.
J'**ai attendu** des nouvelles de mes amis.
I waited for news from my friends.

Écrire 3 Choisissez la forme correcte du verbe.

1 Mon meilleur ami m'**a aidé/a aider** pendant cette période difficile.
2 On **a passez/a passé** beaucoup de temps ensemble.
3 Il **a répondu/ont répondu** à tous mes coups de téléphone.
4 Il m'**a écouté/écoutent** parler.
5 Il **reussit/a réussi** à me remonter le moral.
6 Nous **avons jouer/avons joué** au foot ensemble tous les soirs.
7 On **a étudié/a étudi** ensemble.
8 J'**ai beaucoup apprécié/ai beaucoup apprécie** son attitude.

Écrire 4 Trouvez le participe passé des verbes de la liste ci-contre, en utilisant *les tableaux de conjugaison* (pages 146–157) pour vous aider.

Exemple:

1	avoir	eu	to have
2	boire		

Écouter 5 Écoutez et remplissez les blancs.

Grammaire

2 The perfect tense of irregular verbs

Many important verbs have irregular past participles, which need to be learned by heart. They include:

avoir (*to have*)
boire (*to drink*)
connaître (*to know, be familiar with*)
devoir (*to have to, must*)
dire (*to say*)
écrire (*to write*)
être (*to be*)
faire (*to do, to make*)
lire (*to read*)

pouvoir (*to be able, can*)
prendre (*to take*)
recevoir (*to receive*)
savoir (*to know a fact/how to do something*)
suivre (*to follow*)
tenir (*to hold*) (see obtenir, *to obtain*)
voir (*to see*)
vouloir (*to want*)

Whether the verb is regular or irregular, most negatives go around the auxiliary verb.
Elle **ne** m'a **pas** écrit de carte postale.

En vacances, j'ai fait **plein** de rencontres!

En colo ou avec les parents, l'été favorise de belles rencontres, d'autant plus intenses qu'elles sont brèves …

En camp de vacances avec mes parents **1**_____ des copains qui habitaient Marseille. Ils avaient la même passion que moi: le foot.
2_____ pénible de se séparer, on a vécu de super moments ensemble!

Lors de mon camp en Corse, mes amis, plus âgés que moi, **3**_____ à lire une carte, à monter une tente, c'était génial.
4_____ des images précieuses de ces vacances.

Il y a un an dans les Caraïbes, **5**_____ un groupe de jeunes. **6**_____ quinze jours merveilleux. En nous quittant, **7**_____. Des larmes inutiles en fait … car aujourd'hui je revois toutes les personnes de ce groupe!

Écrire 6 Écrivez les verbes entre parenthèses au passé composé.

La semaine dernière nous **1** (**fêter**) l'anniversaire de ma copine dans un restaurant à Paris. Je **2** (**avoir**) du mal à trouver un resto qui voulait nous accueillir, mais finalement je **3** (**pouvoir**) réserver une grande table pour vingt personnes au Tribar et nous y **4** (**passer**) une soirée extra. On **5** (**trouver**) l'accueil très chaleureux et nous **6** (**dîner**) très bien, même les végétariens. Nous **7** (**danser**) jusqu'à trois heures du matin. C'était vraiment convivial. Je dois dire que nous **8** (**ne pas être**) déçus. Ce petit resto m'**9** (**séduire**). Je n'hésite pas à vous le recommander.

Écrire 7 Écrivez 200 mots. Répondez aux questions suivantes:

Mon meilleur ami m'a soutenu pendant toute cette période difficile …

Quelles sont les qualités que vous recherchez chez un ami?
Que s'est-il passé?
Votre meilleur ami/Votre meilleure amie, qu'a-t-il/elle fait pour vous?

Incluez les expressions suivantes:

rencontrer – perdre – des larmes – un souvenir précieux
«Un ami, c'est celui qui devine toujours quand on a besoin de lui …»

t   Décrire un voyage
g   • Le passé composé avec l'auxiliaire **être**
    • Le pluriel des noms
    • Les adjectifs possessifs
s   Raconter une histoire

9 · Soif d'aventures

Écouter 1 Écoutez le reportage sur le voyage de la famille Frenkel et, en anglais, notez les informations-clés:

Note down:
● The size of the family and the children's ages
● The length of their journey and key dates
● Key events which took place in: The Comoros Islands   Cambodia   India
● The family's future plans

Écrire 2 Complétez ces phrases en utilisant la bonne forme des verbes au passé composé. Réécoutez le reportage si nécessaire.

1   La famille Frenkel _____ d'un voyage incroyable.
2   Les Frenkel _____ de France en 2005 et ils _____ en 2007.
3   Ils _____ loin pour se donner une idée de la vie ailleurs.
4   La famille _____ plusieurs mois à Madagascar où le père, Francis, _____ .
5   Aux îles Comores, Francis et Léa-Lou _____ assez profond, pour faire de la plongée avec des baleines à bosse.
6   Les Frenkel _____ au Cambodge au printemps, saison de la mousson.
7   Ils _____ à dos d'éléphant et ils _____ faire une expédition dans la jungle.
8   En Inde, la famille _____ en balade faire une traversée du désert, à dos de dromadaire.

Prononciation

Les sons **im** et **in**
When **im** or **in** are followed by a consonant they make a nasal sound, as though you were saying the English words *am* or *an* without pronouncing the *m* or *n*. When they are followed by a vowel they are not nasal and sound more like *eem* or *een*.

Parler 3 Écoutez et imitez.

important   **in**croyable   **In**de   **in**diquer   **in**térieur
immense   **in**oubliable desti**n**ation sous-mar**ine**
L'**In**de est **imm**ense. C'est une desti**n**ation **in**croyable et **in**oubliable.

périple (m)	*journey*
étape	*stage/step (in a journey)*
baleine à bosse (f)	*humpback whale*
mousson (f)	*monsoon*
à dos de	*on the back of*
dromadaire (m)	*dromedary (single-humped camel)*

Grammaire

Le passé composé avec l'auxiliaire être (*the perfect tense of verbs which take the auxiliary verb être*)

13 verbs use **être** as their auxiliary verb, rather than avoir, in the perfect tense. Most of them work as pairs of opposites.

Compound verbs, such as **de**venir (*to become*), **re**venir (*to come back*) and **re**ntrer (*to come/go home*) also take **être**, as do all reflexive verbs (see page 137).

The past participle of **être** verbs must agree with the subject of the verb.
La famille Frenkel est revenu**e** d'un voyage incroyable.
Quelques mois plus tard, **les Frenkel** sont arrivé**s** au Cambodge.

Questions in the perfect tense work in a similar way to present tense questions (see page 136).
Quand est-ce que vous êtes parties de France?

With inversion, the part of **avoir** or **être** swaps places with the subject pronoun.
Quand êtes-vous parties de France? (formal)

infinitive	past participle
aller	allé
arriver	arrivé
monter	monté
entrer	entré
naître	né
rester	resté
tomber	tombé
venir	venu
partir	parti
descendre	descendu
sortir	sorti
mourir	mort
retourner	retourné

Parler 4 À deux ou en groupes. Faites une liste de questions au passé composé pour interviewer Francis ou Monica Frenkel.

Use your notes from exercise 1 and the sentences in exercise 2 to create questions. You could ask them:

- How many children they have, their names and ages
- When they left and returned/How long the journey lasted
- How many countries they visited
- What they did in each country
- Where they are going on their next trip.

> An interviewer would address the adult family members or the whole family as **vous** and use **votre/vos** for *your*. See **Grammaire** page 129 for information on possessive adjectives. The family's replies would probably be in the **on** or the **nous** form.

Exemple:

- ● *Monica, vous êtes revenue d'un voyage incroyable avec votre famille. Combien de pays avez-vous visité?*
- ■ *On a/Nous avons voyagé à travers sept pays.*
- ● *Quand êtes-vous partis de ...?*
- ■ *On est parti/Nous sommes partis ...*

Lire 5 Lisez l'article ci-dessous et trouvez 16 noms au pluriel. Écrivez-les au singulier et au pluriel, en donnant aussi leur genre (masculin ou féminin) et en les traduisant.

singulier	pluriel	anglais
enfant (m)	enfants	child(ren)

se souvenir de	to remember
pondre	to lay (an egg)
s'abriter	to take shelter

Le voyage selon Viktor

Viktor Frenkel (7 ans), qui avait 5 ans au départ de l'aventure, décrit ses souvenirs du voyage ...

«Voyager c'était bien parce que j'ai rencontré plein d'autres enfants qui ne parlaient pas la même langue que moi. Ils m'ont appris des nouveaux jeux, on a visité des temples bouddhistes, hindous, chinois ... On a vu plein d'animaux en liberté, des baleines, des dauphins, des requins, des oiseaux, des singes ... On a marché dans la jungle et on a appris comment vivent les gens vraiment loin de la France et aussi comment vivent les animaux.

On a fait un voyage tellement long que c'est très difficile de se souvenir de tout ce qu'on a vu, de tout ce qu'on a fait. Je me souviens très bien de la fois où je suis allé à l'école, dans la classe en bois dans la jungle, au Myanmar. Nous avons commencé la classe par une sorte de prière à Bouddha. Des poules sont entrées dans la classe et la maîtresse les a fait partir en disant «Chicken, chicken» parce qu'elle me parlait en anglais!

J'ai vraiment aimé traverser le désert du Thar sur mon dromadaire, dormir dans le sable, regarder les étoiles filantes. C'était génial d'observer les lémuriens blancs dans la forêt à Madagascar. J'ai même communiqué avec eux en imitant leur cri. Sur l'île de Mohéli, aux Comores, on a attendu la nuit que les tortues de mer viennent pondre, pour voir les œufs sortir. Après la ponte, j'ai raccompagné la tortue vers la mer. Elle était fatiguée ... Au Cambodge, on a traversé la jungle sur des éléphants. Mais la pluie est tombée si fort que nous avons dû nous arrêter dans une cabane dont on a cassé la porte pour s'abriter et passer la nuit.»

Lire 6 Sans consulter la section Grammaire du livre, regardez votre liste de l'exercice 5 et expliquez en anglais les règles grammaticales pour la formation du pluriel. Ensuite, vérifiez dans la section Grammaire (page 126).

Lire 7 Répondez aux questions en français.

1 Qu'est-ce que Viktor a appris au cours du voyage? (Nommez 3 choses).
2 Pourquoi est-ce difficile de se souvenir de tout?
3 Qu'est-ce qu'il s'est passé à l'école dans la jungle?
4 Nommez trois choses qui ont plu à Viktor au désert du Thar.
5 Comment Viktor s'est-il amusé à Madagascar?
6 Qu'est-ce que les tortues de mer aux Comores ont fait?
7 Pourquoi a-t-on dû casser la porte de la cabane, au Cambodge?

Écrire 8 Imaginez que vous avez fait un voyage inoubliable. Écrivez la description de votre périple, en utilisant les notes ci-dessous.

Avec: Meilleur(e)s ami(e)s
Départ: 14 septembre 2006
Retour: 21 mai 2008
Pays visités: Congo et Botswana (Afrique); Brésil, Pérou, Australie, Nouvelle-Zélande
Souvenirs: Congo: expédition montagne; voir gorilles
Botswana: safari Okavango Delta (lions, girafes, hippopotames ...); visite école du village
Pérou: temples des Incas
Australie: expédition dromadaire dans désert; plongée Grande Barrière de corail
Histoire amusante: kangourous ont mangé pique-nique

10 · Rechargeons nos batteries!

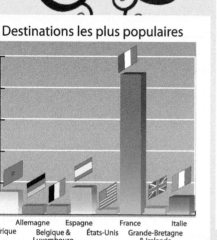

Destinations les plus populaires

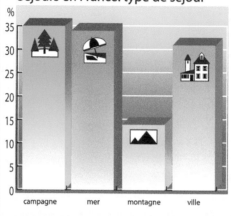

Séjours en France: type de séjour

Activités de vacances préférées

Parler 1 Regardez les graphiques sur les Français et les vacances. Utilisez les mots-clés ci-dessous et expliquez ces statistiques en 10 phrases minimum.

La destination	la	plus	populaire	est …
Le type de séjour	le	moins		
Les activités	les		populaires	sont …

Plus de	Français	restent	en France	qu'en …/au(x) …
Moins de		vont	au Luxembourg	
Autant de		aiment aller	aux États-Unis	
20% (pour			à la mer	
cent) de			à l'étranger	
		préfèrent	la montagne	plutôt que …
			la mer	tandis que 15% …

Grammaire

Les verbes pronominaux (*reflexive verbs*)

Reflexive verbs include a reflexive pronoun : **me**, **te**, **se**, **nous**, **vous** or **se** (**me**, **te** and **se** shorten to **m'**, **t'** and **s'** in front of a vowel).

· Present tense

je **m'**amuse	nous **nous** retrouvons
tu **te** détends	vous **vous** promenez
il/elle/on **se** bronze	ils/elles **s'**ennuient

If you use a reflexive verb in the infinitive the reflexive pronoun changes according to the subject.

J'aime **me** lever tard. **Il** veut **se** reposer.

· Perfect tense

All reflexive verbs forms the perfect tense with **être** and the past participle must agree with the subject of the verb.

je me **suis** amusé(e)	nous nous **sommes** retrouvé(e)s
tu t'**es** détendu(e)	vous vous **êtes** blessé(e)(s)
il s'**est** bronzé	ils se **sont** énervés
elle s'**est** ennuyée	elles se **sont** promenées
on s'**est** baigné(s)	

Negatives are positioned as follows:

Present tense: around the verb — On **ne** se repose **pas**.

Perfect tense: around the auxiliary — On **ne** s'est **pas** reposé.

Écouter 2 Écoutez ces gens parler de leurs vacances et complétez le tableau en français.

Destination préférée	Activités habituelles	Dernières vacances	Type de séjour préféré
1 France			mer, plage

Écouter 3 Réécoutez les vacanciers et notez les phrases ci-dessous dans l'ordre dans lequel vous les entendez. Ensuite, décidez si le verbe pronominal dans chaque phrase est à l'infinitif, au présent ou au passé composé. Enfin, traduisez les phrases en anglais.

A je me souviens d'une fois
B j'aime me reposer autant que possible
C on s'est beaucoup promenés
D je m'ennuie facilement en vacances
E on se bronze, on se baigne un peu

F je me suis un peu énervée
G on ne se repose pas beaucoup
H elle s'est blessée
I je m'intéresse beaucoup à l'histoire
J on s'amuse bien là-bas

K on se détend sur la plage
L c'est fascinant de se retrouver dans un pays étranger
M je me lève tard

Écrire 4 Traduisez le paragraphe suivant en français.

What's important to me on holiday is relaxation. Normally I go to the seaside, in Spain, with my family. I like to get up late, then we relax on the beach, we sunbathe, sometimes I swim a bit. When I'm on holiday I prefer to rest as much as possible. I remember once, when we went on holiday to Italy, we visited a lot of monuments and we walked a lot. At the end of the day I fell and I hurt my foot. Moreover, I'm not interested in history, so I got irritated.

Lire 5 Lisez l'article ci-dessous et écrivez un résumé en anglais (120 mots maximum).

Vingt-huit jeunes nantais passent l'été en voyage humanitaire au Sénégal

Pendant que leurs copains sont en vacances, 28 jeunes des quartiers de Nantes âgés de 16 et 17 ans vont partir du 23 juillet au 9 août pour un voyage humanitaire au Sénégal. Plus précisément à Rufisque, ville jumelée avec Nantes. Ce séjour est organisé dans le cadre des 100 ans du scoutisme et des 70 ans des Éclaireuses. L'Accord est à l'initiative de ce projet. «Cela fait 10 ans que l'on travaille avec les Éclaireuses, on va d'ailleurs loger dans leurs locaux là-bas», explique Bader Chrita, directeur du séjour.

Pas de vacances

«Les jeunes vont faire tout un travail autour de la paix, la santé, le tout sous forme d'ateliers. Ils vont aussi rencontrer 4000 autres jeunes du monde entier», ajoute-t-il. Tous les jeunes ont passé un entretien de 15 minutes «pour être sûr de leurs motivations et qu'ils aient bien compris le projet», précise le directeur.

Laurène et Laëtitia Martin font partie du voyage. «On n'a jamais eu la chance de partir sur un autre continent», précise Laurène, «on va pouvoir découvrir une autre culture et rencontrer d'autres jeunes de notre âge du monde entier».

 Summarising is not the same as translating. You need to reduce the text to its shortest form, covering all the essential information, but leaving out any unnecessary information. Look at the text above:

- What are the key pieces of information? Jot these down in note form first, before you write the actual summary.
- What is 'padding' and could be left out?
- Try to combine information from different parts of the text
- Use reported speech to summarise essential information from quotations

les Éclaireuses	the (girl) guides
jumelé	twinned
dans le cadre de	as part of
atelier (m)	workshop

Parler 6 Imaginez que vous allez partir en vacances. Lisez l'annonce ci-dessous. Préparez et donnez une présentation.

- Start by making sure you understand the advert.
- Make a list in French of things to include: where you are going, when, with whom, for how long, what you are going to do, etc. (**aller** + infinitive)
- Contrast this new holiday with where you normally go and what you normally do on holiday.
- Include a range of reflexive verbs in the appropriate tenses.
- Explain why you are particularly interested in this different type of holiday.

Safari naturaliste (Afrique du Sud)

Guidé par la naturaliste, botaniste et photographe Muriel Hazan, parcourez le Namaqualand pendant le printemps austral, la région montagneuse de Ritcherveld avant d'observer les manchots du Cap et les baleines franches.
9 au 27 septembre: 19j/18n à partir de 3 090€ (vols, transferts, pension complète, visites).

Grammaire

Le futur proche (the immediate future tense)

Use the immediate future to refer to events in the near future.
To form it use the present tense of **aller** followed by an infinitive.

Je **vais** m'**amuser**.
Vous **allez** vous **baigner**?

Vocabulaire

Choix de vie — Life choices

le bac	baccalaureate (18+ exam)
la famille	family
le sport	sport
l'école (f)	school
l'ami (m), le copain	friend
la détente	relaxation
la musique	music
les études (f)	studies
l'amitié (f)	friendship
le loisir	leisure activity
la sortie	outing
L'important dans ma vie actuelle, c'est …	What's important in my life at the moment is …
Ma priorité en ce moment, c'est …	My current priority is …
Pour moi, le plus important, c'est plutôt …	The most important thing for me is rather …

Rêves et espoirs — Dreams and hopes

des amis sur qui pouvoir compter	friends I can count on
passionné de théâtre	theatre lover
d'un point de vue relationnel/ professionnel	from a private/professional point of view
réussir mes études/ma vie	to succeed in my studies
découvrir de nouvelles choses	to discover new things
rencontrer des gens	to meet people
devenir (comédien)	to become (an actor)
faire une brillante carrière	to have a brilliant career
devenir très riche	to become very rich
garder les pieds sur terre	to keep my feet on the ground
être heureux(se)	to be happy
voyager	to travel
avoir des enfants	to have children
être libre de mes choix	to be free to make my own choices

Parler d'informatique (f) — Talking about IT

le CD/le DVD/le SMS	CD/DVD/text
le blog	blog
le supermarché virtuel	virtual supermarket
le jeu	game
indispensable	indispensable
en ligne	online
utiliser/se servir de	to use
être accro à	to be hooked on
passer du temps	to spend time
finir par passer des heures devant l'écran	to end up spending hours in front of the screen
visiter des sites web	to visit websites
faire des recherches scolaires/ personnelles	to do research for school/ personal research
jouer sur l'ordinateur (m)/ à la console	to play on the computer/ on the console
écouter de la musique	to listen to music
regarder des vidéos	to watch videos
télécharger	to download
partager des photos	to share photos
communiquer	to communicate
correspondre par email	to email
tchater	to chat
remplir son caddie	to fill one's trolley
acheter/vendre	to buy/to sell
gagner de l'argent	to earn money
faire des achats	to buy

La mode — Fashion

le style vestimentaire	style
le look (emo)	(emo) look
le skateur	skater
les vêtements (m)	clothes
le T-shirt	T-shirt
le pantalon	trousers
le jean allumette	skinny jeans
la casquette	cap
le sweat à capuche	hoodie
le caleçon	boxer shorts
le lacet	(shoe) lace
les puces	flea market
le motif	transfer (on a T-shirt)
le badge	badge
le patch	patch
le sac	bag
les lunettes (f) à montures épaisses	thick-rimmed glasses
les verres de correction	prescription glasses
la couleur	colour
la mèche	hair strand

les cheveux (m)	hair	glané à	gleaned, found in
le sourcil	eyebrow	étriqué	tight
la lèvre	lip	étroit	narrow
le maquillage	make-up	nombreux(se)	numerous
être considéré comme	to be considered as	divers	numerous
être issu de	to come from, emerge from	décoré de	decorated with
comprendre	to comprise	teint	dyed
offrir un aspect	to present an aspect	violet	purple
tendre vers	to tend towards	platine	platinum blond
porter	to wear	foncé	dark
populaire	popular	sombre	dark
vintage	retro	épais	thick
usé	worn out	frisé	very curly

Un stage sportif — *A sports course*

le stage (de voile)	(sailing) course	bénévole	voluntary
l'escalade (f)	rock climbing	diplômé	graduate
l'alpinisme (m)	mountaineering	expérimenté	experienced
la première école d'Europe	the first school in Europe	autonome	independent
le/la stagiaire	student, learner	en toute sécurité	in complete safety
le/la débutant(e)	beginner	suivre un cours/un stage	to attend a class/a course
le dériveur	sailing dinghy	apprendre	to learn
la planche à voile	windsurfing board	enseigner	to teach
le moniteur/la monitrice	instructor	se perfectionner	to improve
le seul inconvénient	the only disadvantage	transmettre sa passion	to pass on one's passion
la combi(naison de plongée)	wet suit	devenir (autonome)	to become (independent)
les sports (m) comme (le cata)	sports such as (catamaran)	faire (de la voile/de l'escalade)	to go (sailing/climbing)
le bateau	boat	sortir en mer	to go out to sea
le niveau	level	croire	to believe
la durée	duration	bouger	to be on the move, be active
l'expérience (f)	experience	avoir l'impression de (voler)	to feel as if you were (flying)
l'enthousiasme (m)	enthusiasm	avoir confiance en soi	to feel confident
situé	situated	donner confiance en soi	to boost confidence

La santé des jeunes — *Young people's health*

le/la fumeur/euse	smoker	j'aime bien boire un coup	I enjoy drinking
la gueule de bois	hangover	provoquer (des changements)	to cause (changes)
la maladie du cœur	heart disease	risquer d'avoir des problèmes	to run the risk of having problems
le cancer du poumon	lung cancer		
ivre	drunk	avoir des effets nocifs	to have harmful effects
obèse	obese	avoir des troubles de la mémoire/ des difficultés de concentration	to have memory problems /problems with concentration
expérimenter (le cannabis)	to experiment with (cannabis)		
fumer (un joint)	to smoke (a joint)	souffrir de dépression	to suffer from depression
être accro (au cannabis)	to be hooked (on cannabis)	quelque chose de non alcoolisé	something non-alcoholic
boire pour impressionner (les copains)	to drink to impress (friends)	faire attention (à ce qu'on mange)	to watch (what you're eating)
présenter un surpoids	to be overweight	manger plus équilibré	to eat more healthily
avoir des kilos en trop	to be overweight	vouloir arrêter	to want to stop
j'ai trop bu/fumé/mangé	I drank/smoked/ ate too much	essayer	to try

Vocabulaire

La télé-réalité — *Reality TV*

le divertissement	*entertainment*	au hasard	*by chance*
la télé-poubelle	*trash TV*	à tout prix	*at any cost*
le genre d'émission	*type of programme*	sélectionner	*to select*
le/la célibataire	*single person*	éliminer	*to eliminate*
le témoignage	*account, story*	passer à la télévision	*to appear on television*
la notoriété	*fame, celebrity*	favoriser	*to give an advantage to*
le voyeurisme	*voyeurism*	avouer	*to admit*
la souffrance	*suffering*	changer de chaîne	*to switch channels*
l'épreuve (f)	*test, challenge*	donner lieu à	*to lead to*
célèbre	*famous*	être accro à	*to be hooked on*
enfermé	*locked in*	faire du spectacle avec	*to make a show of*
débile	*stupid*	prendre ça au sérieux	*to take it seriously*
malsain	*unhealthy*	je n'y vois pas de mal	*I can't see any harm in it*

Les vidéos en ligne — *Online videos*

le monde réel/virtuel	*real/virtual world*	la propagande	*propaganda*
la plateforme de vidéos en ligne	*online video platform*	l'image (f) répréhensible	*reprehensible picture*
l'homologue (m)	*equivalent*	téléchargé	*downloaded*
l'engouement (m)	*passion*	quotidiennement	*every day*
l'internaute (m)	*Internet user*	publier	*to publish*
la diffusion (planétaire)	*(worldwide) broadcasting*	mettre en ligne	*to put online*
le contenu	*contents*	connaître un (grand) succès	*to be (very) successful*

Parler de l'amitié — *Talking about friendship*

la bande	*gang*	aller vers	*to go towards*
le pote (fam)	*mate, friend*	se retrouver seul	*to find oneself alone*
la qualité	*quality*	faire un effort	*to make an effort*
la relation	*relationship*	bien s'amuser (ensemble)	*to have fun (together)*
la vie quotidienne	*daily life*	donner sans compter	*to give without counting the cost*
la fidélité	*faithfulness*		
la disponibilité	*freedom, availability*	exprimer	*to express*
la complicité	*rapport*	ressentir	*to feel*
la diplomatie	*diplomacy*	s'expliquer sur	*to justify*
le malentendu	*misunderstanding*	rester en contact	*to keep in touch*
essentiel	*essential*	discuter	*to talk*
capital	*capital*	boire un pot	*to have a drink (socially)*
gentil	*nice, friendly*	faire la fête	*to party*
sensible	*sensitive*	réchauffer le cœur	*to give a warm feeling*
fidèle	*faithful*	se confier à qqn	*to confide in sb*
égoïste	*selfish*	confier qqch à qqn	*to share sth with sb*
déçu	*disappointed*	se prendre la tête (fam)	*to get worked up*
vide	*empty*	avoir besoin de	*to need*
se sentir fort	*to feel strong*	trahir	*to betray*
bien s'entendre	*to get on well*	se disputer	*to argue*
rigoler	*to have a laugh*	faire confiance à qqn	*to trust sb*
se faire des amis	*to make friends*	se comprendre	*to understand each other*
rechercher	*to look for*	pardonner à qqn	*to forgive sb*
garder	*to keep*	passer de bons moments	*to have a good time*
compter sur	*to count on*		

Amitié, amour et jalousie   *Friendship, love and jealousy*

l'amant (m)	*lover*	pénible	*painful*
le sentiment	*feeling*	intense	*intense*
la capacité	*ability*	bref/brève	*short, brief*
le bonheur	*happiness*	convivial	*convivial*
l'attachement (m)	*attachment*	se respecter	*to respect each other*
la dépendance	*dependency*	séduire	*to seduce*
le manque de confiance en soi	*low self-esteem*	tenir à qqn	*to care for sb*
le doute	*doubt*	envahir	*to take over*
le ressentiment	*resentment*	faire des rencontres	*to meet people*
la perte	*loss*	vivre (de super moments)	*to have (a great time)*
l'enfer (m)	*hell*	pleurer	*to cry*
jaloux/se	*jealous*	se séparer	*to part*
fou/folle	*mad*	fêter	*to celebrate*
fâché	*angry, annoyed*		

Parler des voyages et des vacances   *Talking about trips and holidays*

le voyage à travers (sept) pays	*trip across (seven) countries*	préférer	*to prefer*
le périple	*long journey*	s'intéresser à	*to be interested in*
l'étape (f)	*stop*	s'ennuyer	*to get bored*
la visite	*visit*	s'énerver	*to get annoyed*
le safari	*safari*	à la mer/au bord de la mer	*at/to the seaside*
la destination (exotique)	*(exotic) destination*	à la neige	*skiing*
la saison (de la mousson)	*(monsoon) season*	la région montagneuse	*mountainous area*
voyager	*to travel*	le désert	*desert*
partir de (France)	*to leave (France)*	à l'étranger	*abroad*
durer	*to last*	rester (en France)	*to remain, stay (in France)*
rester (sept mois)	*to stay (for seven months)*	aller (au Luxembourg)	*to go (to Luxemburg)*
revenir de (leur) aventure	*to come back from (their) adventure*	la découverte	*discovery*
		la tranquillité	*peace and quiet*
visiter	*to visit*	le repos	*rest*
faire de la plongée sous-marine	*to go diving*	le marché traditionnel	*traditional market*
monter à dos de (dromadaire)	*to ride a (camel)*	la mosquée	*mosque*
partir faire une expédition	*to go on an expedition*	tranquille	*quiet*
sortir en balade	*to go on an outing*	se détendre	*to relax*
passer la nuit	*to stay the night*	se lever tard	*to get up late*
s'abriter	*to take shelter*	bronzer	*to sunbathe*
rencontrer	*to meet*	se baigner	*to swim*
nous avons dû (nous arrêter)	*we had to (stop)*	recharger ses batteries	*to recharge one's batteries*
l'expérience (f) (inoubliable)	*(unforgettable) experience*	se reposer	*to have a rest*
se souvenir de	*to remember*	passer des vacances actives	*to have active holidays*
se donner une idée de la vie ailleurs	*to get an idea of life elsewhere*	voir les monuments	*to see monuments*
		se promener	*to walk around*
ils m'ont appris	*they taught me*	se perdre	*to get lost*
on a appris	*we learned*	découvrir de jolis petits coins	*to discover pretty little spots*
comment vivent les gens	*how people live*		
C'était bien, parce que	*It was great because*	tomber par hasard sur	*to happen upon*
j'ai vraiment aimé (traverser)	*I really enjoyed (crossing)*	louer	*to rent*
la destination populaire	*popular destination*	tomber (en skiant)	*to fall over (while skiing)*
le type de séjour	*type of stay*	se blesser	*to get injured*
plus de/moins de/autant de	*more/fewer/as many as*	transporter (à l'hôpital)	*to take (to hospital)*
20 pour cent de	*20 percent of*	se remettre	*to recover*
aimer aller	*to enjoy going*		

Module I · objectifs

 Thèmes

- Parler d'une relation idéale
- Parler des rapports affectifs
- Discuter des avantages et des inconvénients d'être célibataire

- Parler de la pression du groupe
- Parler des relations familiales
- Raconter une histoire de dépendance

Grammaire

- Le futur
- La négation
- Les prépositions de temps
- Les pronoms compléments d'objet direct

- Les pronoms compléments d'objet indirect
- L'imparfait

Stratégies

- Noter le vocabulaire
- Prédire en utilisant sa connaissance grammaticale
- Défendre ou contredire un point de vue
- Exprimer et justifier un point de vue
- Structurer un essai

- Écrire un essai d'après un texte
- Formuler des réponses avec ses propres mots
- Identifier des détails
- Inventer une histoire

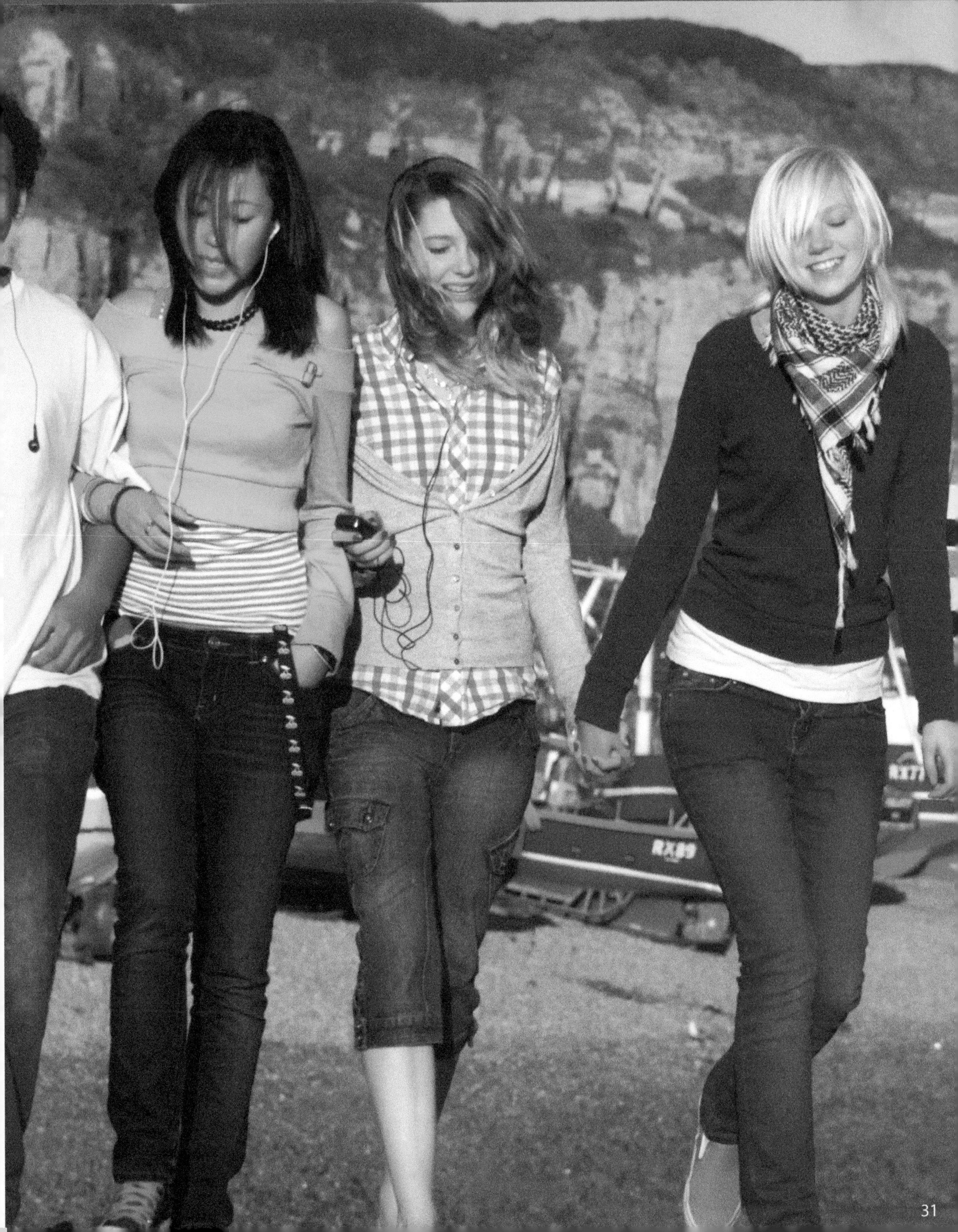
RX89

t Parler d'une relation idéale
g Le futur
s Noter le vocabulaire

I · Trouver l'âme sœur

1 Un copain qui acceptera que ma carrière, c'est ma _____ pour le moment. La vie de couple et les enfants, on verra plus tard.

2 Ma future épouse sera sensible à mes besoins, elle me comprendra et me soutiendra dans tout ce que je ferai. Elle me laissera m'exprimer sans me juger, sans me _____.

3 J'espère trouver l'âme sœur. Nous serons complices et solidaires. Même quand on aura des _____, on continuera à sortir seulement tous les deux de temps en temps, histoire de rester proches et de faire durer la flamme!

4 Je suis _____ que des conflits existeront dans nos futures relations, mais, nous les réglerons.

5 Mon _____ sera facile à vivre. Il ne sera ni jaloux, ni complexé, non merci!

6 Avec ma copine, on fera des choses qu'on aime faire ensemble. On prendra le large, on voyagera, on ira dans des pays lointains . . . On vieillira _____.

7 Je serai très proche de ma conjointe. On partagera tout, on fera tout ensemble, on se dira _____.

8 La franchise est très _____ pour moi. Mon futur compagnon aura sûrement de bons et de mauvais côtés, mais on arrivera à surmonter les difficultés si on est tous les deux francs et ouverts.

9 Si je devais choisir entre mes potes et ma copine? Pour l'instant je choisirais mes copains. Je suis trop _____ pour me caser!

10 Moi, je travaillerai et mon ami restera à la _____ et s'occupera de nos enfants.

11 Je rencontrerai mon futur époux quand j'aurai 24 ans, nous vivrons ensemble, _____ nous nous marierons un an après, et nous aurons trois enfants.

12 Je suis quelqu'un de dynamique et de très social. Je ne supporterai pas qu'on reste à la maison le _____ ou le week-end.

13 Mon prince charmant sera un ami et un confident. Il sera aussi quelqu'un sur qui on peut compter dans les moments _____.

mari = époux = conjoint   femme = épouse = conjointe
un copain = un (petit) ami = un partenaire = un compagnon

Écouter 1 Écoutez et complétez l'article.

Lire 2 Relisez l'article et notez tous les adjectifs représentant les qualités que l'on peut rechercher chez un petit ami/une petite amie. Classez-les par ordre d'importance pour vous.

Exemple: *francs – la franchise*

When you note down vocabulary, it's a good habit to list nouns in the singular, with the gender (m or f) in brackets and verbs in the infinitive. Knowing genders will enable you to use the correct article and make adjectives agree correctly with the noun. The infinitive is the starting point for putting a verb into whatever tense you need to use.

Lire 3 Relisez l'article et écrivez I pour idéaliste, R pour réaliste ou S pour sceptique.

Lire 4 Trouvez l'équivalent de ces phrases en anglais dans les textes.

1 a boyfriend who will accept
2 we will see later
3 she will understand me and will support me
4 we will continue to go out
5 conflicts will exist
6 we will do things we like to do together
7 I will be very close
8 my future partner will have
9 we will marry
10 I will not tolerate

Grammaire

Le futur (*the future tense*)

You use the future tense to translate *will (do)* or *shall (do)*.

To form the future tense of regular verbs, add the following endings to the infinitive (**-re** verbs drop the **e**):

je -ai	il/elle/on	-a	vous	-ez
tu -as	nous	-ons	ils/elles	-ont

Je rester**ai** amoureux. **On** vieilli**ra** ensemble. **Nous** nous entend**rons** bien.

For irregular verbs, use the same endings, but add them to the irregular stem, not to the infinitive. See *Tableaux de conjugaison*, pages 146–157, for a list of the most useful irregular verbs.

(aller)	On **ira** dans des pays lointains.
(avoir)	J'**aurai** trois enfants.
(être)	Mon partenaire **sera** facile à vivre.
(faire)	On **fera** des choses qu'on aime faire ensemble.
(pouvoir)	On **pourra** vivre ensemble.
(voir)	Vous **verrez** moins de mariages.

The expressions **c'est**, **il y a** and **il faut** each contain an irregular present tense verb (**être**, **avoir** and **falloir**) and so have future tense (and other tense) forms.

Ce sera peut-être difficile. **Il y aura** moins de mariages. **Il faudra** faire un effort.

Écrire 5 Écrivez les verbes entre parenthèses au futur.

Mon petit ami m'a demandé d'emménager avec lui! J'espère que notre vie de couple **1** (**être**) heureuse. Mon copain **2** (**avoir**) certainement des défauts et des habitudes qui me dérangent, mais j'**3** (**apprendre**) à vivre avec! J'**4** (**essayer**) de rendre mon ami heureux, mais je n'**5** (**oublier**) pas mes propres besoins. Je suis persuadée que notre amour **6** (**durer**). Nous **7** (**avoir**) des enfants et nous **8** (**vieillir**) ensemble. Mes copines **9** (**se moquer**) de moi, mais je m'en fiche pas mal. Un jour elles aussi **10** (**connaître**) le bonheur.

Parler 6 Répondez à ces questions.

> Mon mari sera mon meilleur ami. Il aura un beau sourire. On s'aimera pour toujours et on s'expliquera sur tout. Nous aurons trois enfants ensemble.
> Maryse, 16 ans

1 De quoi s'agit-il?
2 Que pensez-vous de la prédiction de Maryse?
3 Pour vous, quels sont les qualités indispensables et les défauts insupportables d'un conjoint?
4 Comment voyez-vous votre vie affective à l'avenir?
5 Pourquoi y a-t-il parfois des tensions dans la vie de couple?

The fourth question implies the use of the future tense. Vary the verbs you use to show that you can form the tense correctly.

partager les mêmes valeurs
construire une relation
avoir les mêmes objectifs dans la vie
avoir des caractères différents
partager ses doutes
un confident, se confier
un mensonge, mentir
basé sur la franchise, l'honnêteté
être complice, proche
communiquer, s'expliquer
soutenir, épauler
garder un secret
juger

Écouter 7 Terminez ces phrases en anglais.

1 Fathers are playing a greater role in …
2 Marie hopes that her husband will …
3 However, she will be the one who …
4 Jean-Louis asks whether Marie will …
5 Marie says that Adrien will help her with …

Lire 8 Remplissez les blancs dans ce texte avec des mots choisis dans la liste. Utilisez chaque mot une fois seulement. Il y a quatre mots de trop.

Répartition des tâches ménagères: en route pour la parité?

Peut-on réellement croire en l'émergence d'un nouvel homme, plus ouvert à sa polarité féminine et plus attentif aux attentes de sa **1**_____?

La célèbre psychothérapeute Paule Salomon le crie haut et fort … Pourtant, rien n'est moins sûr. Selon une **2**_____ menée par l'Insee, le **3**____ est le même depuis vingt ans: les femmes abattent toujours $^2/_3$ des tâches domestiques, malgré leur arrivée massive sur le **4**_____ du travail. Courses, cuisine, vaisselle, linge, soins aux enfants … Si elles consacrent en moyenne cinq heures chaque jour aux travaux domestiques, les **5**_____, eux, n'y passent que deux heures et demie.

Par ailleurs, les **6**_____ qui incombent aux hommes et celles qui reviennent aux **7**_____ ne sont pas équivalentes du point de vue des désagréments qu'elles causent, de la satisfaction qu'elles procurent et enfin des contraintes et des responsabilités qu'elles impliquent. Devinez qui fait le **8**_____ et le ménage quand l'autre fait du bricolage ou du jardinage?

enfants	repassage	famille
maison	score	enquête
hommes	responsabilités	tâches
marché	femmes	devoir

Insee = Institut national de la statistique et des études économiques
consacrer   *to devote*

Écrire 9 Répondez aux questions ci-dessous en français.

1 Quelles tâches domestiques font les femmes, en général? Et les hommes?
2 Pensez-vous que le «nouvel homme» existe?
3 À votre avis, que faut-il faire pour avoir la parité dans la répartition des tâches ménagères?
4 Comment sera votre futur/future conjoint/conjointe?
5 Comment sera votre vie ensemble?
6 Comment vous répartirez-vous les rôles dans votre couple?

Évidemment …/Manifestement …
D'ailleurs …/Par ailleurs …
Pourtant …
à cause de …/parce que …/car …
À mon avis, il faut …
Selon moi il est urgent de persuader les hommes de …
Il est impératif de …
Notre vie de couple sera …
En ce qui concerne la répartition des tâches ménagères/des rôles …

- **t** Parler des rapports affectifs
- **g** La négation
- **s** • Prédire en utilisant sa connaissance grammaticale
  - • Défendre ou contredire un point de vue

2 · Fidèle pour la vie

Croyez-vous au grand amour?

Lorsqu'on me demande pourquoi je n'ai pas de **1**_____, je réponds que personne ne m'intéresse. Je ne **2**_____ pas avec n'importe qui. Je crois sincèrement que pour tout le monde il n'y a qu'un seul partenaire et qu'on finit tous par le trouver. Je trouve bête de dire que l'on ne peut pas **3**_____ l'amour de sa vie quand on est jeune. Mes **4**_____ se sont connus au lycée, ils avaient 16 et 17 ans. Ils s'aiment toujours. J'ai beaucoup d'exemples autour de moi qui me prouvent que c'est possible d'**5**____ __ une seule personne pour la vie. Je n'ai peur que d'une chose: de me tromper de personne.

Joséphine, 15 ans

Si je cherche une **6**_____ pour passer du temps avec elle, si j'ai envie d'être amoureux, je m'investis plus. Quand je n'ai pas envie de m'attacher, il m'arrive de sortir **7**_____ des filles juste pour m'éclater. Pour le moment, je suis **8**_____ content de n'avoir que des aventures. Mais il ne faut pas que cette période dure trop longtemps. Il n'y a rien dans le regard, rien dans les gestes. Le **9**_____ amour, j'y crois, c'est possible, mais c'est très **10**_____. Dans l'idéal, il est vrai que j'aimerais être avec une seule fille qui m'aime, et que j'aime aussi, pour la vie.

Benjamin, 16 ans

Écouter 1 Écoutez et complétez l'article.

 Before listening, try using grammatical knowledge, logic and context to predict what word or type of word goes in each gap. If it's a noun or an adjective, will it be masculine, singular or plural? If it's a verb, what tense is it in?

Lire 2 Trouvez dans l'article sept phrases négatives et traduisez-les en anglais.

Lire 3 Indiquez si, selon l'article, les phrases ci-dessous sont vraies ou fausses. Si la phrase est fausse, corrigez-la.

1 Joséphine croit que tout le monde trouvera son partenaire idéal.
2 Elle pense qu'on est trop jeune à 16 ans pour trouver l'amour de sa vie.
3 Elle a peur de ne pas choisir la bonne personne.
4 Benjamin ne sort jamais avec des filles juste pour s'amuser.
5 Pour lui, avoir des aventures avec des filles est toujours satisfaisant.
6 Il a envie de trouver l'amour de sa vie.

Écouter 4 Écoutez ces ados et décidez si chaque personne croit au grand amour, n'y croit pas ou est indécis(e).

Écrire 5 Complétez ces phrases selon les ados de l'exercice 4, en choisissant la bonne forme négative de la liste ci-dessous. Ensuite réécoutez et vérifiez.

1 Je n'ai pas encore rencontré l'amour de ma vie, mais ça _____ veut _____ dire que je _____ le trouverai _____.
2 Je _____ ai _____ envie de me marier.
3 Pour les jeunes d'aujourd'hui, ça _____ se passe _____ comme ça.
4 Il _____ y a _____ pour me prouver que ça existe.
5 Je _____ ai _____ raison d'y croire et pourtant j'y crois.
6 Si tu crois qu'il _____ y a _____ une seule personne pour toi, tu risques de finir tout seul.
7 Si je n'arrive pas à trouver mon grand amour, je _____ aurai _____.

ne … aucune	ne … rien	ne … plus	ne … pas
ne … que	ne … jamais	ne … personne	ne … aucune

lorsque	when
n'importe qui	just anyone
finir par	end up
ne … que	only
se tromper de	to make a mistake
avoir envie de	to want to
amoureux	in love
s'éclater	to have fun

Grammaire

La négation (*the negative*)

ne … aucun(e) *not any, none*
ne … plus *no more, no longer*
ne … jamais *never* **ne … que** *only*
ne … personne *nobody, no one* **ne … rien** *nothing*

Like **ne … pas**, other negative expressions go around the verb: put **ne** or **n'** in front of the verb and the second part of the negative after the verb.

> La vie **n'**est **plus** facile.
> Je **ne** trouverai **jamais** le grand amour.

In the perfect tense (and other compound tenses), most negatives go around the auxiliary verb (**avoir** or **être**).

> Je **n'**ai **rien** fait.

Personne, **que** and **aucun(e)** go after the past participle.

> Il **n'**a rencontré **personne**.
> Elle **n'**est sortie **qu'**avec un seul garçon.

Personne and **rien** can be the subject of a sentence. They then go before the verb with **ne** immediately afterwards.

> **Personne ne** m'intéresse.

Aucun is an adjective and must agree with the noun which follows it:

> Je **n'**ai **aucune** raison d'y croire.

Je crois à la fidélité et je suis convaincue que je serai capable d'aimer la même personne toute ma vie. Mais pour moi, le mariage, c'est vieux jeu et je n'aurai pas besoin de me marier pour rester fidèle ou avoir des enfants un jour.

Nabila

Pour les couples gays, le mariage est toujours hors de question chez nous, mais par contre, beaucoup de couples homosexuels se sont pacsés, ce qui montre que dans notre société actuelle il est important pour un couple d'être reconnu de manière officielle.

Célia

On n'a qu'à regarder les taux de divorce pour voir que les gens ne sont pas faits pour rester fidèles toute leur vie. C'est pour ça que je n'aurai jamais d'enfants. En tant que fils de parents divorcés, je sais ce que c'est que de vivre sans ses deux parents.

Omar

Se marier, c'est montrer son engagement envers l'autre devant sa famille et ses amis. De plus, si comme moi on a l'intention d'avoir des enfants, c'est plus sécurisant pour eux aussi. Vivre ensemble en union libre, c'est pas pareil. C'est trop facile de pouvoir tout laisser tomber du jour au lendemain.

Jérôme

Lire 6 **Chacune de ces affirmations correspond à ce que dit l'une des personnes de l'article. Écrivez les bons prénoms.**

1 Les enfants peuvent souffrir quand le mariage ne marche pas.
2 On peut rester ensemble toute sa vie, sans cérémonie ou contrat légal.
3 Même si on ne peut pas se marier, il est important de s'engager publiquement.
4 Il est plus responsable de se marier si on veut avoir des enfants.
5 La fidélité à vie n'est pas réaliste dans la société contemporaine.

> **i Culture**
>
> PACS = Pacte Civil de Solidarité (équivalent du *civil partnership* britannique).

Parler 7 **À discuter à deux: croyez-vous au grand amour et au mariage? Adoptez des opinions opposées, en utilisant les idées ci-dessous.**

A

You believe in one-to-one love, being faithful until death.

Marriage is a public demonstration of commitment. It's important to formalise your relationship.

Parents/grandparents together a long time, still love each other.

If people don't find love they have nothing, life is incomplete.

Living together isn't the same, it's too easy to give up. It's more secure, especially for children.

B

Marriage is old hat. You can spend the rest of your life together, without a legal ceremony.

People aren't made to stay faithful to one another for life. Look at the divorce rate. That's why you will never have children.

For today's young people life isn't simple any more, it's complicated and changes quickly.

Don't believe there's only one person for you in life. Everlasting love doesn't exist.

Écrire 8 **Croyez-vous au grand amour? Quelle est votre attitude envers le mariage? Écrivez un article (200 mots). Vous devez mentionner les points suivants:**

- Si vous croyez que le grand amour existe.
- Des raisons pour illustrer votre point de vue.
- La place du mariage dans la société contemporaine.
- Ce que vous espérez pour vous, dans les domaines de l'amour, du mariage et des enfants.

> **à l'examen**
>
> You will have to challenge or defend a point of view as part of your oral exam. Prepare your arguments carefully. During the discussion don't use all your ideas at once. Listen carefully to what the other person says and react accordingly.

3 · Les nouveaux célibataires

Écouter 1 Répondez à ces questions en anglais selon le passage.

1 How many French people live alone? (1 detail)
2 Increasingly, what is the attitude of the majority to their situation? (2 details)
3 What does Marianne say about her way of life? (3 details)
4 According to Odile Lamourère, what are too many single people fixated by? (2 details)
5 What does she say about the notion of the happy family? (1 detail)

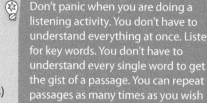

Don't panic when you are doing a listening activity. You don't have to understand everything at once. Listen for key words. You don't have to understand every single word to get the gist of a passage. You can repeat passages as many times as you wish to try to get the detail. Be sure to write something that makes sense.

Écouter 2 Écoutez une autre fois. Trouvez l'équivalent de ces expressions en gras.

1 **un nombre croissant** revendiquent
2 profitent **à 100%**
3 un mode de vie **temporaire**
4 trop de célibataires sont **préoccupés**
5 en étant déjà **content**
6 je trouve **en grande partie**
7 **tandis qu'**on sait bien
8 cette idée est **démodée**

Lire 3 Quelles sont les attitudes de ces personnes par rapport à l'idée d'être célibataire? Notez P (pour une attitude positive) ou N (pour une attitude négative).

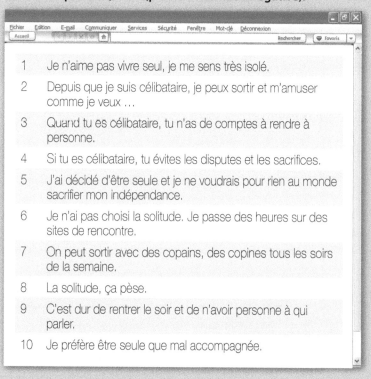

1 Je n'aime pas vivre seul, je me sens très isolé.
2 Depuis que je suis célibataire, je peux sortir et m'amuser comme je veux …
3 Quand tu es célibataire, tu n'as de comptes à rendre à personne.
4 Si tu es célibataire, tu évites les disputes et les sacrifices.
5 J'ai décidé d'être seule et je ne voudrais pour rien au monde sacrifier mon indépendance.
6 Je n'ai pas choisi la solitude. Je passe des heures sur des sites de rencontre.
7 On peut sortir avec des copains, des copines tous les soirs de la semaine.
8 La solitude, ça pèse.
9 C'est dur de rentrer le soir et de n'avoir personne à qui parler.
10 Je préfère être seule que mal accompagnée.

Grammaire

Les prépositions de temps (*temporal prepositions*)

Preposition	Examples
en (*in*)	J'ai quitté mon ami **en** août 2007. Je n'ai eu qu'une seule relation sérieuse **en** trois ans.
de … à … (*from … until*)	Je suis sorti avec Léa **de** 1995 **à** 1998.
entre … et … (*between*)	Je suis sorti avec Léa **entre** 1995 **et** 1998.
jusque … (*until*)	Je suis sorti avec elle **jusqu'**en 1998.
dans (*in … time*)	**Dans** trois ans, je vais me marier.
pendant (*during, for*)	J'ai été célibataire **pendant** cinq ans.
d'ici (*from now*)	**D'ici** un mois je saurai si je suis enceinte.
vers (*around*)	Samir va me rappeler **vers** 7h.
avant (*before*)	**Avant**, je voulais avoir un enfant.
après (*after*)	**Après** cette expérience, je ne suis pas sûre.
une fois (*once*)	**Une fois** que j'aurai les résultats, je prendrai ma décision.
depuis (*have/has been doing for/since*)	Je connais Samir **depuis** six ans. Je ne l'ai pas vu **depuis** deux semaines.

Écrire 4 Traduisez ces phrases en français.

1 In ten years, I am going to marry.
2 A month from now I will meet someone.
3 I was in love for three months.
4 I have been single for one year.
5 I went out with him between 2006 and 2007.

Lire 5 Écrivez le numéro des trois phrases qui sont vraies.

La France compte quelque 14 millions de personnes vivant seules pour des raisons diverses: célibataires, séparées, divorcées, veuves. Pendant des années, on a célébré et souvent envié ces personnes, symboles d'une liberté individuelle totale. Pourtant, le discours s'est modifié au fil des années. Des enquêtes ont montré que la solitude n'était pas toujours choisie et que le modèle de la vie de couple n'était pas dépassé. D'autant plus que la vie de couple peut prendre des formes diverses: marié ou en union libre, pacsé homo ou hétéro, concubin ou non, fidèle ou non, avec ou sans enfant …

1 En France, 14 millions de personnes sont célibataires pour la même raison.
2 Pour certains, être célibataire, c'est être libre.
3 Une enquête a montré que beaucoup de célibataires n'ont pas choisi de vivre seuls.
4 La vie à deux n'attire plus beaucoup de gens.
5 La vie de couple prend des formes de plus en plus variées.

Parler 6 Préparez vos réponses aux questions ci-dessous. Ensuite, à deux, posez ces questions et répondez-y à l'oral.

● Quels sont les avantages d'être célibataire?
● Quels en sont les inconvénients?
● Si vous êtes célibataire à l'âge de 30 ans, que ferez-vous?
● Et à 40 ans?
● Aurez-vous des enfants même si vous êtes célibataire?
● Comment sera la vie en tant que célibataire à l'avenir?

Écrire 7 Et vous? Quand vous pensez à l'idée d'être célibataire, vous paniquez ou ça ne vous fait pas peur? Peut-on être heureux si on est seul? Préparez vos notes pour une discussion.

● First, decide whether you think you could be happy being single or not.
● List your reasons and ideas in French, using the exercises, texts and answers to help you.
● Use as many expressions as possible from the first two sections of key language on the right.

Parler 8 Être célibataire, faut-il en avoir peur? À deux, en groupe ou avec la classe entière, faites un débat à ce sujet. Expliquez et justifiez votre point de vue.

 A debate should be more than a series of people saying what they think! You need to agree or disagree with the other speakers, supporting or challenging their point of view with your own ideas. Use the third section of the key language on the right to help you to do this.

À l'idée d'être célibataire, je suis …

un peu (a little)	angoissé	parce que	je crois que (I think)
plutôt (rather)	positif	car	il me semble que (it seems to me)
très (very)	indécis(e)		
tout à fait (completely)			
vraiment (really)			

d'une part …	on the one hand …
d'autre part …	on the other hand …
malgré le fait que …	in spite of the fact that …
On est plus/moins	One is more/less …
Si on est célibataire, on est plus/moins …	If one is single, one is more/less …
même si …	even if …
au lieu de …	instead of …
sinon, ….	if not, …

Être d'accord

Tu as/Vous avez/Sophie a bien raison.	You're/Sophie is quite right.
Je suis tout à fait d'accord avec toi/ vous/Sophie.	I totally agree with you/Sophie.
On est en partie d'accord.	We partly agree.
Je partage l'opinion/les inquiétudes de Sophie.	I share Sophie's opinions/ concerns.

Ne pas être d'accord

Au contraire	On the contrary
Tu as/Vous avez/Sophie a complètement tort.	You are/Sophie is completely wrong.
Je ne suis pas (du tout) d'accord avec toi/vous /Sophie.	I don't agree (at all) with you/Sophie.
Tu oublies/Vous oubliez que …	You're forgetting that …

4 · Faire comme tout le monde?

Parler 1 Expliquez ce qui se passe dans chacune de ces trois images. Utilisez le vocabulaire ci-dessous et un dictionnaire, si nécessaire.

Exemple: *Dans la première image, un groupe de jeunes qui portent ...*

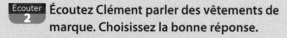

porter des vêtements de marque	to wear designer clothes
se moquer de (+ noun)	to make fun of
arrogant	arrogant
cruel	cruel
ne pas avoir les moyens de	to not be able to afford to
isolé(e)/tout(e) seul(e)	isolated/alone
triste	sad
ivre/saoul	drunk
forcer/encourager quelqu'un à (+ infinitive)	to force/encourage someone to
avoir peur de (+ noun or infinitive)	to be afraid of
refuser de (+ infinitive)	to refuse to
essayer un joint	to try a joint
prendre de la drogue/de l'ecstasy	to take drugs/ecstasy

Écouter 2 Écoutez Clément parler des vêtements de marque. Choisissez la bonne réponse.

1 Clément dit qu'il …
   a s'intéresse à la mode.
   b ne la suit pas du tout.
   c déteste la mode.

2 En ce qui concerne les vêtements de marque, …
   a il les trouve bien.
   b il les trouve ridicules.
   c il les trouve pas importants.

3 Dans sa classe …
   a très peu d'élèves sont habillés avec des marques.
   b tous les élèves sont habillés avec des marques.
   c la majorité des élèves sont habillés avec des marques.

4 Dans son école, si vous portez des vêtements sans marque …
   a les autres vous complimentent.
   b les autres vous acceptent.
   c les autres vous repoussent.

5 Clément met des habits sans marque …
   a quand il n'est pas à la maison.
   b quand on ne le voit pas.
   c quand ses amis peuvent le voir.

à l'examen

In an exam-style task like this, you won't hear exactly the same words which appear in the choices on the page. You need to listen for:

• **Synonyms** (a word which means the same as another word), e.g. les habits/les vêtements

• **Paraphrasing** (the same idea, worded differently), e.g. Je n'ai pas les moyens d'acheter des vêtements de marque./Les habits à la mode coûtent trop cher.

• **Small words**, which can significantly change the meaning of a sentence, e.g. Tout le monde fait ça./**Presque** tout le monde fait ça.

Écouter 3 Réécoutez et complétez les phrases selon le sens du passage.

1 Si je porte des vêtements de marque, c'est _____.

2 Il est vrai que _____ un critère _____ pour pouvoir s'intégrer _____.

3 Si tu portes _____, on te méprise et on ne va même pas prendre la peine de te connaître.

4 Même si c'est parce que tu n'as pas _____.

5 J'ai quand même des _____.

6 Par exemple, j'ai _____ mais je le mets seulement _____ ___, où mes copains ne me voient pas.

Grammaire

Les pronoms compléments d'objet direct (*direct object pronouns*)

You use direct object pronouns to replace nouns which are the object of a sentence to avoid repetition.

me* (*me*)	te *(*you*)	nous (*us*)	vous (*you*)
le * (*him,* or *it*)	la * (*her,* or *it*)	les (*them*)	

* Shorten these to **m'**, **t'** and **l'** in front of a vowel or silent **h**.

Direct object pronouns go immediately before the verb.

Comment tu trouves **la mode**?   Je **la** trouve ridicule.

In a negative sentence the direct object pronoun goes between **ne** and the verb.

Je porte mon vieux sweat quand on **ne me** voit **pas**.

If a verb is followed by an infinitive the direct object pronoun goes in front of the infinitive.

Elle va acheter **une minijupe** et elle va **la** porter ce soir.

In the perfect tense (and other compound tenses) the direct object pronoun goes in front of the auxiliary verb, **avoir**.

Mon copain a acheté **un nouveau tee-shirt**, mais il ne **l'**a pas encore porté.

In the perfect tense when the direct object pronoun is in front of the auxiliary verb **avoir**, the past participle agrees with the direct object pronoun.

Il a insulté **Marie**.   Il **l'**a insulté**e**.

Écrire 4 Copiez et complétez les phrases suivantes.

A Complétez les phrases avec le bon pronom complément d'objet direct.

1 Mes copains ne suivent pas la mode, mais moi, je _____ suis un peu.

2 Les habits de marque coûtent trop cher, mais j'aime _____ regarder dans la vitrine.

3 Tu portes des habits sans marque quand tes copains ne _____ voient pas?

4 Si je porte des vêtements sans marque a l'ecole, on _____ méprise.

B Complétez les phrases avec l'auxiliaire avoir et le bon pronom complément d'objet direct. Accordez le participe passé, si nécessaire.

5 Tu as mis ton nouveau tee-shirt? Oui, je _____ mis.

6 Mon copain a acheté une casquette et il _____ porté hier soir.

7 Il a acheté quatre bouteilles d'alcool et il _____ bu tout seul!

8 Elle a fumé le joint que Marc lui a proposé? Non, elle _____ fumé, parce que c'est une drogue illégale.

Lire 5 Lisez ces deux articles et répondez aux questions en anglais.

J'ai osé affronter la tyrannie du groupe!

Thomas, 18 ans:

«Depuis qu'on a 15 ans, mes potes ne parlent que ça. Qui a une petite amie, qui n'en a pas? C'est une obsession, presque une compétition! L'autre jour, un copain a dit: «Que ceux qui ne sont pas encore sortis avec une fille lèvent la main!» J'étais le seul à lever le doigt. Les autres m'ont traité de loser, de minable. Je trouve ça injuste et je commence à en avoir assez. Être patient et ne pas vouloir sortir avec n'importe qui, c'est devenu une faiblesse. C'est n'importe quoi.»

Léa, 17 ans:

«En ce moment, tous mes amis découvrent l'alcool et c'est la débandade. Chaque fois qu'on sort, ils sont saouls. Certains deviennent malades et d'autres perdent toute dignité. Moi, je n'aime pas ça, je ne vais pas me forcer à faire comme tout le monde! Certains essaient de me faire boire, mais je m'en moque, je m'amuse bien sans ça.»

1 How does Léa describe her friends when they drink?

2 What is her reaction to the pressure on her to join in drinking?

3 What are Thomas' friends obsessed with?

4 What was Thomas' friends' reaction to his honesty?

5 How does he feel now?

débandade (f)	*chaos*
potes (m)	*mates*
traiter quelqu'un de	*to call someone a*
n'importe qui	*just anybody*

Écrire 6 Écrivez un essai (environ 200 mots) sur les pressions exercées par les jeunes sur d'autres jeunes.

- Expliquez quels types de pressions les jeunes exercent sur d'autres.
- Décrivez une ou deux situations dans lesquelles les jeunes sont victimes de la tyrannie d'un groupe.
- Si vous, ou un de vos copains, avez eu une expérience personnelle de ce genre, racontez-la. Quelle a été votre réaction?
- Comment peut-on résister aux pressions d'un groupe?

faire pression sur quelqu'un/ exercer des pressions sur quelqu'un	*to put pressure on someone*
influencer/rejeter/exclure quelqu'un	*to influence/reject/exclude someone*
inciter/pousser/forcer quelqu'un à (+ infinitif)	*to encourage/push/force someone to*
avoir le courage de (+ inf.)	*to have the courage to*
résister à/affronter/ refuser de (+ inf.)	*to resist/stand up to/refuse*
s'intégrer/appartenir à un groupe	*to be part of/to belong to a group*

t **Parler des relations familiales**

g **Les pronoms complément d'objet indirect**

s • **Écrire un essai d'après un texte**
• **Formuler des réponses avec ses propres mots**

5 · Conflits et confidences

 Écoutez ces ados qui parlent de leurs relations avec leurs parents. Mettez les points suivants dans l'ordre dans lequel ils sont mentionnés.

A être en conflit avec ses deux parents
B être en conflit seulement avec sa mère
C entretenir de bonnes relations avec ses parents
D se disputer à cause du travail scolaire
E se disputer à cause des fréquentations (c'est-à-dire, les amis)
F se disputer à cause du futur métier
G se disputer à cause des sorties

Écouter 2 **Réécoutez le même passage. Reliez les phrases A–G à la bonne personne.**

| Lucie | Romain | Yanis | Nathalie | Hugo |

A Ses parents lui laissent beaucoup de liberté.

B Parfois, il se dispute avec ses parents et leur dit des choses qu'il regrette après.

C Elle s'entend généralement bien avec sa mère, mais elles se disputent de temps en temps.

D Il s'est disputé avec ses parents au sujet de son avenir. Il leur a expliqué qu'il ne veut pas aller à l'université.

E Son père lui dit qu'elle doit rentrer de bonne heure et lui donne son opinion sur tous ses amis.

F Il peut se confier facilement à sa mère. Il peut lui parler de tout.

G Il pense que ses parents lui posent trop de questions sur sa vie. Il leur demande de le traiter comme un adulte.

s'entendre avec	to get on well with
se disputer avec	to argue with
se confier à	to confide in

Grammaire

Les pronoms compléments d'objet indirect (*indirect object pronouns*)

You use indirect object pronouns to replace *to* or *for* + a noun.

me* (*to me*)	nous (*to us*)
te* (*to you*)	vous (*to you*)
lui (*to him, to her, to it*)	leur (*to them*)

* Shorten these to **m'** and **t'** in front of a vowel or silent **h**.

You also use direct object pronouns with verbs which are followed by the preposition **à**.

Like direct object pronouns, indirect object pronouns go in front of the verb (or the auxiliary verb in compound tenses, like the perfect tense) but the past participle does not agree.
Je parle de tout **à mon père**. Je **lui** parle de tout.
J'ai expliqué mes angoisses **à ma mère**. Je **lui** ai expliqué mes angoisses.

If the sentence contains a verb followed by an infinitive, indirect object pronouns go in front of the infinitive:
Je ne peux pas demander **à mes parents** de m'aider. Je ne peux pas **leur** demander de m'aider.

Écrire 3 **Répondez aux questions en remplaçant les mots soulignés avec un pronom complément d'objet indirect.**

Exemple:
*Est-ce que tu parles de tout avec <u>tes parents</u>? Non, je ne **leur** parle pas de tout.*

1 Est-ce que tu as raconté toute l'histoire <u>à ta mère</u>? Oui, je _____ ai raconté toute l'histoire.
2 Est-ce que ton beau-père <u>te</u> donne de bons conseils? Oui, il _____ donne de bons conseils.
3 Est-ce que tu demandes de l'argent <u>à tes parents</u>? Non, je ne _____ demande pas d'argent.
4 Est-ce que tu vas <u>nous</u> dire la vérité? D'accord, je vais _____ dire la vérité.
5 Est-ce que je peux <u>vous</u> poser une question? Oui, tu peux _____ poser une question.
6 Est-ce qu'on <u>t</u>'a expliqué le problème?
Non, on ne _____ a pas expliqué le problème.
7 Est-ce que tu veux parler <u>au policier</u>? Non, je ne veux pas _____ parler.
8 Est-ce que tu as téléphoné <u>aux sapeurs-pompiers</u>? Oui, je _____ ai téléphoné.

Parler
Parler
4 Écoutez et imitez.

u **tu**, d**u**, s**u**jet, disp**u**ter, ref**u**ser, pl**u**sieurs, têt**u**, v**u**, H**u**go
ou **tou**t, **tou**jou**r**s, v**ou**s, s**ou**vent, éc**ou**ter, L**ou**is
ui l**ui**, cel**ui**

tu, tout   vu, vous   Louis, lui

Louis se dispute toujours avec lui mais Hugo refuse souvent
de l'écouter. Il est toujours tellement têtu, celui-là.

Prononciation

Correct pronunciation is key to being understood clearly. For example,
don't confuse the pronunciation of **tu** with **tout**, or **lui** with **Louis**.
To pronounce **u** correctly, pull your top lip down when you say it.
To pronounce **ou** correctly, push both lips out.
To make the sound **ui**, give a slight whistle as you say it.

Lire
5 Lisez le passage suivant et répondez aux questions en français, en utilisant le
plus possible vos propres mots. Utilisez un dictionnaire, si nécessaire.

1 Selon le premier paragraphe, comment la famille
   traditionnelle a-t-elle évolué?
2 Combien d'enfants vivent avec un parent qui s'est remarié?
3 Quel a été l'effet de ces changements sur les relations entre
   les parents et les adolescents?
4 Pourquoi les relations sont-elles parfois difficiles dans des
   familles recomposées? Donnez **deux** exemples.
5 Comment certains ados profitent-ils du divorce de leurs
   parents?

La nouvelle famille française

Familles monoparentales, unions libres, PACS,
remariages … L'évolution de la notion de couple a fait
éclater le modèle de la famille traditionnelle «papa,
maman et les enfants». Actuellement en France,
trois enfants sur dix ne sont pas issus d'une famille
traditionnelle et plus d'un enfant français sur dix vit
dans une famille recomposée (c'est-à-dire, avec son père
ou sa mère biologique et un beau-père ou une belle-
mère, et souvent des demi-frères ou sœurs).

Il ne faut pas donc s'étonner de voir que les
relations qu'entretiennent les parents et les enfants
ont, elles aussi, évolué et semblent plus complexes.
Certains ados n'acceptent pas les nouveaux conjoints
de leurs parents par exemple, ou bien ils éprouvent des
difficultés à faire de la place au nouveau petit frère
(ou demi-frère) dans leur foyer, et encore plus, dans
leur cœur. D'autres ados savent profiter du sentiment
de culpabilité de leurs parents suite au divorce, ou
de l'absence d'autorité parentale pour faire et obtenir
d'eux ce qu'ils veulent. Quoiqu'il en soit, il n'existe
pas de modèle idéal de la famille. Chaque foyer est
différent et les membres de chaque famille doivent
trouver la façon de vivre ensemble qui leur convient le
mieux.

famille monoparentale	famille dans laquelle il y a un seul parent
conjoint	la personne avec qui on s'est marié
habiter	*to live* (e.g. in a place)
vivre (je vis, il/elle vit, ils vivent)	*to live* (e.g. with someone)

Parler
6 À deux ou à trois. Préparez et faites une entrevue à
la radio ou à la télé avec un des parents de Nathalie
ou d'Hugo (si vous travaillez à trois, interviewez les parents
des deux). Répondez aux questions suivantes:

- Comment sont vos relations avec votre fille/fils?
- À quel(s) sujet(s) vous disputez-vous le plus souvent?
- Qu'est-ce que vous lui dites, par exemple?
- Quelle est sa réponse?

You may use the occasional word from the text, but try to
create your own sentences and express ideas from the text in a
different way.

For example, you could change **Certains ados n'acceptent
pas les nouveaux conjoints de leurs parents** from the text
into **Beaucoup de jeunes acceptent difficilement leur
nouveau père ou nouvelle mère** in your answer.

Je m'inquiète au sujet de …	*I'm worried about …*	Je lui ai expliqué que …	*I explained to him that …*
On se dispute à cause de …	*We argue about …*	Il/Elle refuse de …	*He/She refuses to …*
Quand j'essaie de …	*When I try to …*	Je me fâche parce que …	*I get angry, because …*
Je lui dis que …	*I tell him/her that …*	On finit par se disputer parce que …	*We end up arguing because …*
Il/Elle me répond que …	*He/She replies that …*		

6 · Mon fils, ce drogué

L'histoire de Thomas

Pendant sept ans, Hélène a tout fait pour libérer son fils, Thomas, de l'emprise de la drogue. Voici son histoire.

Thomas, 13 ans

À 13 ans, c'était un ado adorable et charmant, mais aussi hyperactif et curieux. À l'école, ça ne marchait pas. Incapable de rentrer dans le moule du système scolaire, il ne réussissait pas. Les autres le traitaient de noms horribles, ils le menaçaient et le rackettaient. Il se faisait casser la figure régulièrement.

Thomas, 14 ans

Ses notes étaient abominables. Il ne travaillait pas. Un jour, je suis montée faire un peu de ménage dans sa chambre et j'ai découvert des taches sur le sol. Mais que pouvait-il bien faire dans sa chambre? Sa sœur et moi avons cherché partout et nous avons trouvé un joint et on a compris qu'il fumait du cannabis.

Thomas partait vers 10h du matin, fumait toute la journée et ne rentrait que tard le soir. Il maigrissait, il devenait même agressif et violent, surtout lorsque nous trouvions de la drogue sur lui. Il nous volait de l'argent et prenait la voiture alors qu'il n'avait pas le permis. Je devais tout cacher, mes cartes de crédit, l'argent, les clés de la voiture. Je passais mes nuits à le chercher dans la rue quand il ne rentrait pas. J'appelais tous les numéros d'urgence. Je craignais de le retrouver à l'hôpital ou au commissariat de police.

Écouter 1 **Écoutez et lisez cette histoire vraie. Ensuite, trouvez dans l'article l'équivalent des phrases en anglais.**

1 It wasn't going well at school.
2 Unable to fit into the mould of the school system.
3 He wasn't succeeding.
4 They threatened him and bullied him.
5 He regularly got punched in the face.
6 His marks were terrible.
7 I discovered marks on the floor.
8 He was getting thin.
9 I had to hide everything.
10 I feared I would find him in hospital.

Lire 2 **Lesquelles de vos réponses à l'exercice 1 sont à l'imparfait? En anglais, justifiez l'emploi de l'imparfait pour chacune de ces phrases. Ensuite, trouvez dans l'article 16 autres verbes à l'imparfait et traduisez-les.**

Lire 3 **Complétez la suite de l'article avec des verbes à l'imparfait.**

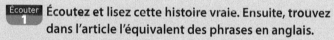

À 14 ans, Thomas (**avoir**) beaucoup de problèmes à l'école, les autres élèves ne l'(**aimer**) pas et ses professeurs nous (**appeler**) tout le temps. Son travail scolaire ne (**aller**) pas bien et il (**fumer**) du cannabis dans sa chambre. Il (**sortir**) avec ses copains, ils ne (**faire**) rien à part fumer et nous ne (**pouvoir**) pas l'arrêter. Nous ne (**savoir**) pas quoi faire. Je (**parler**) tous les jours avec Thomas, je lui (**demander**) de ne plus fumer, mais il (**refuser**) de m'écouter. Je (**être**) à bout de nerfs et on ne (**voir**) pas de solution.

Grammaire

L'imparfait (the imperfect tense)

You use the imperfect tense:

- to describe habitual or repeated actions in the past:
  Ils le rackettaient. (It was a repeated pattern of violent behaviour.)
- to describe actions that went on for a period of time:
  Il maigrissait. (It wasn't just once that he lost weight, but it went on for some time.)

To form the imperfect tense, take the **nous** form of the verb in the present tense, remove -**ons** and add the following endings to the stem:

nous travaill →

je	-ais	nous	-ions
tu	-ais	vous	-iez
il/elle/on	-ait	ils/elles	-aient

The only exception is **être**: j'étais, tu étais, il/elle/on était, nous étions, vous étiez, ils étaient

Verbs with a stem ending in **c** add a cedilla **ç** in front of **a**.
Il commen**ç**ait à nous inquiéter.
Verbs with a stem ending in **g** add an **e** in front of **a**.
Il ne man**gea**it pratiquement rien.

Écouter 4 Écoutez Hélène raconter la suite de l'histoire de Thomas et complétez le texte avec des verbes à l'imparfait. (Si besoin, aidez-vous des verbes à l'infinitif ci-dessous.)

pleurer	reconnaître	aller	dormir	vivre
se droguer	vouloir	dormir	refuser	vouloir
prendre		continuer	respecter	

Thomas, 18 ans

À 18 ans, Thomas a volé un scooter, et suite à son arrestation, il a été hospitalisé dans un service psychiatrique. Thomas se débattait, il ne **1** _____ pas y aller. Il y est resté un mois. À cause des médicaments qu'il **2** _____, nous ne le **3** _____ plus: il **4** _____ tout le temps ou bien **5** _____ toute la journée. Finalement, il est rentré à la maison. Il a tenu un mois et demi, puis il a replongé. Peu de temps après, Thomas s'est mis à l'héroïne.

Il **6** _____ toujours chez nous, il **7** _____ ses petits boulots, mais ne **8** _____ pas les horaires et **9** _____ tout le temps. Une nuit, son père a craqué: il a mis toutes ses affaires dans la rue. Comme nous **10** _____ de le laisser rentrer et que personne ne **11** _____ l'héberger, il **12** _____ dans la voiture. Puis un jour j'ai vu une petite annonce pour un boulot dans un centre commercial et je l'ai montrée à Thomas. Il m'a dit qu'il **13** _____ essayer d'avoir ce travail. Et il l'a eu. Mon mari et moi sommes partis en voyage et avant le départ, Thomas m'a dit «Maman, je ne toucherai plus à la drogue». Pendant notre absence, il a de nouveau installé ses affaires à la maison. Son boulot l'a transformé et, à notre grande surprise, il a tenu sa promesse.

se débattre	to fight, struggle
tenir	to hold (on), to stick at something
se mettre à	to start, take up
craquer	to lose patience, to have enough of something
héberger	to accommodate, put someone up

Lire 5 Complétez les phrases suivantes selon le texte de l'exercice 4.

1 Thomas a été hospitalisé en service psychiatrique parce que …
2 Il pleurait et dormait beaucoup à cause de …
3 Il est rentré chez lui, mais il a recommencé à se droguer au bout de …
4 Ensuite, il a commencé à prendre de …
5 Au travail, Thomas … et …
6 Thomas a dû dormir dans la voiture parce que …
7 Grâce à l'annonce que sa mère a vue, Thomas a réussi à …
8 Avant que ses parents partent en voyage, Thomas …

Parler 6 À deux. Préparez votre réponse aux questions suivantes, puis discutez-en avec votre partenaire.

1 À votre avis, pourquoi Thomas a-t-il commencé à se droguer?
2 Que pensez-vous des actions
   a de sa mère, **b** des médecins, **c** de son père?
3 Selon vous, comment Thomas a-t-il pu finalement renoncer à la drogue?
● Use the *perfect* tense to say whether you think somebody was right or wrong.
   Je crois que (sa mère) a eu raison de (+ inf), parce que …

● Use the *imperfect* tense to say what had to be done.
   Il fallait (faire quelque chose) parce que …
   Il ne fallait pas (faire cela), puisque …
● Try not to overuse **parce que**. You can use **car** or **puisque** as alternatives.
● But remember that *because of* = **à cause de**, NOT **parce que**

 Look back at the previous four units for different ways of giving an opinion, agreeing and disagreeing, and giving examples to back up your views.

Écouter 7 Écoutez la fin de l'histoire de Thomas et choisissez les quatre bonnes réponses.

1 Thomas se lève de bonne heure pour aller à l'usine.
2 Il ne voit plus ses anciens amis.
3 Il boit du café, mais il a renoncé aux cigarettes et à l'alcool.
4 Thomas faisait de la musculation avant de prendre de la drogue.
5 Le week-end, Thomas sort avec plusieurs filles.
6 Au Phare, les familles touchées par la drogue viennent chercher du soutien.
7 Thomas parle aux lycéens de son expérience de la drogue.
8 Malgré une longue thérapie, la famille de Thomas n'est toujours pas heureuse.

laisser tomber	*to drop*
témoigner	*to testify, give evidence*
soutien (m)	*support*

à l'examen

Take the time to read the sentences carefully before listening. They will often be close to being correct but not quite correct, so look and listen closely for small differences.

Écrire 8 Écrivez une histoire de dépendance (à l'alcool ou à la drogue). Utilisez les idées suivantes.

Include:
● What your character was like and what his/her life was like before the problem started.
● When it started and why (problems at school? pressures of exams? family problems?).
● How it changed his/her behaviour, what he/she did or didn't do.
● How his/her family reacted, what they did, what problems it caused between him/her and them.
● How he/she felt and reacted.
● How he/she overcame his/her addiction and what life is like now.

 • Use or adapt vocabulary you know. Think carefully about what needs to change. Whether your character is male or female will affect articles, pronouns, adjectives, past participles of **être** verbs.
• Think carefully about which tense is required for each verb in the past: imperfect for repeated or continuous actions but perfect for single actions which happened once only.
• Make sure you get the right ending on the verb.

Vocabulaire

Parler d'une relation idéale *Talking about an ideal relationship*

l'âme (f) sœur	soulmate	ouvert	open
l'époux (m)/l'épouse (f)	spouse	dynamique	dynamic
le/la conjoint(e)	spouse	social	sociable
le compagnon	partner	insupportable	intolerable
le partenaire	partner	lointain	far away
le prince charmant	prince charming	soutenir	to support
le confident	confidant	juger	to judge
la carrière	career	critiquer	to criticise
la vie de couple	life as a couple	faire durer la flamme	to keep the passion alive
le besoin	need	régler	to solve
le conflit	conflict	prendre le large	to travel far and wide
la franchise	honesty	partager	to share
le bon/mauvais côté	good/bad side	se caser (fam)	to settle down
le défaut	shortcoming, failing	s'occuper (des enfants)	to look after (children)
l'habitude (f)	habit	se marier	to marry
complice	close	supporter	to tolerate
solidaire	supportive	surmonter (les difficultés)	to overcome (difficulties)
proche	close	emménager avec	to move in with
facile à vivre	easy-going	déranger	to annoy
complexé	mixed-up	se moquer de	to make fun of
franc	honest		

Répartition des tâches ménagères *Sharing out housework*

la parité	equality	équivalent	equivalent
l'émergence (f)	emergence	s'impliquer	to get involved
la polarité	side	jouer son rôle	to play one's part
l'attente (f)	expectation	mettre la main à la pâte (fam)	to lend a hand
le marché du travail	labour market	s'occuper (du ménage)	to carry out (housework)
le rôle	role	faire le ménage	to do the housework
les soins (m) aux enfants	childcare	entretenir la maison	to look after the house
les travaux (m) domestiques	domestic chores	changer les couches	to change nappies
le repassage	ironing	abattre (des tâches)	to get through (chores)
la tâche (ménagère)	(house)work	consacrer	to devote
le ménage	housework	incomber à	to be the responsibility of
le bricolage	diy	revenir à qqn	to be sb's
le jardinage	gardening	causer	to cause, give rise to
le désagrément	inconvenience, trouble	procurer	to provide
la contrainte	constraint	impliquer	to imply
la responsabilité	responsibility	répartir	to share out
attentif/ve à	thoughtful about		

Parler d'amour et du mariage   *Talking about love and marriage*

le copain/la copine	*boyfriend/girlfriend*	ils se sont connus	*they met*
l'amour de (ma) vie/	*the love of (my) life*	il m'arrive de sortir	*I sometimes go out*
le grand amour		l'engagement (m)	*commitment*
l'aventure (f)	*fling*	l'union (f) libre	*cohabitation*
amoureux(se) de	*in love with*	le taux de divorce	*divorce rate*
se tromper de personne	*to get the wrong person*	vieux jeu	*old fashioned/old hat*
avoir envie de	*to want to*	sécurisant	*reassuring*
finir par (trouver)	*to end up (finding)*	croire à (la fidélité)	*to believe in (being faithful)*
s'attacher	*to fall in love*	se pacser (fam)	*to enter into a civil partnership*
s'éclater	*to have fun*	laisser tomber	*to drop, walk away from*

Être célibataire   *Being single*

le célibataire endurci	*confirmed bachelor*	(mal) accompagné	*in the (wrong) company*
l'attitude (f)	*attitude, behaviour*	individuel	*individual*
la dispute	*argument*	dépassé	*out of date*
le sacrifice	*sacrifice*	homo	*gay*
l'indépendance (f)	*independence*	hétéro	*heterosexual*
la solitude	*solitude*	fidèle	*faithful*
la raison	*reason*	libre	*free*
la liberté	*freedom*	varié	*varied*
le discours	*views*	angoissé	*anxious*
le site de rencontre	*dating website*	obsédé	*obsessed*
le/la concubine(e)	*partner*	positif	*positive*
la vie à deux	*life as a couple*	indécis	*undecided*
le mode de vie	*way of life*	sacrifier	*to sacrifice*
célibataire	*single (= unmarried)*	peser	*to weigh heavy on*
pacsé	*in a civil partnership*	célébrer	*to celebrate*
séparé	*separated*	envier	*to envy*
divorcé	*divorced*	se modifier	*to change*
veuf/veuve	*widowed*	attirer	*to attract*
seul	*single; alone; lonely*	paniquer	*to panic*
isolé	*isolated*	avoir des comptes à rendre à	*to be answerable to*

Vocabulaire

La pression du groupe   *Peer pressure*

les vêtements (m) de marque	*designer clothes*	résister à/affronter	*to stand up to*
les vêtements (m) sans marque	*ordinary, unbranded clothes*	avoir le courage de	*to have the courage to*
les baskets (f)	*trainers*	refuser de	*to refuse to*
le sweat	*sweat-shirt*	avoir peur de	*to be afraid of*
isolé(e)/tout(e) seul(e)	*isolated/alone*	se forcer à	*to force oneself to*
saoul	*drunk*	se moquer de	*to make fun of*
s'intégrer à	*to become part of*	mépriser	*to look down on*
appartenir à	*to belong to*	repousser	*to reject*
porter des marques	*to wear designer clothes*	inciter/encourager/pousser/ forcer qqn à	*to encourage/push/force sb to*
faire comme tout le monde	*to do the same as everyone else*	faire pression/exercer des pressions sur qqn	*to put pressure on sb*
essayer (un joint)	*to try (a joint)*		
prendre (de la drogue)	*to take (drugs)*	traiter qqn de (minable)	*to call sb a (loser)*
suivre la mode (à la lettre)	*to follow fashion (closely)*	on ne prend pas la peine (de te connaître)	*they don't bother (to get to know you)*
ne pas avoir les moyens de	*to not be able to afford to*		
oser	*to dare*		

Le fossé des générations   *Generation gap*

la sortie	*evening out*	(bien) s'entendre (avec)	*to get on (well) (with)*
proche	*close*	partager (les goûts musicaux)	*to share (the musical tastes)*
se disputer	*to argue*	entretenir de bonnes relations avec	*to have a good relationship with*
faire confiance à qqn	*to trust sb*		
confier qqch à qqn	*to share sth with sb*	vivre en harmonie avec	*to live in harmony with*
se confier à qqn	*to confide in sb*	on ne se supporte pas	*we can't stand each other*
contrôler	*to control*	on se respecte	*we respect each other*
avoir le droit de	*to be entitled to*	ça ne me dit rien (comme métier)	*it isn't (a job) that appeals to me*
manquer d'ambition	*to lack ambition*		

La nouvelle famille

New family

la famille monoparentale	single-parent family
la famille recomposée	step-family
le PACS (pacte civil de solidarité)	civil partnership
le beau-père/la belle-mère	stepfather/stepmother
le demi-frère	half brother, stepbrother
la demi-sœur	half sister, stepsister
le foyer	home
le sentiment de culpabilité	feeling of guilt
faire éclater	to explode
être issu de	to come from

Parler d'un drogué et de la dépendance

Talking about a drug addict and addiction

l'emprise (f)	hold, addiction
le moule	mould
la tache	stain
le petit boulot	small job
les affaires (f)	possessions
menacer	to threaten
maigrir	to get thinner
voler	to steal
cacher	to hide
craindre de	to fear
replonger	to have a relapse
se mettre à	to start, take up
craquer	to lose patience
traiter qqn de	to call sb a
se faire casser la figure	to get beaten up
ça ne marche pas	it doesn't work
le soutien	support
libérer	to free
réussir	to succeed
hospitaliser	to admit to hospital
se débattre	to fight, struggle
tenir	to resist
héberger	to put sb up
renoncer à	to give up
retrouver	to get back
régler	to solve
témoigner	to testify, give evidence
se rendre à	to go to
tenir sa promesse	to be true to one's word
laisser tomber	to drop
faire face à	to cope with

Your oral exam will be in two parts:
- Part 1: Discussion of a stimulus card (5 minutes)
- Part 2: Conversation based on AS course topics (10 minutes)

You will have 20 minutes to prepare.

In Part 1, you will be given a choice of one of two stimulus cards. The examiner will ask you the five questions on the card.
- The first question will ask you to explain what the stimulus is about.
- The second will ask you to give an opinion or a reaction to the stimulus.
- The other questions will cover broader issues relating to the stimulus material and ask your opinions.
- The examiner will also ask you related questions which are not on the card, depending on your response to the previous questions.

La mort du mariage?

En France, près d'un mariage sur deux se termine par un divorce. Un couple sur dix, soit environ 5 millions de Français, préfère l'union libre au mariage.

De quoi s'agit-il?

Quelle est votre réaction par rapport à ces statistiques?

À votre avis, pourquoi le taux de divorce est-il si élevé?

Êtes-vous pour ou contre le mariage?

Quels sont les avantages et les inconvénients de l'union libre?

Explain briefly what the text is about. Repeating vocabulary from the text will lose you marks. Use synonyms and paraphrase. For example,
les statistiques → les chiffres
un sur deux → cinquante pour cent/la moitié
un sur dix → dix pour cent
un mariage → un couple **marié**/les gens **qui se marient**
se termine par un divorce → finit par un divorce/(ils) **finissent par** divorcer
l'union libre → vivre **ensemble sans se marier**

To what extent do the statistics surprise you? Shock you? Seem perfectly normal? Give your reaction and a reason for it.

Come up with as many reasons as you can: people marry too young? People don't try hard enough? (See below and in unit 2 for ideas).

Give your point of view and be prepared to defend it with reasons and examples. The examiner may decide to take the opposite point of view and challenge you, so make sure you have plenty of arguments up your sleeve.

You are asked to give both the pros *and* the cons, so don't just give one side of the argument.

Il s'agit du fait que …	*It's about the fact that …*
Je suis surpris(e)/étonné(e) de … choqué(e) par le fait que …	*I am surprised by … shocked by the fact that …*
La majorité des couples … La plupart de mes amis …	*The majority of couples in my family … Most of my friends …*
Les gens se marient trop jeunes/vite.	*People marry too young/too quickly.*
Rester fidèle à une seule personne toute sa vie (n')est (pas) …	*Staying faithful to one person all your life is(n't) …*
Il y a trop de pressions dans la vie actuelle. On travaille trop.	*Life nowadays is too pressured. People work too much.*
On ne passe pas assez de temps avec …	*People don't spend enough time with …*
Il est trop facile de divorcer. Les gens ne font pas assez d'effort.	*It's too easy to get a divorce. People don't try hard enough.*
Si on aime quelqu'un, on n'a pas besoin de (+ infinitif) pour (+ infinitif)	*If you love someone, you don't need to … in order to …*
Si on est croyant, il est important de … (+ infinitif)	*If you believe in God, it's important to …*
Prendre le temps de mieux se connaître avant de (+ infinitif).	*To take the time to get to know each other before -ing.*

Lire 1 Lisez le sujet d'examen à la page 48 et préparez des notes pour répondre aux cinq questions.

Parler 2 À deux: l'un joue le rôle de l'examinateur, l'autre celui du candidat. Comparez vos réponses. Qui a les meilleurs arguments?

Écrire 3 Essayez de prédire d'autres questions que l'examinateur pourrait vous poser. Faites en une liste.

Écouter 4 Écoutez une candidate répondre aux questions de l'examinateur pendant son examen oral. Notez en français:

1 Les réponses de la candidate aux cinq questions.
2 Les autres questions que l'examinateur lui pose sur le même sujet. Aviez-vous deviné les questions qu'il lui a posées?
3 Les idées et les opinions de la candidate lors de la conversation.

Gare aux gaffes!
Make sure you avoid these common mistakes in your exam:

	Gaffe	Version correcte ✔
Leaving out **que**	Je pense elle a raison.	Je pense **qu'**elle a raison.
Leaving out **pas**	Je ne suis d'accord.	Je ne suis **pas** d'accord.
Using infinitives when the verb should be conjugated.	Certains ados penser que … Les parents n'accepter pas …	Certains ados **pensent** que … Les parents n'**acceptent** pas …
Using singular verb forms with plural subjects.	Les jeunes veut …	Les jeunes **veulent** …
Using infinitives instead of past participles.	Je connais des jeunes qui ont avoir des problèmes …	Je connais des jeunes qui ont **eu** des problèmes …

Parler 5 Lisez le texte suivant et préparez vos réponses. Ensuite, répondez oralement aux questions.

Des parents impossibles!

Mes parents ne me laissent jamais tranquille: ils veulent savoir où je vais et avec qui, ils m'interdisent de faire ceci ou cela, bref, ils ne me laissent aucune liberté. J'en ai marre!

Mathilde, 17 ans

De quoi s'agit-il?
Que pensez-vous de l'opinion de Mathilde?
À quels sujets les parents et les enfants se disputent-ils?
En quoi être le parent d'un ado est-il difficile?
Pourquoi est-il important d'avoir de bonnes relations avec ses parents?

Parler 6 Répondez aux questions suivantes:

1 Quelle importance l'amitié a-t-elle pour vous?
2 Pensez-vous que vous êtes un(e) bon(ne) ami(e)? Pourquoi (pas)?
3 Quels types de pression les jeunes peuvent-ils exercer les uns sur les autres?
4 Voulez-vous avoir des enfants un jour? Pourquoi (pas)?
5 Que pensez-vous à l'idée de rester célibataire?
6 Est-il possible, selon vous, de rencontrer le partenaire idéal sur Internet?

- Take 20 minutes to prepare. Use some of this time to try to predict what additional questions you might be asked and how to answer them too.
- Try not to use a dictionary or other sources of help (you won't be allowed to in the exam).
- You will gain marks for using a variety of expressions, so:
  - Avoid overusing **parce que**. Try using **car** (*for, because*) or **puisque** (*as, since*) instead. Remember **parce que** = *because* and **à cause de** = *because of*.
  - To avoid overusing **mais**, try using **cependant**, **pourtant** (both meaning *however*), or **néanmoins** (*nevertheless*).

- The second part of your speaking test will consist of a conversation, covering three of the four AS topics. You can choose the first of these yourself.
- Try to predict what questions might come up (especially in the topic which you choose yourself) and prepare your answers.
- Look back at the relevant unit of the module to help you to prepare your answers, if necessary.

Épreuve écrite

- Your writing test will be the third and final section of your Unit 1 (Listening, Reading and Writing) exam.
- The whole exam will last 2 hours. You should allow at least 45 minutes for the writing section. It is recommended that you divide it up as follows
    10 minutes preparation and planning; 30 minutes writing; 5 minutes checking what you have written.
- You will be given a choice of three writing tasks, each based on a short text.
- You will be asked to write a letter, article or essay, giving your reaction to the text.
- You must write a minimum of 200 words.

Lire 1 **Lisez le sujet d'examen et appliquez les conseils suivants.**

> «Hier un copain m'a offert un joint et quand j'ai refusé de le fumer, les autres se sont moqués de moi. Je ne veux pas perdre mes amis. Qu'est-ce que je peux faire?»   Thibault, 17 ans.
>
> Les amis ont-ils toujours une bonne influence?
> Écrivez un article pour le journal du lycée.

 You will gain marks for 'depth of treatment', so start by brainstorming all the different angles you could cover, whilst staying relevant to the task and topic. Jot them down in whatever form you prefer. e.g. qualities of good friends, importance of friendship, influence of friends, peer pressure etc.

Écrire 2 **Ajoutez d'autres idées et utilisez le vocabulaire du module 1 pour compléter le plan de cet essai.**

Introduction
- L'amitié: importante quand on est jeune, il faut avoir de bons amis, s'amuser ensemble, parler de tout, se confier ...
- Problèmes: groupes de jeunes, être influencé, exercer/subir des pressions.

Section principale
- La tyrannie du groupe: difficile à supporter, pas facile de résister aux influences de ... Par exemple: mode, alcool ....
- Un bon copain = sincère, ...
- Les amis de T.: mon opinion: ....
- Mes conseils: ....

Conclusion: ....

 You will also gain marks for a 'well-organised structure', so, next, put your ideas into a logical sequence. It's best to do this in French so you can start noting down useful words and phrases.

Your plan should have:
- a short introduction;
- a series of main points in the middle, one paragraph per main point (this should be the biggest section of your essay);
- a short conclusion.

Lire 3 **Lisez la copie d'une candidate à la page 51 et comparez-la aux critères ci-contre. Cette copie mérite-t-elle une bonne note?**

 Examiners will use the following criteria to assess your piece of writing:
- Is it long enough?
- Is everything in it relevant?
- Does it have in-depth treatment of the subject?
- Is it well-organised, with a logical structure?
- Have you backed up your points with reasons or examples?
- Does it have a wide range of vocabulary and grammatical structures?
- Is the language accurate?

Gare aux gaffes!
Make sure you avoid these common mistakes in your exam:

	Gaffe	Version correcte
Wrong adjective agreement	prendre une bon décision	prendre une bon**ne** décision
Not using infinitives after modals, verbs of liking, etc.	On doit change l'attitude des gens.	On doit **changer** l'attitude des gens.
Using made-up 'franglais' words.	Il faut recogniser que ...; pour solver le problème; je ne suis pas convincé	Il faut **reconnaître** que ...; pour **résoudre** le problème; je ne suis pas **convaincu**

Écrire 4 Utilisez les conseils suivants pour améliorer la copie de ce candidat.

L'amitié est importante quand on est jeune. Il faut avoir de bons amis. On peut s'amuser avec ses amis. On peut parler de tout avec ses amis. On peut se confier à ses amis. En groupe, les jeunes s'influencent les uns les autres.

Les influences peuvent se transformer en pression. La tyrannie du groupe est un problème. Les membres d'un groupe se moquent d'une personne. Ses vêtements ne sont pas à la mode, ou elle ne boit pas d'alcool. C'est difficile pour cette personne. Elle ne veut pas perdre ses amis.

Un bon copain vous accepte tel que vous êtes. Un bon copain respecte votre opinion. Un bon copain ne se moque pas de vous. Il ne vous force pas à faire des choses.

Les amis de Thibault ne sont pas de bons amis. Ils ne sont pas sympas. Ils ont une mauvaise influence sur lui.

À mon avis, Thibault doit se trouver de nouveaux amis. Il peut devenir membre d'une équipe sportive ou d'un club de théâtre.

To make this sentence more sophisticated, try using **Il faut reconnaître que** or **Admettons que**. You could also add **surtout**, before **quand**.

Just adding **malheureusement parfois** or **souvent** to these lines would make them more interesting.

Use **par exemple** to introduce a list of examples. Join this line to the next sentence with **parce que**. Try using **refuser de** + infinitive, and expand the list, with other examples, such as not smoking or taking drugs.

Try using **est quelqu'un qui**. Avoid repeating **un bon copain** by using the subject pronoun **il**. Also try using **d'ailleurs/de plus**, as you add each idea to the list. Using **toujours** and **ne … jamais** would also add sophistication to these examples. What other ideas could you add to the list? If possible, personalise this with examples of good or bad friendship you have experienced.

Expand the first sentence by also saying what he should do with his old group of friends: **renoncer à**. Begin the next sentences with **Pour y parvenir**. This sentence might also sound better if you used **on** rather than **il** to make a more general point. Try adding a few more ways of making new friends.

Add a proper conclusion: **En conclusion/ Pour conclure.** Make a general point about friendship: **il ne faut jamais accepter … être un bon copain, c'est … et …**

Try using **pour** + infinitive and making a list. **Il faut avoir de bons amis pour s'amuser, pour … et pour …** You could also use **premièrement, deuxièmement**, etc.

Try using **peut être difficile/ problématique**.

Join these sentences using **puisque** or **car** to avoid using **parce que** again so soon. You could also use a contrast here: **d'une part, elle ne veut pas … d'autre part, elle …** If you know of anybody who has been in a similar situation you could use **Je connais quelqu'un qui …** and explain what happened, the consequences, etc. using the perfect and imperfect tenses. Examiners will reward correct use of a range of tenses.

Écrire 5 Choisissez un de ces textes et écrivez au moins 200 mots.

A Un enfant sur trois ne grandit pas dans une famille traditionnelle (papa, maman et les enfants.) Est-ce donc surprenant que les jeunes d'aujourd'hui disent ne pas être heureux dans leur famille?

Écrivez un article sur l'évolution de la famille et les relations familiales des jeunes d'aujourd'hui.

B «Je ne crois pas au grand amour. Je n'ai aucune envie ni de me marier ni d'avoir des enfants. Je serai très contente de rester célibataire toute ma vie.» Blanche, 17 ans.

Quels sont les avantages et les inconvénients de rester célibataire?

Écrivez un article pour le journal du lycée.

C Il semble que la répartition des tâches domestiques a peu changé. Dans la majorité des couples, c'est toujours la femme qui fait le ménage, le linge et la cuisine, pendant que l'homme s'occupe du bricolage et du jardin.

Écrivez un article pour donner votre opinion sur cet article.

- Take 10 minutes to prepare. Brainstorm ideas and then write an essay plan.
- Write your essay in 45 minutes, taking account of the examiners' criteria opposite. How many of the ideas and suggestions from exercise 4 could you use in your essay?
- Make sure you spend 5 minutes checking your essay, using the checklist below.

Module 2 · objectifs

 Thèmes

- Parler de l'Internet
- Parler du portable et des jeux vidéo
- Parler des émissions et des moyens de diffusion
- Considérer les avantages et les inconvénients de la télé
- Parler de la création d'une pub
- Analyser des publicités

Grammaire

- Le comparatif et le superlatif
- Les adjectifs démonstratifs
- Les adverbes
- Les pronoms démonstratifs
- Les pronoms relatifs
- L'infinitif passé
- Le passif
- Le subjonctif

Stratégies

- Anticiper des réponses possibles
- Poser des questions plus complexes
- Exprimer l'accord et le désaccord
- Prédire les idées et le vocabulaire
- Traduire en anglais
- Préparer un débat
- Organiser les idées
- Analyser une image

t Parler de l'Internet
g • Le comparatif et le superlatif
   • Les adjectifs démonstratifs
s • Anticiper des réponses possibles
   • Poser des questions plus complexes

1 · Accros au net

Hyper-connectés, ultra-communicateurs, les enfants du Net arrivent!

On ne peut pas y échapper, Internet fait partie de notre quotidien. Grâce à lui, la communication est devenue plus rapide, plus efficace et moins compliquée qu'avant, l'accès à l'information est meilleur, même faire les courses semble moins pénible lorsqu'on peut les faire en ligne. Bref, on est tous plus connectés qu'il y a 20 ans, on est tous devenus des internautes. Et pour les 15–24 ans qui ont grandi à l'ère du numérique, rien de plus naturel que les nouvelles technologies! Connectés via différents canaux (e-mail, messagerie instantanée, blogs) ces jeunes appartiennent à un, voire plusieurs réseaux sociaux tels que *MySpace*, *Facebook*, etc. Mais ce qu'ils recherchent avant tout, c'est la vitesse des échanges. «T'as vu cette vidéo sur YouTube? Non? D'accord, je t'envoie un lien sur MSN. Voilà.» «T'as écouté cette chanson? Non? Viens, on va la télécharger sur *iTunes*.» C'est ce qui leur vaut le titre d' «ultranautes», surnom attribué aux utilisateurs les plus habitués de la toile, ce sont les plus agiles mais aussi les plus exigeants. Attention donc aux ultranautes! Si la technologie est l'avenir, l'avenir, lui, leur appartient!

Lire 1 Trouvez dans cet article l'équivalent des définitions en français ci-dessous. Utilisez un dictionnaire, si nécessaire.

1 éviter
2 la vie de tous les jours
3 lourd, difficile, désagréable
4 une personne qui surfe sur Internet
5 le temps, l'époque
6 une communauté en ligne
7 une ligne de texte sur laquelle on clique pour accéder directement à un site Web
8 un nom familier qu'on donne à quelqu'un
9 un autre mot pour le Net, l'Internet

Lire 2 Complétez ces phrases en anglais, selon le sens de l'article.

1 Thanks to the Internet, communication _____.
2 Access to information _____.
3 Shopping seems _____.
4 We are all _____.
5 For 15–24 year-olds who've grown up in the digital era _____.
6 Ultranauts are _____ users of the Web.

Écrire 3 Traduisez ces phrases en français, en utilisant le comparatif et le superlatif.

1 Access to information is easier and quicker than before.
2 Communication is simpler and less complicated than 20 years ago.
3 Teenagers are more attracted to new technology than adults.
4 Downloading music is as important for young people as blogs.
5 Nowadays, more people do shopping online and fewer people send letters.
6 Websites like *YouTube* and *iTunes* are the most popular sites with young people.
7 The most important thing when you use the internet is speed.
8 Email and instant messaging are the best ways to contact your friends.

Grammaire

Le comparatif (*the comparative*)

You use the comparative to compare two things or people:

plus (+ adjective) **que** (*more … than*)*
moins (+ adjective) **que** (*less … than*)*
aussi (+ adjective) **que** (*as … as*)

* In English, we simply add -*er* to some adjectives to make a comparison (bigger, faster, etc.)

The adjective used must agree with the first item mentioned.

La communication est moins compliqué**e** qu'avant.

The comparative form of **bon** (*good*) is **meilleur** (*better*).

Use **plus de/moins de/autant de** (+ noun) **que** to mean *more/less* (or *fewer*) *than/as many as*.

Plus de jeunes utilisent les réseaux sociaux pour communiquer avec leurs amis.

Le superlatif (*the superlative*)

You use the superlative to refer to
the most (+ adjective)* → **le/la/les plus** (+ adjectif)
the least (+ adjective)* → **le/la/les moins** (+ adjectif)

* In English, we add -*(e)st* to some adjectives to form the superlative (e.g. smallest, nicest).

The definite article and the adjective must agree with the noun they refer to.

Ce sont **les** filles qui sont **les** plus attiré**es** par le blogging.

Note the best = **le/la/les meilleur(e)(s)**
      the worst = **le/la/les pire(s)**

Écouter 4 Complétez les phrases suivantes selon le sens du passage en utilisant des mots ci-dessous.

rarement	peu	minorité	souvent
plus	majorité	moins	tchater	télécharger

La folie des blogs gagne les jeunes!

Selon les recherches de l'organisation du «Baromètre Jeunes de Médiamétrie» la **1** _____ des jeunes de 11 à 20 ans connaissent les blogs. Mais les filles sont **2** _____ attirées par les blogs que les garçons. Trois jeunes sur dix âgés de 11–20 ans utilisent **3** _____ les messageries instantanées, tandis que les plus jeunes ont plus tendance à utiliser le Web pour **4** _____. Ils se connectent au Web tous les jours ou presque pour cela.

à l'examen

- Before listening work out which words fit logically and grammatically in each gap. There will be at least two possibilities for each gap.
- The version of the text that you hear will not be exactly the same as the one on the page, so listen carefully for words and phrases in the recording which have the same meaning as ones in the text on the page.
- Concentrate on listening for the key information you need to confirm which of the possibilities for each gap is the correct one.

Écouter 5 Réécoutez et notez à quoi correspondent les chiffres suivants.

Exemple:

a Le nombre de jeunes de 11 à 20 ans qui connaissent les blogs.

a Près de 6 sur 10 **b** 31% **c** 21% **d** 12%
e 3 sur 10 **f** 16% **g** 11%

Grammaire

Les adjectifs démonstratifs (*demonstrative adjectives*)

m. sing.	f. sing.	devant une voyelle ou un *h* muet	pluriel
ce	cette	cet	ces

To be specific, add **-ci** (for *this*) or **-là** (for *that*) to the noun.

Écrire 6 Utilisez les informations des exercices 4 et 5 pour écrire au minimum 6 phrases sur les jeunes et Internet. Incluez au moins une fois les adjectifs démonstratifs ce, cette, cet et ces.

Exemple:

Près de 6 jeunes sur 10 de 11 à 20 ans connaissent les blogs. 31% de ce groupe-ci a déjà créé ou envisage de créer un blog.

Parler 7 À deux. Interviewez votre partenaire sur son usage de l'Internet. Prenez des notes et ensuite, écrivez un résumé, à la troisième personne.

- Prepare your questions first. You can ask about any aspects of the topic that you wish but make make sure you include the following:
  - What he/she believes are the main advantages of the Internet and how he/she uses the Internet.
  - Whether he/she has a blog and what he/she uses it for.
  - How often he/she sends emails, uses instant messaging, participates in chatrooms, uses the Net for research/ school work.
  - Which websites he/she visits the most and why.
- As well as using common question-types like **comment** …? and **pourquoi** …?, include some more advanced questions (see below).
- Take notes in French during your interview in preparation for writing a summary.
- In your summary, include at least two examples of the comparative, one example of the superlative and at least two demonstrative adjectives.

Avec quelle fréquence …?	*How frequently …?*
Dans quelle mesure …?	*To what extent …?*
Jusqu'à quel point …?	
En quoi consiste …?	*What does … consist of?*
De quelle manière/façon …?	*In what way …?*
À quoi sert …?	*What is the purpose of …?*
De quoi s'agit …?	*What is … about?*
À quelle fin …?	*With what purpose …?*

Écrire 8 Écrivez un article d'entre (200 mots minimum) pour donner votre réaction à l'article ci-dessous.

Virus transmis par e-mail, vol d'identité, piratage de carte de crédit, escroquerie … Quotidiennement, des centaines de personnes sont victimes de crimes commis sur Internet et tombent dans les pièges de la Toile. Les victimes les plus vulnérables sont bien sûr les enfants. Certains sont confrontés à des images choquantes (violentes ou pornographiques). D'autres sont contactés par des personnes mal intentionnées dans les forums de discussion fréquentés par les jeunes. On peut se demander si le miracle que semblait être Internet n'est pas devenu une malédiction?

escroquerie (f)	*fraud, theft*
piège (m)	*trap*
malédiction (f)	*curse*

 Try to present a balanced view. If you think the arguments in the article are valid, acknowledge them but also present the other side of the argument and back it up with examples. Look back at page 17 for useful expressions to contrast points of view.

t	Parler du portable et des jeux vidéo
g	• Les adverbes • Les pronoms démonstratifs
s	• Exprimer l'accord et le désaccord • Prédire les idées et le vocabulaire

2 · Bijoux de technologie

A Évidemment, le portable permet aux jeunes d'avoir énormément de contacts avec leurs amis en dehors de l'école, ce qui est très important à leur âge.

B Malheureusement, certains en abusent. A-t-on vraiment besoin de bavarder toute la soirée avec celui ou celle qu'on vient juste de voir au lycée il y a à peine quelques heures?

C Actuellement, le portable est une mode et celle-ci coûte assez cher. Pour une famille modeste, pouvoir payer le forfait mensuel n'est pas toujours évident.

D Pour certains jeunes, le portable est devenu une drogue dont ils ne peuvent plus se passer. Personnellement, je trouve ça plutôt malsain.

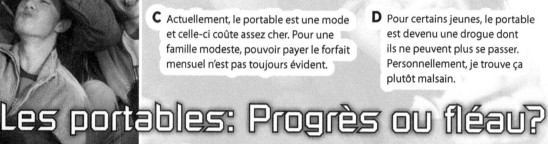

Les portables: Progrès ou fléau?

E Tout récemment, j'ai lu un article inquiétant sur les dangers du portable pour la santé, surtout si on s'en sert trop fréquemment. Depuis je suis de l'avis qu'il faut interdire le portable aux enfants.

G Je ne comprends pas ceux qui laissent leur portable allumé en classe. Ça interrompt le cours et c'est énervant, non seulement pour les profs, mais aussi pour le reste de la classe.

F C'est plus rassurant pour les parents si on a un portable. Ils nous laissent plus facilement sortir parce qu'ils savent qu'ils peuvent nous joindre à tout moment.

H Si tu dis que tu n'as pas de portable, les gens te regardent bizarrement, même si c'est tout simplement parce que ta famille n'a pas les moyens. Je trouve ça injuste.

 Lire 1 Traduisez les opinions. Utilisez un dictionnaire, si besoin.

| venir de (+ infinitif) | to have just (done something) |
| se passer de | to do without |

Écouter 2 Écoutez ces personnes parler du portable. Attribuez à chacune deux affirmations de l'exercice 1.

1 Saïd   2 Cécile   3 Blanche   4 Lucas

Prononciation

-**eu** should not sound like -er in English! Pull your top lip down a bit as you say it! And make sure you distinguish clearly between -**eu** and -**eur** by using a slightly 'rolled' r sound at the end of -**eur**.

Parler 3 Écoutez et imitez.

eux, c**eu**x, mi**eu**x, p**eu**, **Eu**rope, malh**eureu**sement
p**eu**vent, s**eu**lement, l**eu**r, ail**leu**rs
Quand on v**eu**t on p**eu**t, mais à d**eu**x, c'est mi**eu**x.
Malh**eureu**sement, l**eu**r s**œu**r est ail**leu**rs en **Eu**rope.

 Parler 4 À deux. Avec quelles personnes de l'exercice 2 êtes-vous d'accord et pourquoi?

● *Je suis totalement d'accord avec Saïd quand il dit que le portable coûte trop cher. Je connais quelqu'un qui n'a pas les moyens d'acheter un portable et les autres au lycée se sont moqués de lui à cause de ça.*

■ *Je ne suis pas entièrement d'accord avec toi. À mon avis, il y a des forfaits raisonnables qui ne coûtent pas trop cher …*

Être d'accord

Je suis (complètement/totalement/ partiellement/plus ou moins) d'accord avec toi/(nom) …	I am (completely/partly/ more or less) in agreement with you/ (name) …
… quand tu dis/il/elle dit que …	when you say/he/she says that …
Je partage ton avis/ton opinion/ l'opinion de (nom) sur	I share your opinion/the opinion of (name) about

Ne pas être d'accord

Je ne suis pas (entièrement/ tellement/vraiment/du tout) d'accord avec toi/(nom) …	I am not (entirely/so much/really/at all) in agreement with you/ (name) …
Tu vas/(Nom) va trop loin quand tu dis/il/elle dit que …	You are going/(Name) is going too far when you say/he/she says that …
parce que/puisque/car …	because …
sauf …	except (that) …
cependant/pourtant …	however …
néanmoins …	nevertheless …

Grammaire

Les adverbes (*adverbs*)

Adverbs allow you to describe in more detail how something is done (*well, badly, quickly, slowly,* etc).

To form most adverbs add -**ment** to the feminine singular form of the adjective.

adjective in fem sing	add...	adverb
complète (*complete*)	-ment	complètement

Exceptions:
bien (*well*), mal (*badly*), mieux (*better*), pire (*worse*), vite (*quickly*)

Quantifiers or intensifiers such as **très**, **trop**, **assez**, **peu**, **vraiment**, etc. are also adverbs and can be used to modify adjectives or other adverbs.

Adverbs go immediately after the verb or, in compound tenses, between the auxiliary verb and the past participle.
Avez-vous **vraiment** besoin d'utiliser votre portable?
J'**ai** tout **récemment lu** un article inquiétant.

For more help on adverb formation, see p.130.

Lire 5 Trouvez les adverbes en -*ment* de l'exercice 1. Notez aussi l'adjectif original et la règle de formation pour chaque adverbe.

Exemple:

Adverb	Adjective	Formation
évidemment (*obviously*)	évident (*obvious*)	adjective ends in −ent, add −emment

Grammaire

Les pronoms démonstratifs (*demonstrative pronouns*)

You use demonstrative pronouns to refer back to a noun which you have already mentioned. They must agree with the noun they refer to.

masc. sing.	fém. sing.	masc. pl.	fém. pl.
celui (*the one*)	celle (*the one*)	ceux (*the ones*)	celles (*the ones*)

To be more specific, add -**ci** or -**là**:

celui-ci (*this one*)	celle-ci (*this one*)	ceux-ci (*these ones*)	celles-ci (*these ones*)
celui-là (*that one*)	celle-là (*that one*)	ceux-là (*those ones*)	celles-là (*those ones*)

Lire 6 Remettez la fin de l'article dans le bon ordre. Ensuite, écoutez et vérifiez. Finalement, écrivez un résumé de l'article en anglais (moins de 100 mots). Utilisez un dictionnaire, si besoin.

Les jeux vidéo rendent-ils violents?

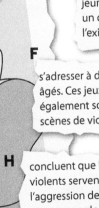

A leur comportement était plus hostile physiquement et verbalement. De même, un psychiatre français a souligné que la tendance s'aggrave chez ceux qui jouent dès l'âge de cinq ou six ans, sans aucun contrôle parental, ou pour ceux

B réalistes. Mais quels effets de telles scènes de violence peuvent-elles avoir sur les mineurs? Certaines recherches sur le sujet ont

C qui passent des heures entières devant leurs consoles. En revanche, d'autres recherches qui ont traité du même sujet contredisent cela. Celles-ci

D conclu que les jeux violents rendent les jeunes violents. Une vaste étude menée par un chercheur américain a mis en évidence l'existence de symptômes

E destinés aux enfants ou aux adolescents, ceux-ci étaient donc peu violents. Les jeux ont évolué et ceux d'aujourd'hui ont tendance à

F s'adresser à des gens plus âgés. Ces jeux comportent également souvent des scènes de violence très

G effrayants chez des enfants qui jouaient à des jeux de console qui n'étaient pas faits pour eux. Celle-ci a montré que ces enfants éprouvaient des sentiments hostiles et que

H concluent que les jeux violents servent à canaliser l'aggression des jeunes et que regarder le journal télévisé est plus néfaste que jouer à la console.

I L'industrie des jeux vidéo qu'on connaît actuellement est bien différente de celle des années 1970. On produisait alors principalement des jeux

t   Parler des émissions et des moyens de diffusion
g   Les pronoms relatifs
s   Traduire en anglais

3 · C'est moi qui (télé)commande

Parler 1 À deux, préparez une réponse aux questions suivantes.

L'offre et la demande télévisuelles

Répartition de l'offre et de l'audience des différents types de programme.

	Programmes diffusés %	Programmes regardés %
Films	4,8	6,5
Fictions TV	19,3	24,6
Jeux	6,0	9,7
Variétés	7,2	4,5
Journaux télévisés	6,2	14,9
Magazines	19,0	15,3
Documentaires	12,4	4,3
Sports	2,5	4,1
Émissions pour la jeunesse	8,3	3,2
Publicité	7,1	8,7

1 De quoi s'agit-il?
2 Quelle est votre réaction face à ces statistiques?
3 Êtes-vous surpris(e) d'apprendre que nous regardons tant de publicité? Pourquoi?
4 Quel genre de programmes aimez-vous regarder?
5 Que pensez-vous des goûts du public?

Lire 2 Quelle sont les attitudes de ces personnes envers les différentes chaînes? Notez P (pour une attitude positive), N (pour une attitude négative) ou P/N (pour une attitude positive et négative).

1 C'est la chaîne populaire par excellence! Si regarder TF1 relève pour moi de l'exception, mes enfants adorent …

2 Pourrait nettement mieux faire … notamment le traitement de l'actualité orienté, partisan et parfois réducteur. Trop de pub! Dommage.

3 De bonnes idées d'émissions qui mériteraient cependant plus de moyens.

4 Remplit bien sa mission de vulgarisation.

5 Parfois trop élitiste, les sujets y sont traités avec sérieux. Nous regardons selon notre intérêt les soirées Théma, Metropolis, de superbes documentaires.

6 Abonnés de la 1ère heure, nous avons résilié notre abonnement il y a un an. Nous n'y trouvions plus nos marques. Trop de sport à notre goût.

7 Chaîne qui se veut proche d'un public jeune. De rares émissions éveillent notre intérêt.

8 De bons documentaires à profusion …

9 Petits moyens, des programmations vues et revues, des films de série Z … Bof …

10 La chaîne des branchés.

11 Tout est dans le titre …

12 Quelques rubriques intéressantes.

13 Pour la «zique». Inégal.

le traitement — *processing*
traiter de — *to deal with*
vulgarisation — *popularization*
branché — *trendy*
résilier = annuler
«zique» = musique

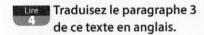 **Répondez aux questions en français.**

1 Qu'est-ce que VOD veut dire?
2 Que faut-il avoir pour pouvoir utiliser la VOD?
3 Combien de sites de VOD y a-t-il?
4 Que faut-il faire? Donnez trois détails.

Lire 4 Traduisez le paragraphe 3 de ce texte en anglais.

Écrire 5 Traduisez ces phrases en français.

1 BBC 1 is a channel which I find boring.
2 MTV is a channel which is interesting.
3 Brokeback Mountain is a film which deserved an Oscar.
4 The documentary which I saw last night was wonderful.
5 Steven Spielberg is someone whose films I don't like.
6 The actor whom everyone is talking about is called Romain Duris.

When translating, be precise, but make sure you are writing something which makes sense.

- Pay close attention to little words like **ou, et, déjà**.
- Look closely at tenses.
- Consider word order, often adjectives will be in a different place in French.
- The article will be there in French. Do you need it in English?
- Respect the punctuation of the original.
- Beware of being too literary in your approach (e.g. **s'annoncer comme** … is not *announces itself as*)

Écouter 6 Écoutez cet extrait sur la mort de la télé. Selon le sens du passage, complétez les phrases 1–6 en choisissant la bonne lettre a–h.

1 Il sera bientôt naturel de télécharger sur notre ordinateur les
2 Puisque 85% des émissions sont préenregistrées,
3 Les émissions en direct
4 Les infos
5 Les critiques prétendent que l'infrastructure Internet
6 Vint Cerf fait remarquer qu'il y a 20 ans,

a seront toujours diffusées en direct, ainsi que le sport.
b est le vice-président de Yahoo.
c émissions que nous avons envie de regarder.
d certains avaient fait la même prédiction pour l'Internet.
e ne supportera pas un nombre élevé de téléchargements simultanés.
f existeront toujours.
g sera présent dans tous les domiciles.
h on a de grandes chances de pouvoir télécharger son émission préférée.

La vidéo à la demande, c'est la vidéo que l'on peut regarder quand on veut. Selon Bruno Thibaudeau de Canal +, la VOD est une nouvelle forme de consommation qui s'annonce comme une révolution …

La VOD propose des films ou des émissions que vous pouvez télécharger sur votre PC. Vous voulez regarder un thriller underground qui va vous choquer? Vous préférez le documentaire sur les phoques que vous avez raté hier soir? Ou c'est un western des années 40 qui attire votre attention?

Une quinzaine de sites français se sont déjà lancés sur ce marché, ce qui va bouleverser nos habitudes de spectateurs. Vous visitez un site, vous choisissez l'émission que vous voulez regarder et que vous voulez télécharger. Vous choisissez la formule que vous préférez: vous pouvez louer le film pendant 24 heures ou le télécharger selon les moyens dont vous disposez. Désormais c'est vous qui (télé) commandez!

Écrire 7 Écrivez deux paragraphes sur l'offre télévisuelle en Grande-Bretagne et l'avenir de la télé.

1 Quelles sont les chaînes principales?
2 Quelles sont les chaînes satellite les plus populaires?
3 Que regardez-vous? Pourquoi?
4 Qu'est-ce que vous n'aimez pas regarder?
5 Téléchargez-vous des films ou des émissions?
6 Selon vous, la télé existera-t-elle d'ici trente ans?

Grammaire

Les pronoms relatifs (*relative pronouns*)

Qui, **que** and **dont** are called relative pronouns and are used to replace a noun. Using a relative pronoun avoids repetition and enables you to build complex sentences.

Qui (*who, which*) can refer to either people or things. It replaces a noun which is the <u>subject</u> of the sentence (the person or thing doing the action).
C'est Lucas. Lucas télécharge un film. → C'est Lucas **qui** télécharge un film.
(**Qui** replaces **Lucas** who is the subject doing the action of downloading.)

Que (*whom, which* or *that*) can also refer to people or things.
Que (shortened to **qu'** in front of a vowel or silent **h**) replaces a noun which is the <u>object</u> of the sentence (the person or thing on the receiving end of the action).
Vous choisissez l'émission **que** vous voulez regarder.
(The subject of the sentence is **Vous, l'émission** is the <u>object</u>.)

Dont (*whose, of whom* or *of which*).
C'est le réalisateur **dont** le film a gagné la Palme d'Or.
He's the director whose film won the Palme d'Or.
C'est le réalisateur **dont** tout le monde parle.
He's the director about whom everyone is talking.
Here **dont** is used because of **parler de**.

Look for 6 examples of **qui**, 6 examples of **que** and 1 example of **dont** in exercise 3 and explain in each case why the word has been used.

4 · Télé: pour ou contre?

Quel est l'effet de la télé chez les plus jeunes? C'est la question posée par des scientifiques américains qui ont comparé les performances intellectuelles d'enfants de 6 et 7 ans, en les reliant au temps qu'ils passaient devant la télé avant 3 ans, puis entre trois et cinq ans. Premier constat: avant trois ans, les petits

Bébé zappeur

Américains regardent déjà plus de deux heures de télévision par jour. Après trois ans, ils y passent plus de trois heures.

Les chercheurs ont constaté deux effets différents du petit écran en fonction de l'âge. Avant trois ans: Les enfants qui passaient le plus de temps devant la télé avaient de moins bons scores aux tests de lecture, de compréhension et de mémoire. Après trois ans: Le fait de regarder la télévision apportait un avantage, mais uniquement dans la lecture.

Il faut noter que dans les deux cas, les variations de performances cognitives restent extrêmement modestes. Pour les chercheurs, la recommandation la plus sensée est de limiter la télévision de manière générale et de la proscrire avant l'âge de deux ans.

Lire 1 Trouvez l'équivalent de ces phrases en anglais dans l'article.

1 First finding
2 two different effects
3 Watching TV brought an advantage
4 only
5 it must be noted
6 in general terms

Lire 2 Lisez le texte. Écrivez le numéro des six phrases qui sont vraies.

1 Les scientifiques américains ont comparé le comportement d'enfants de 6 et 7 ans.
2 Les scientifiques ont établi des liens entre les performances des enfants et le temps qu'ils passent devant la télé.
3 Ils ont trouvé que les petits Américains de moins trois ans passent plus de deux heures par jour cloués devant la télévision.
4 Après l'âge de trois ans, les petits Américains regardent moins la télé.
5 Avant l'âge de trois ans, le fait de regarder la télé a une influence négative sur les performances cognitives des enfants.
6 Après l'âge de trois ans, regarder la télé peut aider l'apprentissage de la lecture.
7 On devrait limiter le nombre d'heures passées devant la télé.
8 On ne devrait pas permettre aux enfants de moins de deux ans de regarder la télé.

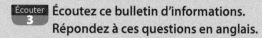

Écouter 3 Écoutez ce bulletin d'informations. Répondez à ces questions en anglais.

1 What is it best to do to limit time spent in front of a TV screen?
2 What did the research show?
3 What two positive things can TV bring to a child?
4 What should TV not be a substitute for?
5 How can parents encourage children to watch less TV?

Grammaire

L'infinitif passé (*the perfect infinitive*)

The perfect infinitive refers to an action that occurs before the main verb.

Après **avoir regardé** cette émission, les enfants sont devenus violents.

Infinitive of the auxiliary verb + past participle

Après avoir **regardé** la télé, il a fait des cauchemars.

After having watched TV, he had nightmares.

Ils ont choisi de regarder ce reportage après s'être **renseignés** sur la limite d'âge.

The subject of both verbs must be the same. The rules of agreement are the same as for the perfect tense (see p137).

Écrire 4 Complétez le texte avec des infinitifs au passé.

Après 1 (**regarder**) un dessin animé japonais, Francine, une fillette de 6 ans, s'est attaquée à son petit frère de 18 mois. Hélène, la mère de la fillette, a été très choquée d'2 (**assister**) à la scène. Après 3 (**aller**) chez le médecin, elle et son mari ont décidé d'interdire la télé à leurs enfants. «Après 4 (**vivre**) un tel incident c'était évident: la télé est néfaste et surtout pour les jeunes. On est contents d'5 (**prendre**) la décision de se débarrasser de la télé. C'est vrai que la télé nous servait un peu de baby-sitter. Après 6 (**se débarrasser**) de notre télé, on a expliqué aux enfants pourquoi on le faisait. Et depuis, on communique plus et notre famille va beaucoup mieux!»

 Used correctly, the perfect infinitive is a good way to impress examiners. Aim to include at least one in your written tasks.

Parler 5 Travaillez avec votre partenaire. Avec lesquelles de ces opinions êtes-vous d'accord? Justifiez votre opinion.

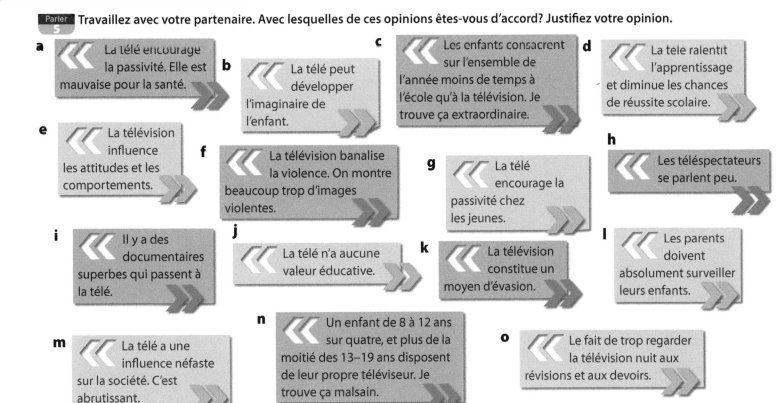

a La télé encourage la passivité. Elle est mauvaise pour la santé.

b La télé peut développer l'imaginaire de l'enfant.

c Les enfants consacrent sur l'ensemble de l'année moins de temps à l'école qu'à la télévision. Je trouve ça extraordinaire.

d La télé ralentit l'apprentissage et diminue les chances de réussite scolaire.

e La télévision influence les attitudes et les comportements.

f La télévision banalise la violence. On montre beaucoup trop d'images violentes.

g La télé encourage la passivité chez les jeunes.

h Les téléspectateurs se parlent peu.

i Il y a des documentaires superbes qui passent à la télé.

j La télé n'a aucune valeur éducative.

k La télévision constitue un moyen d'évasion.

l Les parents doivent absolument surveiller leurs enfants.

m La télé a une influence néfaste sur la société. C'est abrutissant.

n Un enfant de 8 à 12 ans sur quatre, et plus de la moitié des 13–19 ans disposent de leur propre téléviseur. Je trouve ça malsain.

o Le fait de trop regarder la télévision nuit aux révisions et aux devoirs.

Parler 6 Avec votre partenaire, organisez un débat: êtes-vous pour ou contre la télé? La première personne expose son opinion et ses arguments. La deuxième l'écoute et donne son point de vue.

- Brainstorm arguments for and against television.
- Choose a stand and order your arguments: the strongest to the weakest.
- Predict your opponent's arguments and prepare a possible answer.
- Think about the vocabulary you might need to express your ideas and your point of view.
- Gather together any figures you need.

Présenter un argument	Contredire un point de vue		
Il est évident que …	Peut-être, mais …	une tendance inquiétante	être influencé par
Il est manifeste que …	Toutefois …	l'âge conseillé	influencer le comportement
Il apparaît que …	Cela dit, on doit admettre que …	les médias	contrôler ce qu'ils regardent
	Que la télévision soit …, c'est exact mais …	la passivité	accuser de rendre violent
		la responsabilité	rester cloué devant la télé
		la valeur éducative	interdire/censurer
		la violence omniprésente à la télé	imiter/reproduire
		la banalisation de la violence	sélectionner
		les images violentes	critiquer
		un moyen d'évasion	autoriser
		être responsable de/irresponsable	protéger
		avoir un impact	désensibilisé
		avoir une influence sur	

Parents, attention! Si vous voulez bien éduquer vos enfants, surtout ne mettez pas de télé dans leur chambre!

Écrire 7 Écrivez une lettre au journal pour parler des avantages et des inconvénients de mettre un poste de télé dans la chambre de votre enfant. Il faut mentionner les détails suivants:

- le désir de la part des parents d'accorder de l'indépendance à leurs enfants
- la valeur éducative de certaines émissions
- l'influence néfaste, la banalisation de la violence, le danger de la passivité chez les jeunes
- quelle sera votre décision en tant que parent

t Parler de la création d'une pub
g Le passif
s Organiser les idées

5 · La publicité

Lire 1 **Voici des avis sur la publicité. Pour chaque phrase écrivez (M) Mélanie, (B) Bruno ou (E) Élodie pour indiquer la bonne personne.**

1 Qui a une attitude positive envers la publicité?

2 Qui déclare que les pubs encouragent la consommation?

3 Qui croit que l'on devrait interdire la pub à la télévision?

4 Qui trouve que les pubs exploitent les femmes?

5 Qui a une impression peu favorable concernant la qualité des pubs?

6 Qui prend plaisir à étudier les pubs?

Écouter 2 **Mettez ces images dans l'ordre du passage que vous allez entendre. Ensuite reliez chaque image à une des phrases a–h.**

Je trouve que la publicité est omniprésente et cela m'agace énormément. En plus, elle n'est pas spécialement intéressante, amusante ou créative. On essaie de nous laver le cerveau. Des fois les pubs sont très sexistes et je trouve ça inadmissible. Les agences de publicité veulent choquer les gens, et je n'aime pas du tout cette approche. **Élodie**

J'adore la publicité. J'aime beaucoup analyser les pubs et trouver les stratégies employées pour promouvoir un produit. La publicité est indispensable sur un marché comme le nôtre. Je soutiens que créer des spots publicitaires ou des affiches est un travail créatif. J'aimerais bien travailler dans une agence de publicité plus tard. **Mélanie**

Moi, j'estime que les jeunes se laissent trop facilement manipuler par la pub. La publicité fait appel à des notions matérialistes, et cette incitation à consommer nuit à la société à mon avis. On devrait la supprimer à la télé. On devrait aussi enlever tous ces panneaux d'affichage qui détruisent le paysage! C'est de la pollution visuelle! **Bruno**

On estime qu'un Français est confronté au minimum à 300 messages commerciaux par jour!

L'histoire d'une pub

A

B

C

D

E

F EURÊKA!

G

H LIVE STUDIO A

a La commande est passée.

b La décision de lancer une campagne est prise.

c Le slogan est écrit.

d L'image est créée.

e La campagne est lancée.

f La pub est tournée.

g La pub est diffusée.

h Le story-board est fait.

Premièrement	Deuxièmement	Finalement
Dans un premier temps	Dans un deuxième/ second temps	Enfin
En premier lieu	Après	En conclusion
	Ensuite	En dernier lieu
	Puis	En somme
		En définitive

Both in speaking and writing tasks, try to present elements very clearly.

Écrire 3 **Écrivez un court paragraphe sur la naissance d'une pub en réutilisant les informations de l'exercice 2.**

Écrire 4 Réécrivez ces phrases au passif. Attention aux temps et aux accords des participes passés!

1 On dessine un story-board.
2 On choisit l'agence de publicité.
3 Ensemble, on a identifié la cible.
4 On a déterminé la stratégie.
5 Ensuite, on écrit l'histoire.
6 On crée le visuel.
7 On réalise la pub.
8 On diffusera la pub à la télé ou au cinéma.

La pub sert d'abord à vendre des produits. Elle utilise des images, des slogans pour déclencher un acte d'achat chez le consommateur. La publicité est absolument indispensable. Aucun annonceur ne peut s'en passer. Si une entreprise lance un nouveau produit sur le marché, la publicité sert à le faire connaître. Sinon, comment les consommateurs l'achèteraient-ils? Mais rien ne sert de conquérir des consommateurs, il faut aussi les garder.

Alors les entreprises continuent à faire de la pub même si leurs produits sont très connus. Coca-Cola est un bon exemple: sa boisson est archi-célèbre dans le monde entier. Pourtant Coca-Cola continue à faire beaucoup de publicité car des études ont montré que si la pub cessait, ses ventes chuteraient aussitôt!

Une publicité s'adresse toujours à une partie de la population. C'est ce public particulier qu'on appelle la «cible» d'un produit, c'est-à-dire la catégorie de personne que l'on va chercher à attirer en fonction de ce produit.

Pour trouver le message le plus fort, il faut tout savoir du produit et de sa cible. Car on ne s'adresse pas de la même façon aux ados et aux retraités. C'est encore la cible (mais aussi le budget de l'annonceur) qui permet de déterminer sur quel média on va passer la pub: la télévision, la radio, la presse écrite, l'affichage, le cinéma, Internet.

Nous n'achetons pas seulement un produit, nous achetons l'image qui va avec.

La publicité permet d'exprimer une différence. Les grandes marques existent parce qu'elles sont différentes les unes des autres. Les produits qui se ressemblent trop ne marchent jamais.

À quoi ça sert la pub?

Lire 5 Répondez à ces questions en anglais. Notez le vocabulaire français qui vous a guidé dans votre réponse.

1 What does an advertiser use to encourage a consumer to buy?
2 What role does advertising play in the launch of a new product?
3 As well as winning consumers over, what else does advertising seek to do?
4 What would happen if Coca-Cola stopped advertising?
5 What exactly is a 'target' public?
6 What aspect of advertising does the target often influence?
7 What do we buy into when we purchase a product?
8 According to the article, how do major brands market themselves?

Grammaire

Le passif (the passive)

You use the passive form of the verb to change the object of a sentence into the subject.

	Subject	Verb	Object
(active)	L'annonceur	lance	une campagne publicitaire.
(passive)	La campagne publicitaire	est lancée.	

Form the passive by using the appropriate tense of **être**, followed by a past participle. The past participle must agree with the subject.
- Present tense: Le slogan **est écrit**. (The slogan is written.)
- Perfect tense: La pub **a été retirée.** (The ad was withdrawn.)
- Future tense: Les annonceurs **seront obligés** de suivre les règles. (The advertisers will be obliged to follow the rules.)

The French often avoid using the passive when the action in the sentence is performed by a non-specific person.
- By using **on**:
On nous a montré une publicité choquante. (We were shown a shocking advert.)
- By using a reflexive verb:
On **se laisse** manipuler par la pub. (One allows oneself to be manipulated by ads.)

i culture

Interdits de pub!
On n'a pas le droit de faire de la pub pour certains produits. Ainsi le CSA (Conseil Supérieur de l'Audiovisuel) interdit à la télévision les publicités pour l'alcool et le tabac.

Parler 6 Vrai ou faux? À deux, discutez des points suivants et justifiez votre opinion.

- Les 15–20 ans sont des victimes de la publicité.
- Un monde sans pub serait un monde sans couleur.
- Avec les publicités, on essaie de nous laver le cerveau.
- La pub sert avant tout à informer le public.
- Les pubs provoquent des débats, ce qui nous oblige à réfléchir aux valeurs de notre société.

t Analyser des publicités
g Le subjonctif
s Analyser une image

6 · Tout est dans l'image

Écouter 1 Écoutez ce créatif parler de son travail dans une agence de publicité. Mettez les paragraphes dans l'ordre correspondant au passage.

A Il est très important que l'aspect visuel de la publicité reste dans la tête. Bien que le texte **joue** un rôle important, c'est le plus souvent l'image qui capte l'attention des jeunes. Il faut qu'on **prenne** des risques.

B La meilleure pub que je **connaisse**, c'est la dernière pub Badoit. Son concept est très original, mais en même temps elle vante le côté traditionnel du produit. C'est très bien fait.

C Pour qu'une publicité **soit** réussie, elle doit mettre en valeur les avantages du produit. Il est nécessaire que le consommateur **soit** persuadé des atouts du produit et qu'il l'**achète**. Une pub est réussie si les ventes augmentent, c'est très simple!

D Et parfois, on a peur qu'une pub **choque** trop. Il faut attirer l'attention, oui, surprendre, oui, mais il ne faut pas qu'une pub **soit** sexiste ou raciste par exemple.

E Moi, en tant que créatif, je crée une histoire. Nous voulons que le grand public **s'intéresse** à cette histoire, voire que les gens **se sentent** impliqués dans l'histoire, et ainsi ils vont acheter le produit!

Lire 2 Les mots en gras dans le texte sont des verbes au subjonctif. Expliquez pourquoi.

Exemple: *1 Bien que le texte* **joue** *... The subjunctive is needed after* **bien que***.*

Lire 3 Écrivez le verbe au subjonctif. Écoutez pour vérifier vos réponses. Ensuite traduisez les phrases en anglais.

1 Il est possible que la publicité (**influencer**) mes achats.
2 Il est essentiel qu'une marque (**se différencier**) de ses concurrents.
3 Il faut que tu (**choisir**) un produit selon tes goûts personnels.
4 Nous souhaitons que nos publicités (**capter**) l'attention.
5 Il est important qu'une publicité (**séduire**) le public.
6 Bien que certaines publicités (**chercher**) à choquer, elles ne doivent pas dépasser certaines limites.
7 Il ne faut pas qu'une publicité (**être**) mensongère.
8 Je ne suis pas surprise que cette pub (**faire**) scandale.
9 Il est important que les pubs n'(**avoir**) pas une influence négative sur les jeunes.
10 Je veux que tu (**savoir**) que ce spot publicitaire est assez perturbant.

Grammaire

Le subjonctif (*the subjunctive*)

Use the subjunctive mood to express wishes, feelings, possibility, doubt, necessity, obligation, opinions, preferences. Learn by heart the constructions and verbs which require its use.

Use the subjunctive
after impersonal verbs and expressions:

il se peut que …   il est impossible que …
il est important que …   il est temps que …
il est nécessaire que …   il faut que …

Il est impossible qu'une pub pour une boisson alcoolisée **passe** à la télé.

certain verbs:

avoir peur que …   être content que …
craindre que …   préférer que …
vouloir que …   douter que …
permettre que …

Nous **voulons que** le grand public **soit** convaincu par cette histoire.

certain conjunctions:
à condition que (*provided that*)
afin que (*so that*)   bien que (*although*)
jusqu'à ce que (*until*)   pour que (*so that*)
quoique (*even though*)   sans que (*without*)

Il passe la pub toutes les heures **pour que** tout le monde le **regarde** …

after superlatives:
C'est **la meilleure** pub que je **connaisse**.

To form the subjunctive of regular verbs, take the third person plural form (**ils**) of the present tense. Knock off **-ent** and add the correct subjunctive endings.

respecter → ils respect~~ent~~ + *l* ending: **-e**
→ il faut que je **respecte**

… que je respecte   … que nous respections
… que tu respectes   … que vous respectiez
… qu'il/elle/on respecte   … qu'ils/elles respectent

There are a few irregular verbs in the subjunctive you need to learn:

avoir: que j'aie, que nous ayons
savoir: que je sache, que nous sachions
être: que je sois, que nous soyons
pouvoir: que je puisse, que nous puissions
faire: que je fasse, que nous fassions
aller: que j'aille, que nous allions
vouloir: que je veuille, que nous voulions

Écouter 4 Remplissez les blancs en choisissant le bon verbe de la liste.

Chaque pub doit recevoir l'autorisation du Bureau de vérification de la publicité (BVP). Il est essentiel que les publicitaires **1**_____des limites car il faut que la pub **2**_____ les règles. Il ne faut donc pas qu'une publicité **3**_____ choquante sinon il est possible qu'on la retire. Les annonceurs ne veulent pas que les pubs **4**_____ sexistes ou choquantes. Ils souhaitent qu'elles **5**_____ la vérité. Bien qu'on **6**_____ à capter l'attention, on souhaite quand même vendre un produit honnêtement. Les principes sont les suivants: il faut que le produit **7** ___ une identité. Avant tout, nous souhaitons qu'une pub **8**_____ sa cible. Il est essentiel que l'annonceur **9**_____ ses consommateurs. On ne veut pas qu'il les **10**_____!

soient	cherche	disent
révèlent		se fixent
soit	ait	gagne
atteigne		accepte
perde	respecte	

Parler 5 Regardez ces publicités. Choisissez celle que vous préférez et analysez-la. Répondez aux questions suivantes:

1 Quel est le produit proposé?
2 Quelle est la cible de cette publicité? Quel type de personnes veut-on toucher?
3 Décrivez le «visuel».
  a Est-ce une photo? Un dessin? Un montage?
  b Y a-t-il un slogan?
  c Quelle impression cherche-t-on à donner?
  d Quelles sont les couleurs?
  e La publicité fait-elle référence à des symboles?
  f Quel est le message?
  g Pensez-vous que cette publicité est efficace? Justifiez votre réponse.

Il s'agit d'une publicité pour … destiné à …/qui vise les …
C'est une affiche/un spot publicitaire/un spot radio/une bannière sur Internet
L'impression qu'on cherche à donner, c'est …
Cette pub raconte l'histoire de …
Beaucoup d'interprétations sont possibles, par exemple …

le slogan   un logo   la marque
Au premier plan on voit … Au second plan on peut voir …
À l'arrière-plan nous voyons …
Le message est plutôt … Les images sont …
le point de vue   l'angle   les couleurs   les formes
utiliser l'humour/des personnalités/des célébrités

fort	marquant	banal	original
choquantes	perturbantes	accrocheur	attrayant
convainquant	comique	séduisant	efficace
sensuel	mensonger	subliminal	

Le but/L'objectif est de …
mettre en valeur les avantages du produit
créer un phénomène de mode/une tendance/une histoire/une identité

surprendre	provoquer	influencer	convaincre
inciter	attirer l'attention	persuader	susciter l'intérêt
faire acheter	exagérer	essayer un produit	
réussir	avoir un impact	battre la concurrence	

augmenter le chiffre d'affaires/la part de marché

Écrire 6 Choisissez une publicité et écrivez une analyse de 200 mots minimum.

Parler 7 Présentez votre travail à la classe.

Accuracy is important at A level but it is also essential to use more **complex** vocabulary and more **varied** structures than at GCSE. If you play safe and stick to unadventurous structures, you will never access the highest marks. Try to write good quality French.

- Start to use the subjunctive in your work.
- Use the passive.
- Vary the verbs you use for **penser** (e.g. **croire**, **estimer**), **dire** (e.g. **soutenir**, **déclarer**), **être** (e.g. **exister**, **constituer**).
- Collect phrases from texts and listening exercises that you can then use in your own work.

Vocabulaire

Accros au net — *Hooked on the net*

le quotidien	*everyday life*	la toile	*web*
l'ère (f) du numérique	*digital age*	la folie	*craze*
l'usage (m)	*use*	exigeant	*demanding*
le canal	*channel*	rapide	*fast*
la messagerie instantanée	*MSN*	efficace	*efficient*
le réseau social	*social network*	pénible	*unpleasant, tiresome*
le tchat/le forum de discussion	*chatroom*	attiré par	*attracted by*
le blog	*blog*	habitué de	*familiar with*
le téléchargement	*downloading*	fréquenté par	*attended by*
la vitesse	*speed*	se connecter à	*to connect to*
l'échange (m)	*exchange*	faire partie de	*to be part of*
le lien	*link*	appartenir à	*to belong to*
l'utilisateur (m)	*user*	gagner qqn	*to spread to sb*
l'ultranaute (m)	*regular internet user*	avoir tendance à	*to tend to*

La criminalité en ligne — *Online crime*

le virus	*virus*	transmis par	*transmitted via*
le piratage	*hacking*	choquant	*shocking*
l'escroquerie (f)	*fraud*	mal intentionné	*with bad intentions*
le vol d'identité	*ID theft*	tomber dans le piège	*to fall in the trap*
la malédiction	*curse*		
vulnérable	*vulnerable*		

Le portable — *Mobile phone*

le progrès	*progress*	l'appel (m)	*(phone) call*
le fléau	*scourge*	l'onde pulsée	*pulsating wave*
le forfait (mensuel)	*(monthly) flat rate*	la radiation	*radiation*
malsain	*unhealthy*	la migraine	*migraine*
inquiétant	*worrying*	la perte de mémoire	*memory loss*
rassurant	*reassuring*	la fatigue	*fatigue*
allumé	*on*	la dépression	*depression*
énervant	*annoying*	le cancer	*cancer*
plus âgé	*older*	les maux (m) de tête	*headaches*
en dehors de	*outside*	la boîte crânienne	*skull*
joindre qqn	*to get in touch with sb*	le cerveau	*brain*
abuser de	*to overuse*	le cœur	*heart*
bavarder	*to chat*	le foie	*liver*
se passer de	*to do without*	invisible	*invisible*
interrompre	*to interrupt*	dangereux(se)/nocif(ve)	*dangerous/harmful*
s'inquiéter	*to worry*	sensible	*sensitive*
déranger	*to disturb*	enceinte	*pregnant*
laisser sonner	*to let ring*	entraîner	*to cause*
interdire qqch à qqn	*to forbid sb from having sth*	entourer	*to be around*
ne pas avoir les moyens	*to not be able to afford*	pénétrer	*to penetrate*
le côté (négatif)	*(negative) side*	éteindre	*to switch off*
l'effet (m)	*effect*		

Les jeux vidéo — *Video games*

le jeu de console	*console game*
la scène de violence	*scene of violence*
le sentiment (hostile)	*(hostile) feeling*
le comportement	*behaviour*
la tendance	*tendency*
le contrôle (parental)	*(parental) control*
l'agression (f)	*aggression*
néfaste	*harmful*
effrayant	*frightening*
physiquement	*physically*
verbalement	*verbally*

produire	*to develop*
évoluer	*to evolve*
s'adresser à	*to target*
comporter	*to include*
éprouver	*to feel*
s'aggraver	*to get worse*
canaliser	*to channel*
jouer à la console	*to play on the console*
rendre (violent)	*to make (violent)*
passer (des heures)	*to spend (hours)*

Les émissions (f) et les moyens de diffusion — *TV and broadcasting*

l'audience (f)	*audience*
le public	*public, audience*
l'abonné (m)	*subscriber*
le branché	*trendy person*
le/la spectateur/trice	*viewer*
le programme	*programme (listing)*
la fiction TV	*TV drama*
le jeu	*game show*
les variétés (f)	*light music*
le journal télévisé	*TV news*
le magazine	*magazine programme*
le documentaire	*documentary*
l'émission (f) pour la jeunesse	*children's programme*
la pub(licité)	*advertising*
l'actualité (f)	*news, current affairs*
la soirée	*evening programme*
la chaîne hertzienne	*terrestrial channel*
la chaîne thématique	*themed channel*
le satellite	*satellite (TV)*
le câble	*cable (TV)*
la vidéo (à la demande)	*video (on demand)*
le lecteur MP3/MP4	*MP3/MP4 player*
l'infrastructure (f)	*infrastructure*
le thriller	*thriller*
le moyen de diffusion	*broadcasting medium*
les statistiques (f)	*statistics*
le goût	*taste*
l'abonnement (m)	*subscription*
les moyens (m)	*(financial) means*
la vulgarisation	*popularization*
le sujet	*topic*

la rubrique	*programme*
le traitement	*processing*
la formule	*option*
la télécommande	*remote control*
numérique	*digital*
préenregistré	*prerecorded*
en direct	*live*
divers	*miscellaneous*
disponible	*available*
populaire	*popular*
orienté	*biased*
partisan	*partisan*
réducteur/trice	*simplistic*
élitiste	*elitist*
proche de	*close to*
souterrain	*underground*
à profusion	*in large quantities*
se déployer	*to be rolled out*
proposer	*to offer*
mériter	*to deserve*
remplir une mission	*to fulfil a mission*
résilier	*to cancel*
éveiller (l'intérêt)	*to awaken (interest)*
traiter	*to deal with*
choquer	*to shock*
rater	*to miss*
attirer l'attention	*to draw attention*
se lancer sur	*to enter*
bouleverser	*to upset*
diffuser	*to broadcast*

Vocabulaire

La télé – pour ou contre   *TV – for or against*

le petit écran	*small screen*	limiter	*to limit*
le téléviseur	*TV set*	proscrire	*to proscribe*
le poste (de télé)	*(TV) set*	diaboliser	*to demonise*
le dessin animé	*cartoon*	se substituer à	*to replace*
la performance (cognitive)	*(cognitive) achievement*	établir des liens	*to establish links*
le constat	*acknowledgment*	permettre	*to allow*
le score	*score*	s'attaquer à	*to attack*
l'apprentissage (m)	*learning*	assister à	*to witness*
la passivité	*passivity*	supprimer	*to ban*
l'imaginaire (m)	*imagination*	se débarrasser de	*to get rid of*
la réussite	*achievement*	servir de	*to act as*
la valeur (éducative)	*(educational) value*	encourager	*to encourage*
le moyen d'évasion	*means of escaping*	ralentir	*to slow down*
l'influence (f)	*influence*	diminuer	*to reduce*
la révision	*revision*	influencer	*to influence*
zappeur/euse	*channel-hopping*	banaliser	*to make commonplace*
sensé	*sensible*	montrer	*to show*
cloué (devant la télé)	*glued (to the TV)*	constituer	*to constitute*
néfaste	*harmful*	surveiller	*to watch, keep an eye on*
abrutissant	*mind-destroying*	disposer de	*to have at one's disposal*
malsain	*unhealthy*	nuire à	*to harm*
constater	*to observe*		

Créer une pub(licité)   *Creating an ad*

le créatif	*designer*	le slogan	*slogan*
le rédacteur	*copywriter*	le story-board	*storyboard*
le directeur artistique	*art director*	le marché	*market*
l'annonceur (m)	*advertiser*	le média	*media*
le consommateur	*consumer*	la presse écrite	*printed media*
le retraité	*OAP*	la (grande) marque	*(big) brand*
le message commercial	*advertising message*	le paysage	*landscape, view*
l'agence (f) de publicité	*advertising agency*	la commande	*order*
la stratégie	*strategy*	l'étude (f)	*study*
l'étape (f)	*stage*	visuel	*visual*
le produit	*product*	faire de la pub	*to advertise*
la cible	*target*	faire connaître qqch	*to make sth known*
le spot publicitaire	*commercial*	passer (une commande)	*to place (an order)*
l'affiche (f)	*poster*	lancer (une campagne)	*to launch (a campaign)*
le panneau d'affichage	*billboard*	tourner (une pub)	*to shoot (an advert)*
l'affichage (m)	*poster campaign*		

Pourquoi la pub? — *Why advertising?*

le débat	*debate*
l'acte (m) d'achat	*act of buying*
la consommation	*consumption*
l'approche (f)	*approach*
la notion	*notion*
l'incitation (f)	*incitement*
la vente	*sale*
confronté à	*confronted by*
omniprésent	*omnipresent*
créatif/ive	*creative*
sexiste	*sexist*
inadmissible	*inadmissible*
matérialiste	*materialistic*
favorable	*favourable*
(archi-)célèbre	*(extremely) famous*
fort	*strong*
agacer	*to annoy*
analyser	*to analyse*
promouvoir	*to promote*
soutenir	*to maintain, insist*
estimer	*to consider*
se laisser	*to let oneself*
manipuler	*to manipulate*
supprimer	*to ban*
enlever	*to remove*
détruire	*to ruin*
exploiter	*to exploit*
identifier	*to identify*
déterminer	*to determine*
déclencher	*to trigger off*
conquérir	*to conquer*
cesser	*to stop*
chuter	*to fall*
informer	*to inform*
provoquer	*to prompt*
réfléchir	*to think*
prendre plaisir à	*to enjoy*
faire appel à	*to appeal to*
laver le cerveau	*to brainwash*

Analyser des publicités — *Analysing adverts*

le publicitaire	*advertising executive*
le (grand) public	*(general) public*
le concurrent	*competitor*
la publicité mensongère	*misleading advertising*
l'achat (m)	*purchase*
le concept	*concept*
l'atout (m)	*asset, advantage*
la règle	*rule*
la vérité	*truth*
original	*original*
raciste	*racist*
perturbant	*disturbing*
capter	*to capture*
vanter	*to praise*
augmenter	*to increase*
surprendre	*to surprise*
se fixer	*to fix*
retirer	*to withdraw*
atteindre	*to reach*
toucher	*to reach*
perdre	*to lose*
persuader	*to convince*
souhaiter	*to wish*
mettre en valeur	*to highlight*
jouer un rôle	*to play a role*
prendre des risques	*to take risks*
se sentir impliqué	*to feel involved*
dépasser les limites	*to go beyond limits*
faire scandale	*to cause a scandal*
faire référence à	*to refer to*

Épreuve orale

 The discussion of the stimulus card lasts 5 minutes. You will be expected to respond to the questions and to broader issues within the sub-topic area.

Use your preparation time wisely.

- Read the questions carefully. Think what potential questions might be and consider what further discussion might follow.
- Start by finding the answers to the questions on the card in your head and in the text. Then note additional ideas you covered in class, your personal ideas and reactions to what you read or about the same topic.
- Brainstorm all the vocabulary you could use and write it legibly. You can make notes on the Additional Answers Sheet.
- You have 20 minutes preparation time. Be sure to allocate time for preparing your answers to questions, but keep a few minutes for thinking about conversation topics.

Les jeunes en ligne?

Les ados utilisent des réseaux sociaux en ligne:

- Pour rester en contact avec leurs amis 91%
- Pour s'organiser avec leurs amis 72%
- Pour se faire de nouveaux amis 49%

Mais comment protège-t-on ces jeunes?

The answer to the question is on the card.

Explain why the internet is attractive to young people and why older people might not use it so much. Think carefully about the wording. Is it essential? Express your own opinion.

- De quoi s'agit-il?
- Que pensez-vous de ces statistiques?
- Est-ce que l'internet est essentiel pour tout le monde de nos jours?
- Comment utilisez-vous les nouvelles technologies?
- Quels en sont les dangers, à votre avis?

You need to give a reaction. Choose the one you have the best argument for here.

Broaden the topic here. Move beyond the internet to show your range of vocabulary.

Think carefully about the dangers. Be sure to mention at least three, then concentrate on the one you feel is most serious.

Lire 1 Lisez le sujet d'examen. Notez cinq questions qu'un examinateur pourrait poser après celles qui figurent sur la carte.

 To gain the top mark, you must 'develop a wide range of relevant points' in response to the stimulus questions.

Écouter 2 Écoutez ce candidat pendant son examen. Avez-vous bien prédit les questions supplémentaires?

Parler 3 Jeu de rôle. L'un de vous est l'examinateur, l'autre le candidat. Posez les questions de l'exercice 1 et les questions supplémentaires de l'exercice 2. Puis échangez vos rôles.

Parler 4 Jeu de rôle. L'un de vous est l'examinateur, l'autre le candidat. Répondez aux questions suivantes. Vous devez inclure dans vos réponses des expressions pour gagner du temps. Marquez un point à chaque fois que vous utilisez les phrases et les expressions de la liste ci-dessous.

«Les pubs à la télé, j'aime bien, mais il faut vraiment qu'elles soient originales. Les mêmes belles nanas parfaites qui sont censées nous représenter, ça ne m'intéresse pas, ce n'est pas la réalité.»

De quoi s'agit-il?
Êtes-vous d'accord avec l'opinion d'Élise?
Êtes-vous influencé par la publicité?
Pourquoi la publicité est-elle un sujet de controverse?
Quelle est l'importance de la publicité pour les entreprises?

La publicité est omniprésente.
La publicité n'est pas spécialement intéressante, amusante ou créative.
On essaie de nous laver le cerveau.
La publicité peut être mensongère.
Ce serait bien de voir une publicité originale à la télé.

Les agences de publicité cherchent à choquer les gens.
La publicité est indispensable pour vendre les produits.
On se laisse trop facilement manipuler par la pub.
La publicité encourage la consommation.
Le public est capable de ne pas se laisser influencer.
À l'avenir il y aura de plus en plus de publicités sur Internet.

Take thinking time when you are doing your oral exam, there are many fillers you can use in French both to play for time and to make you sound more French.

The speaking test is very much a performance. It's a little like being on stage. You have to convince the audience (the examiner) of your role. If you prepare well, you can put in an accomplished performance.

Eh bien …	On peut dire cela, mais …
Voyons …	Vous voyez …
Laissez-moi réfléchir …	Écoutez …
Que je réfléchisse un instant …	Vous comprenez …
Attendez, moi je dirais plutôt …	De toute manière …
À vrai dire …	Enfin …
Je ne suis pas sûr(e) … mais non …	

Parler 5 **Préparez vos réponses à ces questions. Faites un nouveau jeu de rôle.**

«Mon fils adore *Baby TV*. Il passe toute sa journée devant la télé et ne pleure plus!»

Jean-Louis

Baby TV est une chaîne qui diffuse 24 heures sur 24 des émissions pour les bébés.

De quoi s'agit-il?
Que pensez-vous de l'attitude des parents de Jean-Louis?
Pensez-vous que ces chaînes soient dangereuses pour les bébés?
Regardez-vous souvent la télé?
Quels sont les avantages de regarder la télé?

Gare aux gaffes!
Make sure you avoid these common mistakes in your exam:

	Gaffe ✗	Version correcte ✓
Misusing **magasin**	J'aime lire les magasins.	J'aime lire les **magazines.**
Mispronouncing any word that looks like an English word.	télévision/émission avantage danger attitude chaîne	té-lé-vi-sion/é-mi-ssion a-van-ta-ge dan-ger a-tti-tu-de chaî-ne
Don't confuse: le pub (*pub*) la pub (*ad*)		

Parler 6 **Préparez une réponse à ces questions. Comparez vos réponses avec celles de votre partenaire.**

1 Quel genre de programmes aimez-vous regarder?
2 Pensez-vous que la télé encourage la passivité?
3 Pourquoi regarde-t-on tant la télé?
4 Pourquoi est-ce que la téléréalité est si populaire?
5 Que pensez-vous de la téléréalité?
6 Les jeux vidéo provoquent-ils la violence chez les jeunes?
7 La publicité essaie-t-elle de nous laver le cerveau?
8 Faut-il interdire la publicité?
9 Quels sont les avantages d'Internet?
10 Quels en sont les dangers?
11 Avez-vous un portable?
12 Est-ce qu'on utilise trop les portables?

 After the discussion of the stimulus card, you will hand over any notes that you made and will discuss your nominated conversation topic. The examiner will then cover the two remaining AS topics. You should therefore be prepared to discuss all topics you have studied throughout the year. These general questions are not exhaustive but are designed as help for your revision.

 To gain the top mark, you must:

In the more general discussion 'respond to all opportunities to express and develop ideas and opinions'.

Push yourself to justify your opinions. It is not enough simply to say *I think … In my opinion …* You must give complex reasons why!

Écrire 7 **Écrivez dix questions que l'examinateur pourrait poser au sujet des médias.**

Épreuve écrite

 Écoutez Sophie relire sa copie.

«On ne se parle plus! Les jeunes passent tout leur temps devant l'écran!»

Écrivez une lettre au journal pour parler des bénéfices des nouvelles technologies.

Your written task will be marked on:

content	quality of language	
• how you structure a relevant response to the task and how you justify your points.	• range of vocabulary	5 marks
	• range of structures	5 marks
	• accuracy	5 marks
• you can gain 20 marks for content.		

Bear it in mind when you write your article, letter or essay.

This sets the tone immediately. The reader knows what it is about.

The writer addresses the newspaper editor, using the **vous** form.

The writer clearly gives three examples to justify her standpoint.

The writer is using sophisticated phrases appropriately.

The writer uses synonyms to make the piece varied.
la Toile – le web – Internet
les jeunes – les internautes

The writer uses a question to make a point.

This is another complex sentence structure.

This is a more complex sentence structure

Madame, Monsieur,

Je viens de lire votre article sur les jeunes et les nouvelles technologies paru dans votre dernière édition et je souhaite vous faire part de ma réaction.

Vous prétendez que les nouvelles technologies favorisent l'isolement et donc empêchent la communication. C'est faux! Au contraire, grâce aux nouvelles technologies, la communication est plus simple qu'il y a 20 ans. L'email ou la messagerie instantanée sont les meilleures façons de contacter ses amis. Par ailleurs, l'Internet peut même briser la solitude. De plus en plus de personnes se rencontrent sur Internet.

Manifestement, Internet ouvre des portes. On peut avoir accès à une énorme quantité d'informations, plus facilement et plus rapidement qu'avant. Plutôt que de regarder bêtement la télévision, les jeunes ont dorénavant la possibilité de surfer sur la Toile afin de trouver des informations sur ce qui les intéresse. Ils ne sont plus aussi accros au petit écran. Le web leur propose un monde infini ...

L'Internet permet également d'élargir ses horizons, dans le domaine de la musique par exemple. Certains téléchargent de la musique, d'autres s'échangent des chansons ou des vidéos. La majorité des internautes déclare écouter une plus grande variété de musiques grâce à cette nouvelle technologie.

Et la lecture n'est-elle pas importante? Les jeunes lisent et écrivent des blogs. Tant mieux! N'oublions pas les bénéfices concrets: de nos jours, plus de gens font leurs achats en ligne et donc polluent moins.

Finalement, si l'on en croit les dernières études, la pratique des jeux vidéo est plutôt bonne pour la santé, elle protège contre le vieillissement du cerveau.

Pourtant, il ne faut pas qu'un monologue informatique remplace le dialogue familial.

Et quand le soleil brille dehors, si vous ne pouvez pas décrocher de la Toile ou d'un jeu vidéo, attention danger! Vous êtes devenus cyberdépendants!

The writer uses a range of tenses, e.g. the subjunctive.

 Relisez la copie de Sophie. Quelle note lui donnez-vous? Justifiez votre note.

 Organise your writing carefully, keeping in mind the marking criteria for content and quality of language.

In a discursive essay, you will have to discuss the different aspects of a question. Your essay can be divided into four sections:

Introduction – Explain the thesis of your essay. Unpick the question. What does it mean exactly? Try to clarify the terms of the debate. Sketch out two or more aspects to the question.

Two main paragraphs – Try to link ideas within these. Include a wide range of relevant examples and evidence to back up your viewpoint.

Conclusion – Summarise your argument, give your point of view and try to relate your position to a wider context within the terms of the question.

Écouter 3 Lisez le sujet de l'examen de Julien. Écoutez et notez les idées qu'il va utiliser pour écrire son essai.

Parler 4 À deux, complétez la liste avec d'autres idées et d'autres exemples pour les différentes parties.

Écrire 5 Rédigez votre réponse en vous aidant des expressions suivantes.

Quels sont les avantages et les inconvénients des téléphones portables?

> Introduction
> • un outil …
> • un gadget …
>
> 1 Avantages
> • permet de contacter facilement ses amis
> • …
> 2 Inconvénients
> • coûte cher
> • …
>
> Conclusion
> • Le portable est considéré comme …

Introduire le sujet	Organiser les arguments	Donner des exemples	Conclure
On affirme que …	De plus	Considérons par exemple	En conclusion …
Nous allons aborder	En outre	le cas de …	On peut conclure en disant que …
la question de …	Par ailleurs	Tel est le cas par exemple de …	Ainsi …
On peut se demander …	Précisons que	Comme … Ainsi …	On voit par ce qui précède que…
	En revanche		

Écrire 6 À votre tour! Choisissez l'un des trois sujets et écrivez un minimum de 200 mots.

 Above all, do not panic if you are worried about the form (letter, article, essay) or the topic. You will have the linguistic ability to get to grips with most tasks. You can inject your own ideas into the topic and steer it round to the topic vocabulary that you do know.
It is essential, however, that you organise your material and make your points clearly.

A La violence, c'est la faute à la télé!

Est-ce que la télé a une mauvaise influence sur les jeunes?

B Internet … Bienvenue dans un univers virtuel aux dangers bien réels.

Écrivez une lettre au journal pour parler des dangers de l'Internet.

C «Je ne comprends pas pourquoi on interdit certaines pubs.»

Samuel, 17 ans.

Écrivez un article pour le journal de l'école dans lequel vous expliquez pourquoi il faut se méfier des publicités.

Gare aux gaffes!
Make sure you avoid these common mistakes in your exam:

	Gaffe	Version correcte
Using the wrong or no adjective agreement.	Les portables sont une bon chose.	Les portables sont une **bonne** chose.
Not using infinitives after modals, verbs of liking, etc.	On doit utilise moins son portable.	On doit **utiliser** moins son portable.
Using made-up 'franglais' words.	Il faut recogniser que … pour solver le problème on peut advertiser dans le journal	Il faut **reconnaître** que … pour **résoudre** le problème on peut **mettre une annonce** dans le journal.

 Make sure that you leave yourself enough time for this important part of the exam, approximately 45 minutes. When you look at the writing section of the exam, remain calm and be sure to plan properly. Use 10 minutes for planning, write for 30 minutes, then check for 5 minutes.

Module 3 · objectifs

(t) Thèmes

- Choisir un sport suivant son tempérament
- Discuter des sports extrêmes
- Parler des loisirs
- Parler de l'évolution des styles de vie
- Parler des régimes alimentaires

- Parler du tabagisme
- Examiner les motivations des **vacanciers**
- Raconter un voyage
- Parler de la francophonie

(g) Grammaire

- Le conditionnel
- **à** ou **de** + infinitif
- Les adjectifs indéfinis
- Les pronoms **y** et **en**
- Révision de l'imparfait

- Faire des hypothèses avec **si**
- L'impératif
- Construire des phrases complexes
- Reconnaître le passé simple
- Le discours indirect

(S) Stratégies

- Comprendre des expressions idiomatiques
- Débattre: être pour ou contre
- Paraphraser et utiliser des synonymes
- Donner des exemples pour développer son opinion
- Expliquer des causes et proposer des solutions

- Conseiller
- Faire passer un message important
- Expliquer et donner des exemples
- Écrire un blog
- Faire des recherches

1 · À chacun son sport

Face à soi ou face aux autres, le sport est révélateur de personnalité.

Êtes-vous fait(e) pour les sports collectifs tels que le foot, le rugby ou le basket? Avez-vous l'esprit d'équipe ou bien êtes-vous plutôt du genre solitaire et préférez pratiquer des sports individuels? Pour connaître le sport qui correspond le mieux à votre personnalité, faites ce test!

1 Un code vestimentaire strict pour certains événements …

A Dans la vie, il y a des règles, c'est comme ça.

B Vous adorez, vous avez l'impression de devenir un personnage différent.

C Ça va pas la tête?

2 Faire des footings pour gagner en endurance …

A C'est indispensable, et ça permet de se vider la tête.

B Vous en faites, mais vous préférez le sprint.

C Pour quoi faire? Courir tout seul et sans but, c'est ennuyeux.

3 Vous préférez …

A La terre, le feu et l'eau.

B La terre, l'air et le feu.

C L'eau, l'air et la terre.

4 Ne parler à personne pendant dix minutes …

A C'est impossible. D'ailleurs, votre téléphone portable ne vous quitte jamais.

B C'est long. Mais ça permet de réfléchir.

C C'est reposant.

5 Un bon sport pour vous, c'est …

A Une activité qui vous fatigue et vous fait transpirer.

B Une activité qui vous fait prendre l'air et permet de vous évader.

C Un mélange de défoulement et de dépaysement.

6 Suivre la tactique de quelqu'un d'autre …

A Aucun problème. Quelqu'un qui n'est pas au cœur de l'action a toujours une meilleure vue d'ensemble.

B Si vous comprenez la tactique et qu'elle est appropriée, pas de problème.

C Jamais! Personne ne vous dit quoi faire.

7 La vie en collectivité …

A C'est votre philosophie. Un pour tous, tous pour un.

B À part la salle de bains commune, vous n'êtes pas contre/vous n'y êtes pas opposé.

C C'est l'enfer!

Une majorité de A

Vous n'aimez pas vous trouver seul(e) face à vous-même. Vous préférez vous identifier à un groupe. Faire partie d'une équipe. Vous êtes perdu(e) sans une balle ou un ballon. Les sports collectifs (le rugby, le football, le basket-ball, le handball) seraient parfaits pour vous.

Une majorité de B

Vous êtes attiré(e) par la confrontation physique ou mentale dans le sport. Vous avez l'esprit d'équipe cependant, vous préférez ne dépendre que de vous-

Une majorité de C

Au lieu d'affronter des concurrents, vous préférez les défis personnels, vous préférez vous mesurer à vous-même plutôt que d'affronter un adversaire. Vous aimez aussi être entouré(e) des éléments inhabituels (l'eau, l'air). Un sport individuel ou solitaire conviendrait mieux à votre personnalité (la natation, le tir à l'arc, le kayak, le parapente, le billard).

même pour la victoire ou la défaite. Vous seriez fait(e) pour les sports de face-à-face individuels (le tennis, le ping-pong, le judo, le karaté).

Lire 1 **Trouver le sens des mots suivants dans le dictionnaire.**

1	vestimentaire	5	but
2	règles	6	transpirer
3	personnage	7	s'évader
4	footing	8	mélange

9 défoulement
10 dépaysement
11 cœur
12 enfer

Lire 2 **Sans utiliser un dictionnaire, trouvez l'équivalent dans le test des phrases suivantes.**

1 are you crazy?
2 what's the point?
3 to clear your mind
4 to get some fresh air
5 to get away from it all
6 to be at the heart of what's going on
7 it's hell!

- Look for near-cognates (e.g. **activité**/*activity*, **réfléchir**/*reflect*).
- Remember, some expressions may not be the literal equivalent of the English, especially colloquial phrases (*are you crazy?*, *what's the point?*) or idiomatic expressions (*clear your mind, at the heart of what's going on*). Look for words which might link to the expression in English (*crazy*/**tête**).

Parler 3 À deux. Faites le jeu-test oralement et notez les lettres de vos réponses.

Lire 4 Lisez les résultats du test. Quel sport correspondrait le mieux à votre personnalité? Êtes-vous d'accord ou pas? Pourquoi?

Écouter 5 Écoutez Éléa, Margaux et Jérémy qui eux aussi ont fait le jeu-test. Pour quel type de sport sont-ils faits? Prenez des notes, puis expliquez en français.

Selon le test	il est fait elle est faite	pour les sports	individuels … d'équipe … collectifs …	puisque … parce que … car …

Grammaire

Le conditionnel (*the conditional*)

It usually translates as *would …*, except for **devoir**, **falloir** (*should/ought to*), and **pouvoir** (*could*):
je voudrais faire (*I would like to do*), **je devrais faire** (*I ought to do*), **on pourrait faire** (*we could do*).

To form the conditional, take the future tense stem of the verb and add the imperfect tense endings. (See future tense and imperfect tense p.138).
The future tense stem of regular verbs is the infinitive.
The imperfect tense endings are:

je -ais	nous -ions
tu -ais	vous -iez
il/elle/on -ait	ils/elles -aient

I would like → to like = aimer → future stem = **aimer** → + *l*
ending **-ais** = conditional: **j'aimerais**

Remember many common verbs have irregular future stems.

For a full list of irregular future stems and conditionals, see the *Tableaux de conjugaison* (pp146–157).

Écrire 6 Mettez les verbes au conditionnel. Ensuite traduisez les phrases.

1 Il (**aimer**) bien essayer le judo.
2 Je ne (**faire**) jamais un sport comme la natation.
3 Tu (**avoir**) trop peur de l'eau?
4 Ils (**préférer**) les sports d'équipe.
5 Elle (**vouloir**) bien savoir jouer au rugby.
6 On (**pouvoir**) faire des recherches sur Internet plus tard.
7 Nous (**devoir**) essayer le tir à l'arc.
8 Il ne (**falloir**) pas faire d'équitation si tu es allergique aux poils de cheval!
9 C' (**être**) chouette d'apprendre à faire du tir à l'arc.
10 Selon le test, le judo ou le karaté m'(**aller**) bien.

Parler 7 Sans prendre de notes, parlez de vos résultats au jeu-test.

● Explain what the results say about you, adapting phrases from the test results.
● Say whether you think the results are correct.
● Say whether you would like to try any of the sports recommended for your personality and, if not, why not.
● Include at least five different examples of the conditional. Use or adapt phrases from exercise 6.
● Include at least one colloquial or idiomatic expression (see exercise 2).

Selon les résultats du test, je (ne) serais (pas)/je serais plutôt fait(e) pour …
Les sports qui correspondraient le mieux à ma personnalité/mon tempérament/mon profil sont …
D'après ce test, j'aime/je n'aime pas/je suis/j'ai tendance à …

ce qui est	un peu vrai complètement faux assez ridicule	parce que … puisque … car …
ce qui n'est pas	tout à fait exact	
D'une part, il est vrai que …	D'autre part, …	

Par contre/En revanche/Cependant/Pourtant/Néanmoins …
Je n'ai jamais essayé …
Quant à …

Selon les résultats du test, je serais plutôt faite pour les sports individuels, les sports solitaires tels que la gymnastique, la natation ou l'équitation. D'après ce test, j'aime les défis mais je n'aime pas affronter d'autres concurrents, ce qui est complètement faux, puisque j'aime jouer au tennis, par exemple. Quant à la natation, il est vrai que j'aime bien ce sport. En revanche je ne voudrais pas faire d'équitation, car j'aurais trop peur de tomber. Ce serait intéressant d'apprendre à faire de la gymnastique, je pourrais faire un stage peut-être.

Écrire 8 Écrivez un paragraphe sur vos résultats, en suivant les conseils de l'exercice 7.

2 · Accros à l'adrénaline

SPORTS EXTRÊMES:
à la recherche de sensations **fortes**

le base-jump

le canyoning

le zorbing

le parkour

Écouter 1 De quelle photo ces personnes parlent-elles? Leur réaction est-elle positive, négative ou ont-elles un avis partagé?

⚛ You don't have to use the same adjectives as the people in the recording (use some new adjectives, if you wish), but each group of phrases must make sense and add up to a consistent opinion.

Écouter 2 Réécoutez ce passage. Cinq des adjectifs ci-dessous ne sont pas mentionnés. Lesquels?

courageux	effrayant	dangereux
casse-cou	impressionnant	fou
ridicule		irresponsable
	terrifiant	
incroyable	marrant	stupide

Grammaire

L'infinitif précédé par à ou de (*the infinitive preceded by à or de*)

Some verbs can be followed by a second verb in the infinitive. The infinitives may follow directly or be preceded by **à** or **de**. There is no rule to this, you just have to learn each verb by heart. You may find it is easier to learn a verb with an example.

J'**aimerais sauter** en parachute.

Elle **apprend à faire** du base-jump.

Il faut **empêcher** les gens **de prendre** de tels risques.

For a list of these verbs, see page 134.

Lire 3 Complétez ces phrases avec le bon adjectif. Il y a plusieurs possibilités correctes.

1 Plonger du haut d'une cascade dans une rivière pleine de rochers, c'est très _____. Il faut être _____ pour faire une telle activité. Ça doit être _____.

2 Je trouve ça _____ de pouvoir sauter d'un bâtiment à l'autre. C'est _____ de pouvoir le faire. Je ne sais pas si je serais assez _____ pour essayer de faire ça.

3 Descendre une pente en roulant dans une grande boule en plastique – c'est _____ comme sport. Ce serait _____ de faire ça.

4 C'est _____, ça! Sauter du pic d'une montagne avec un tout petit parachute, c'est tout à fait _____. À mon avis, c'est complètement _____ de prendre de tels risques.

Lire 4 Reconstituez ces phrases au conditionnel puis traduisez-les en anglais.

1 Je ne ferais jamais …
2 J'aurais trop peur …
3 Je mourrais …
4 Je ne sais pas si je serais …
5 J'aimerais bien …
6 Ce serait marrant …
7 Je ne sais pas si …
8 On ne devrait pas …
9 Il faudrait empêcher les gens …
10 Je voudrais bien apprendre …

a prendre de tels risques.
b essayer de faire ça, mais en prenant certaines précautions.
c de peur.
d j'oserais faire certains sports, comme le base-jump.
e de me tuer à chaque saut.
f une telle chose.
g assez courageuse pour prendre tous ces risques.
h d'essayer quelques sports extrêmes.
i à faire plusieurs sports extrêmes.
j de faire un tel sport.

Parler 5 Quelle est votre réaction face aux photos?
Discutez à deux, en utilisant le vocabulaire des exercices précédents et vos propres idées.

Exemple:
● *Quelle est ta réaction face à ces photos? Que penses-tu du base-jump, par exemple?*
■ *À mon avis, il faut être fou pour faire ça! Sauter du pic d'une montagne avec un tout petit parachute, c'est … Je ne ferais … J'aurais … Et toi, qu'en penses-tu?*

Écrire 6 Traduisez ces phrases en français.

1 He can't come every day because he is learning to do canyoning.
2 She refuses to do certain activities and he hates all the sports.
3 They want to prevent me from doing such activities.
4 You must stop taking all these risks and start being responsible.
5 We have decided to continue doing several sports.
6 I would like to try a few extreme sports but I think I would be too afraid to hurt myself.

Lire 7 Lisez les réponses postées sur ce blog. Chacune des phrases ci-dessous correspond à ce que dit l'une des personnes. Écrivez le bon prénom pour chaque phrase.

à l'examen

- In an exam task like this, the statements will *paraphrase* what is said in the text.
- Look carefully at the fine detail of each text and each statement, don't jump to conclusions based on one or two words e.g. Farid's text and statement **c** both use **risquer sa vie**, but does what Farid says mean the same as statement **c**?

a On devrait donner des soins médicaux aux gens qui le méritent le plus.
b Le niveau de danger est comparable à celui d'autres sports.
c Chacun est libre de risquer sa vie.
d Personne n'a le droit de mettre d'autres personnes en danger.
e Il est essentiel que les pratiquants de sports extrêmes soient informés et conscients des risques qu'ils prennent.

Grammaire

Les adjectifs indéfinis (*indefinite adjectives*)

Indefinite adjectives agree in gender and number.

m sing	f sing	m pl	f pl	
chaque	chaque	-	-	*each, every*
-	-	plusieurs	plusieurs	*several*
certain	certaine	certains	certaines	*some, certain*
quelque	quelque	quelques	quelques	*a few*
un tel	une telle	de tels	de telles	*such a/such*
tout	toute	tous	toutes	*all*

Je ne ferais jamais une **telle** activité.*
On ne peut pas empêcher les gens de prendre **certains** risques.

* Note the word order in French to say *such a …*

Fichier   Édition   E-mail   Communiquer   Services   Sécurité   Fenêtre   Mot-clé   Déconnexion   Aide
Accueil   OK   Rechercher   Favoris

Faut-il interdire les sports extrêmes?

Charlotte Il s'agit de la liberté de chacun. Les gens qui pratiquent certains sports extrêmes font ça à leurs risques et périls et on n'a pas le droit de les empêcher de faire comme ils veulent. Tout ce qu'on peut faire, c'est encourager les gens à pratiquer de tels sports de façon responsable.

Farid Ce qui me pose problème, c'est que faire de telles activités peut mettre en danger d'autres personnes, voire entraîner leur mort. Suite à un accident de canyoning par exemple, ce serait les sauveteurs de montagne qui risqueraient leur vie pour venir au secours de quelques personnes irresponsables et je trouve ça inacceptable.

Vincent Ceux qui pratiquent de telles activités sont inconscients, ils ne pensent pas aux conséquences de leurs actes. Ils ne tiennent pas compte du fait que s'ils se blessent et qu'ils doivent être hospitalisés, ils prennent la place d'autres personnes qui sont vraiment malades et qui ont besoin de soins, comme des personnes âgées ou des enfants par exemple.

Romane On peut constater que plusieurs sports dits «extrêmes» ne sont pas forcément plus dangereux que certains sports traditionnels tels que le rugby, la boxe ou la course automobile. Comment donc justifier l'interdiction de certains sports et pas d'autres?

Parler 8 Faites un débat autour de la question «Faut-il interdire les sports extrêmes?». Une partie de la classe serait pour les interdire et l'autre partie de la classe contre cette interdiction.

- Make notes about what you want to say, using only key words, not whole phrases.
- As well as using ideas from the spread, come up with some ideas of your own.
- Look back at previous units for useful debating phrases (see pages 17, 35 and 56).
- During the debate, work only from your notes. This will help you to sound more natural rather than as though you are reading things out.
- Listen carefully to what each person says and be ready with your counter-arguments, backing up what you say with reasons and examples.

t Parler des loisirs
g Les pronoms **y** et **en**
s Paraphraser et utiliser des synonymes

3 · Pantoufles ou baskets?

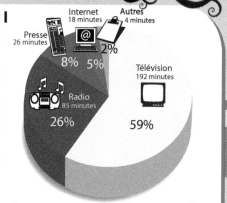

1

Temps moyen quotidien consacré aux différents médias par les Français entre 16 et 60 ans.

Internet 18 minutes
Autres 4 minutes
2%
Presse 26 minutes
8% 5%
Télévision 192 minutes
Radio 85 minutes
26%
59%

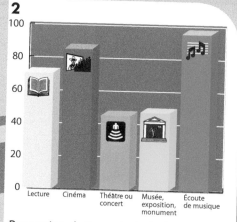

2

Proportion de Français de 15 à 29 ans qui, l'année dernière, ont pratiqué au moins une fois ces activités culturelles.

Lecture Cinéma Théâtre ou concert Musée, exposition, monument Écoute de musique

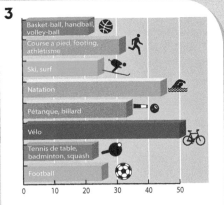

3

Proportion de Français de 15 à 29 ans qui pratiquent ces activités sportives.

Basket-ball, handball, volley-ball
Course à pied, footing, athlétisme
Ski, surf
Natation
Pétanque, billard
Vélo
Tennis de table, badminton, squash
Football

Écrire 1 Regardez les graphiques sur les Français et les loisirs. Écrivez dix phrases, dont trois fausses, sur ces statistiques. Échangez vos phrases avec un(e) partenaire et identifiez le plus vite possible les phrases fausses.

Exemple:
*Les Français consacrent chaque jour **plus** de temps à la radio **qu**'à l'Internet. (vrai)*
*Les sports **les moins** pratiqués par les jeunes Français sont le tennis de table, le badminton et le squash. (faux)*
***Plus** de jeunes Français vont au cinéma **qu**'ils ne …*

Écouter 2 Justine, une lycéenne, est interviewée au sujet de ses loisirs. Dans quelle mesure ses habitudes sont-elles similaires à celles de la majorité des Français? A-t-elle des habitudes différentes? Justifiez votre réponse.

Exemple: *En ce qui concerne le sport, ses réponses sont différentes des statistiques. Elle joue au volley et au basket, elle n'aime pas la natation et le vélo, alors que ce sont les sports les plus populaires chez les jeunes entre 15 et 29 ans.*

En ce qui concerne les médias …/Dans le domaine de la culture …
Ses réponses correspondent/Ce qu'elle dit ne correspond pas aux statistiques.
Ses réponses sont différentes de …/ pareilles que …
parce que …
contrairement à la plupart/la moyenne/la majorité des Français qui …

Comparatif

Les Français consacrent chaque jour plus/moins de temps à (+ nom) qu'à (+ nom).
Plus de jeunes Français lisent/écoutent/font/jouent/pratiquent … qu'ils ne vont/ jouent …

Superlatif

Les Français consacrent quotidiennement la plupart de leur temps à (+ nom).
L'activité la plus/moins populaire parmi/chez les jeunes Français est … (+ nom ou inf).
Le(s) sport(s) le(s) plus/le(s) moins pratiqué(s) par les jeunes Français est/sont … (+ nom).

pratiquer une activité	consacrer du temps **à** + inf	passer du temps **à** + inf
s'entraîner **à** un sport	s'intéresser **à** une activité	

Grammaire

Les pronoms *y* et *en* (*the pronouns **y** and **en***)

Use **y**:
- To replace **à** + noun.
  Ils aiment jouer **au rugby**?   Oui, ils **y** jouent tous les week-ends.
- To replace **à** + infinitive verb. (See page 78)
  Elle pense **à s'entraîner** tous les jours?   Oui, elle **y** pense tous les jours.
- To replace most prepositions of place (**à, chez, sur,** etc.) + noun.
  Vas-tu souvent **au cinéma**?   J'**y** vais au moins une fois par mois.

Use **en**:
- To replace **de** (**du/de la/de l'/des**) + noun.
  Ma sœur joue **de la clarinette**.   Elle **en** joue très bien.
- To replace **de** + infinitive (See page 78)
  On va se rappeler **du concert**.   Oui, on va s'**en** rappeler.
- To replace expressions of quantity, to mean *some, of it* or *of them*.
  Il a lu **cinq journaux**.   Il **en** a lu cinq.

When more than one pronoun is used in a sentence, they go in a specific order (see page 132).
Il a donné deux DVD à Paul. → Il **lui en** a donné deux.
Ils vont accompagner ma sœur au cinéma. → Ils vont l'**y** accompagner.

Écrire 3 Répondez aux questions suivantes, en utilisant *y* ou *en*.

Exemple: 1 *Oui, j'y vais assez souvent.*

1 Allez-vous souvent au cinéma?
2 Combien de fois par semaine faites-vous du sport?
3 Avez-vous déjà joué à la pétanque?
4 Vous intéressez-vous à la musique classique?
5 Avez-vous déjà fait du ski?
6 Jouez-vous du piano?
7 Consacrez-vous beaucoup de temps à la lecture?
8 Lisez-vous des journaux?

Parler 4 Utilisez ou adaptez les questions de l'exercice 3 pour interviewer votre partenaire. Il/Elle doit répondre en utilisant *y* ou *en*.

 Lire 5 Trouvez dans l'article l'équivalent des mots ou des phrases ci-dessous.

1 l'endroit où on habite (3 expressions)
2 protégé, à l'abri
3 qui fonctionnent bien
4 des appareils pour écouter ou enregistrer de la musique ou des films
5 très grand
6 connexion Internet rapide
7 diminuent, deviennent plus petits
8 deviennent plus grandes, s'améliorent
9 apprécier, goûter avec plaisir
10 préparer
11 apporter chez soi
12 les hypermarchés

 Lire 6 Répondez en français aux questions sur l'article, en utilisant le plus possible vos propres mots.

1 Selon le premier paragraphe, pourquoi les Français préfèrent-ils sortir le moins possible?
2 Dans le contexte du passage, expliquez le sens de l'expression «connectés à distance».
3 Quels changements dans la qualité des appareils domestiques ont réduit la nécessité d'aller au cinéma, à un concert ou au cybercafé? Donnez **trois** détails.
4 Quel facteur économique encourage aussi les gens à acheter ces appareils?

Les loisirs: pas besoin de sortir!

Les loisirs à domicile ont connu un très fort développement. Les Français sont de plus en plus attachés à leur foyer, lieu abrité des «agressions» du monde extérieur. D'autant plus qu'ils peuvent rester «connectés» à distance par des équipements de plus en plus nombreux et efficaces: télévision, radio, téléphone, Internet, etc.

L'offre de biens d'équipement et de services de loisir domestiques s'est ainsi considérablement enrichie. On peut trouver chez soi la qualité d'image et de son des salles de cinéma ou de concert grâce aux systèmes audiovisuels numériques: lecteurs-enregistreurs de CD et de DVD de salon; téléviseurs LCD ou plasma à écran plat et géant recevant des programmes en haute définition; ordinateurs connectés à Internet à haut débit, etc. D'autant que les prix de ces appareils baissent régulièrement, tandis que leurs performances augmentent.

Il n'est donc plus obligatoire de se rendre dans une salle de cinéma pour voir un film ou dans un cybercafé pour envoyer un mail ou surfer sur Internet. On n'est même plus obligé d'aller dans un café traditionnel pour y déguster un expresso, puisque des machines permettent de le faire chez soi en quelques secondes et pour moins cher. On peut même se passer de fréquenter des restaurants en se faisant livrer à domicile des plats préparés signés de grands chefs, vendus dans les grandes surfaces. De même, on peut faire l'économie d'une inscription dans une salle de gymnastique puisque des appareils individuels sophistiqués peuvent être installés à domicile.

5 Selon le passage, pourquoi n'a-t-on plus besoin d'aller dans un **café traditionnel**?
6 Comment les grandes surfaces contribuent-elles à décourager les gens d'aller au restaurant?
7 Selon la fin du passage, quel est l'avantage de se faire installer de l'équipement sportif chez soi?

Écrire 7 Choisissez un des deux essais. Écrivez un essai (200 mots minimum) au sujet des loisirs. Vous devez mentionner les points suivants:

Essai 1
● Les loisirs que vous pratiquez, où et avec quelle fréquence.
● Comment le monde des loisirs a changé depuis votre enfance.
● Comment vous imaginez le monde des loisirs d'ici vingt ans.

Essai 2
● Les loisirs que vous pratiquez, où et avec quelle fréquence.
● Les avantages de sortir ou de rester à la maison pour pratiquer ses loisirs.

à l'examen

Remember, you won't gain marks if you copy whole chunks from the text. The aim is to show that you can manipulate the language confidently and accurately. You can do this by:
• Using synonyms. How could you avoid repeating **écran géant** or **à haut débit** from the passage in your answer to question 3?
• Paraphrasing. Simply say in French *they cost less* instead of *the price of these regularly goes down*.

You may be asked to explain what a particular expression means in the context of the passage (question 2). Try to think of how you would explain it as simply as possible in English, then find a way of saying the same thing in French.

à l'examen

• Aim to include at least two examples of **y** or **en**.
• Use *some* ideas from the article, but
a make sure you paraphrase and use synonyms as much as possible and
b add some new ideas.
e.g. The number of leisure centres has greatly increased, people are much more health-conscious, you can now download music, films and TV programmes from the internet, etc.
e.g. What might virtual reality enable us to do in sport, in TV, or in the cinema? Will cinemas, concert venues and restaurants still exist? If so, what will they be like? Use the future tense to describe your ideas (see page 32).

t Parler de l'évolution des styles de vie

g Révision de l'imparfait

s Donner des exemples pour développer son opinion

4 · Ça bouge la jeunesse?

Parler 1 Racontez ce qui se passe dans la bande dessinée.

Écouter 2 Écoutez. Dans ce passage, il s'agit du temps que les jeunes consacrent à l'activité physique. Choisissez les **quatre** bonnes réponses.

Qui est-ce qui pousse les jeunes à se bouger?

a Presque les trois-quarts des jeunes font de l'activité physique grâce à leurs parents.

b Moins de la moitié des jeunes font de l'exercice grâce à leurs parents.

c Les profs d'éducation physique influencent moins les jeunes à faire de l'exercice que leurs amis.

d Les profs d'éducation physique influencent plus les jeunes à faire de l'exercice que leurs amis.

e Plus d'un tiers des jeunes font de l'activité physique en plus de leurs études.

f Plus d'un tiers des jeunes ne font aucune activité physique à cause de leurs études.

g La plupart des filles font de l'exercice pour améliorer leur apparence physique.

h La plupart des garçons font de l'exercice pour améliorer leur apparence physique.

paresseux
manquer de motivation
pousser quelqu'un à (+ inf)
se bouger
terrain de tennis (m)
être assis par terre

continuer à (+ inf)
remarquer
s'intéresser à (+ inf ou nom)
flirter avec
tenue (f) de tennis
impressionner

à l'examen

- In an exam-style listening task like this, you need to understand the fine detail in both what you hear and in the statements on the page.
- Remember, small words can often completely change the meaning of a sentence, e.g. **davantage** (*more*) on the recording and **presque** (*almost*) in statement **a**.
- Numbers are particularly important in this task and at A-Level generally. Make sure you can understand quickly any numbers you hear, especially the 'tricky' ones from 60 to 99 and ones which can sound similar.
- Also make sure you know words like **le/la plupart** (*most*), **la moitié** (*half*), **le tiers** (*third*), **le quart** (*quarter*), **les trois-quarts** (*three quarters*). NB *percent* = **pour cent** in French and *decimal point* = **virgule** (expressed as a comma, not a dot), e.g. 3.5 = 3,5 (trois, virgule cinq).

Lire 3 Lisez l'article et répondez aux questions en anglais.

1 According to the article, what is wrong with the 21st century lifestyle?

2 Give **three** examples of this, from the text.

3 Explain the recommendations of the PNNS.

4 Name **five** benefits of physical exercise which are mentioned.

5 Give the English equivalent of the following words and expressions:

a au lieu de   f augmenter
b d'autant plus inquiétant que   g diminuer
c ajouter   h favoriser
d os (m)   i sommeil (m)
e y compris

Au vingt-et-unième siècle on peut pratiquement vivre sans sortir de chez soi. On prend l'ascenseur au lieu de l'escalier, on va partout en bus ou en voiture au lieu de marcher ou de faire du vélo. On peut même faire ses courses assis devant son ordinateur. La situation est d'autant plus inquiétante que le PNNS (Programme National Nutrition Santé) recommande de faire au moins 30 minutes d'exercice par jour. Il faut ajouter à cette activité physique une ou deux heures de sport par semaine: un effort indispensable si on veut éviter les problèmes d'obésité, de diabète et les maladies cardiaques. Faire régulièrement de l'exercice renforce aussi les os et les muscles (y compris le cœur), améliore la fonction respiratoire, augmente le taux d'énergie, diminue le stress et favorise le sommeil. Alors, qu'est-ce que vous attendez? Bougez-vous!

Parler 4 Écoutez et imitez les paires de mots.

pas/par   joue/jour   fait/fer   dit/dire   rat/rare   mais/mère
sait/sert   paix/paire   vais/vert   du/dur

Faire une heure de sport par jour au lieu de jouer à l'ordinateur, et prendre l'escalier au lieu de l'ascenseur améliorent la fonction respiratoire et font du bien au cœur.

Parler 5 À deux. Interviewez votre partenaire au sujet de son activité physique.

Utilisez les idées suivantes pour préparez vos questions.

Cover the following in your interview, using ideas and language from exercises 1–3:
- how much time he/she spends exercising or doing sport.
- whether he/she is getting enough exercise, according to PNNS guidelines.
- what prevents him/her from doing more exercise.
- how he/she could be more physically active. (Use the conditional.)
- if you need to revise how to form questions, see page 19.

Écrire 6 Regardez les images. Écrivez un paragraphe en comparant le niveau d'activité physique des jeunes dans le passé avec celui des jeunes d'aujourd'hui.

Exemple: *Dans le passé, les jeunes étaient plus actifs qu'aujourd'hui. Ils allaient …, ils … De plus, ils … Tandis que de nos jours, ils sont moins …*

autrefois	avant	auparavant	regarder
de nos jours	aujourd'hui	maintenant	courir
plus	pas autant	moins	jouer
actif	aller	sédentaire	prendre
bouger	être	faire	utiliser

Écrire 7 «Les jeunes de nos jours ne bougent pas assez». Dans quelle mesure êtes-vous d'accord avec cette déclaration? Écrivez un essai (200 mots minimum) pour donner votre point de vue.

- You could agree or disagree with the statement, or present both sides of the argument.
- Support your opinion with examples and explanations.
- Avoid 'lifting' whole sentences from the page. Aim to create your own sentences.
- Include one or two sets of statistics.
- Structure your essay clearly, with an opening, main points and a conclusion.

Prononciation

Although most consonants are silent at the end of a word, **r** *is* pronounced. Not pronouncing a final **r** could confuse the person you're speaking to.
e.g. **pas** = *not*/**par** = *by*   **joue** = *(I)* play/**jour** = *day*
Exception: when a word ends in **-er** (or **-ier**), the **r** sound is like **-é** (e.g. **jouer, escalier, régulier**).

Dans le passé

Aujourd'hui

Grammaire

L'imparfait (*the imperfect tense*)

You use the imperfect tense to refer to repeated or habitual actions in the past. It is often used to convey the idea of *used to (do)*. (See p42)
Dans le passé on **utilisait** moins la voiture.
Les jeunes **allaient** souvent à l'école à pied.

Introduction	Exemples, opinions	Conclusion
Certaines personnes pensent/disent/ soutiennent que …	Certes, il est vrai que …	En conclusion …
	D'après les statistiques …	Si on ne veut pas finir par créer une génération de/ qui …, il faut …
Selon/D'après certains chiffres …	Dans le passé …, tandis qu'aujourd'hui/que de nos jours …	
	Personnellement, …	Il faut donner la priorité (d'urgence) …, sinon …
On pourrait penser/ croire que …	Quant à mes amis …	
	Il me semble que …	Alors, le message aux jeunes est …
	Selon le Programme National Nutrition Santé, il faut …	
	On pourrait/On devrait/Il faudrait (+ inf) …	
	Beaucoup de jeunes disent qu'ils auraient besoin de … pour …	
	Pourquoi donc ne pas (+ inf) …?	

5 · Bien dans son assiette

Boissons

Viandes et poissons

Pains et féculents

Matières grasses

Produits laitiers

Produits sucrés

Fruits et légumes

alimentation (f)	diet (what you eat)
aliment (m)	(item of) food
manger équilibré	to have a balanced diet
être en pleine croissance	to be growing
os (m)	bone
grignotage (m)/ grignoter	snacking, eating between meals/to snack, nibble
être en surpoids	to be overweight
enceinte	pregnant
fer (m)	iron
sec	dry, dried

Écouter 1 Un nutritionniste parle de ce qu'il faut manger pour être en bonne santé. Notez les aliments et les boissons qu'il recommande, et avec quelle fréquence, pour:

- Les enfants et les adolescents
- Les adultes
- Les femmes enceintes
- Les sportifs

Écouter 2 Réécoutez et complétez ces phrases selon le sens du passage.

1 Manger équilibré consiste à consommer _____ des sept catégories d'aliments qui existent.

2 Les règles alimentaires varient selon _____ de chaque individu.

3 _____, on doit consommer tous les nutriments nécessaires à la croissance.

4 Il est important pour les adultes de manger trois _____.

5 Si on veut éviter le surpoids, il ne faut pas _____.

6 Si on mange trop de choses sucrées et trop de matières grasses, on risque de _____.

7 Si vous êtes une femme enceinte, vous devez adopter une alimentation _____.

8 Si on pratique un sport, on doit boire _____ et manger _____ pour avoir de l'énergie.

Parler 3 **Mangez-vous équilibré? Discutez à deux.**
À inclure dans votre discussion:

- Dans quelle mesure vous mangez et buvez selon les conseils du nutritionniste de l'exercice 1.
- Si vous adaptez votre régime alimentaire lorsque vous faites du sport.
- Si vous avez tendance à grignoter ou si vous consommez des choses qu'il faudrait éviter, et pourquoi.
- Ce que vous pensez des conseils du nutritionniste. Sont-ils pratiques et faciles à suivre?

Exemple:

- *À ton avis, as-tu une bonne alimentation/une alimentation équilibrée?*
- *D'un côté, j'aime bien manger, je consomme des fruits et des légumes. Mais de l'autre je n'en mange pas assez, parce que ... En ce qui concerne la viande ... Quant aux produits laitiers ...*
- *Pour moi/En ce qui me concerne ... c'est pareil, sauf que je n'aime pas les ... , donc ... Et si tu fais du sport, est-ce que tu ...?*
- *Malheureusement, j'ai tendance à ... Je trouve que les conseils du nutritionniste sont/ne sont pas ...*

La crise de l'obésité infantile

La proportion d'enfants français de 5 ans en simple surpoids a été multipliée par six depuis la fin des années 80, passant de **2%** à **12%**. **18%** de ceux de 7 à 9 ans présentent un surpoids et **4%** sont obèses.

Le surpoids de l'enfant est souvent lié à celui de ses parents: plus de **61%** des enfants de plus de 2 ans considérés comme obèses vivent dans un foyer avec un parent obèse. Le milieu social exerce aussi une forte influence. C'est dans les familles d'ouvriers ou d'employés de bureau que la proportion d'enfants obèses est la plus élevée.

Quelles en sont les causes principales? En premier lieu, l'alimentation des enfants en surpoids est trop riche en graisse et en viande et elle n'est pas assez diversifiée. En deuxième lieu, **la moitié** des enfants obèses ne prennent pas de petit déjeuner, de sorte qu'ils grignotent plus gras et plus sucré au cours de la journée. La méconnaissance en matière nutritionnelle est l'une des explications de ces comportements.

Un autre facteur clé est le manque d'activité physique lié à la vie urbaine trop sédentaire. L'activité physique ne représente que **12%** des dépenses calorifiques moyennes, alors qu'elle devrait atteindre **25%** (on pense aux quatre heures passées devant la télévision chaque jour!).

Un autre motif d'inquiétude est que les enfants obèses deviendront peut-être des adultes obèses, et que leurs enfants auront à leur tour encore plus de risques de devenir obèse que les autres. Cette évolution sur plusieurs générations pourrait avoir des conséquences à la fois sur la qualité de vie et sur sa durée. La prévalence de l'hypercholestérolémie est **triplée** en cas d'obésité, celle du diabète est **multipliée par neuf** et les facteurs de risque cardio-vasculaires sont aussi considérablement accrus.

lié à	*linked to*
milieu (m)	*environment, background*
méconnaissance (f)	*ignorance*
comportement (m)	*behaviour*
manque (m)	*lack*
dépense calorifique (f)	*use of calories*
atteindre	*to reach*
motif (m) d'inquiétude	*grounds for concern*
hypercholestérolémie (f)	*high cholesterol*

 Lire 4 Lisez l'article et expliquez en anglais à quoi correspondent les chiffres en gras.

Écrire 5 Relisez l'article et expliquez en vos propres mots en français.

1 Le lien entre l'obésité de l'enfant et sa famille.
2 Comment l'alimentation de l'enfant peut mener à l'obésité.
3 Ce qui se passe si les enfants ne prennent pas de petit déjeuner.
4 Le rôle de l'activité physique contre l'obésité infantile.
5 Ce qui se passe quand les enfants obèses grandissent.
6 Les conséquences de l'obésité sur la santé.

à l'examen

Avoid copying chunks out of the text and use your own words. This is good practice for your exam. Think of how you would explain things in English, then find a simple way of expressing the same ideas in French. Questions 2 and 3 could be answered using a **si** clause in the present and future tenses.

Grammaire

Les propositions avec si (**si** *clauses*)

When you use **si** (*if*), you must use the following sequence of tenses:

First part of sentence	Second part of sentence
Si + verb in present tense	verb in future tense
Si un enfant ne **déjeune** pas, …	il **aura** tendance à grignoter.
Si on **veut** arrêter l'obésité infantile, …	on **devra** informer les parents.
Si + verb in imperfect tense	verb in the conditional
Si les enfants **mangeaient** moins gras, …	ils **seraient** moins obèses.
S'il y **avait** moins d'enfants en surpoids, …	il y **aurait** moins d'adultes diabétiques.

If you need to check how to form the imperfect and the conditional, see pages 42 and 77.

Parler 6 À votre avis, que faut-il faire pour lutter contre la crise de l'obésité infantile? Préparez et donnez une courte présentation d'environ deux minutes.

- Introduce the subject with an opening line which makes an impact, perhaps quoting one of the sets of statistics in the article above.
- Break the problem down into its different causes and try to come up with a suggestion for tackling each of these.
- Use **si** clauses.
- When giving your presentation, work from short written prompts only. (See pages 8 and 105.)

Exemple:
Trop d'enfants ne prennent pas de petit déjeuner, c'est un des facteurs qui contribue à l'obésité. Si on ne prend pas de petit déjeuner, on aura tendance à grignoter. Si les parents encourageaient leurs enfants à manger un bol de céréales avant de quitter la maison, les enfants auraient moins faim pendant la matinée et …

t Parler du tabagisme
g L'impératif
s • Conseiller
• Faire passer un message important

6 · Au top sans clope!

 **Parler 1** À deux. Que pensez-vous de cette affiche? Justifiez votre réponse.

VOTRE CIGARETTE, CE SONT AUSSI LES AUTRES QUI LA FUMENT

Le tabac est la première source de pollution domestique.

choquer/choquant	to shock/shocking
fort/puissant	strong/powerful
frappant/saisissant	striking/impressive
tabagisme (m) passif	passive smoking
imiter/faire comme (+ nom)	to imitate/copy
faire semblant de (+ inf)	to pretend to (+ inf)
prendre l'habitude de (+ inf)	to pick up the habit of (-ing)
masque (m) à oxygène	oxygen mask
respirer/respiration (f)	to breathe/breathing
poumon (m)	lung
souffrir d'un cancer	to suffer from cancer
dépendre d'(une drogue)	to depend on (a drug)
message (m)/slogan (m)	message/slogan
il s'agit de	it's about, the subject is
mettre le paquet	to pull out all the stops, spare no expense
étaler	to spread
rendre impuissant	to make (someone) impotent
ramer	(literally) to row, as in rowing against the tide (here: to fight, to struggle)

Lire 2 Trouvez dans l'article l'équivalent des expressions suivantes.

1 pas permis, défendu
2 école
3 quelqu'un qui fume beaucoup
4 ce qu'on prend pour encourager les gens à ne pas fumer
5 de très grands messages publicitaires
6 réussi, ayant le bon effet
7 créer des rapports, se faire des amis
8 mot argotique pour cigarette
9 naturellement, évidemment
10 sympa, sociable
11 fait des progrès
12 la façon la plus rapide

Depuis le 1er février 2007, il est interdit de fumer en milieu scolaire en France. En outre, à partir du 1er février 2008, cette interdiction s'est étendue à tous les lieux publics, y compris les magasins, les bars, les restaurants et les boîtes de nuit.

Les jeunes Français sont les plus gros fumeurs de toute l'Union européenne: 53 % des 17–24 ans sont des fumeurs réguliers (au moins une cigarette par jour). Et ils commencent de plus en plus jeunes: 15 ans en moyenne. Contre la cigarette, le gouvernement a décidé de mettre le paquet. En plus de l'interdiction de fumer dans les collèges et les lycées, les mesures anti-tabac comprennent l'interdiction de vente de tabac aux moins de 16 ans; l'augmentation substantielle du prix des paquets de cigarettes (+20 % en moyenne, étalés sur deux ans); des placards énormes sur les paquets comportant des messages frappants tels que «Le tabac tue» et «Fumer peut rendre impuissant».

Reste la question suivante: ces mesures seront-elles efficaces? À 16 ans, quand on cherche à faire sa place, la cigarette permet de nouer des liens («T'as pas une clope?»), de marquer son appartenance au groupe. Le fumeur (la fumeuse) est forcément plus cool, plus sexy, plus classe ... Une petite clope au café, rien de plus convivial. C'est contre tout ça que les campagnes de prévention rament. Mais la cause anti-tabac gagne du terrain. Les industriels du tabac passent aujourd'hui pour des marchands de mort. Le phénomène de dépendance au tabac est reconnu et beaucoup de jeunes recherchent déjà des plans pour arrêter. Plus que les interdictions, ce sont les campagnes d'information qui finiront peut-être par convaincre les jeunes que la dépendance n'est pas le plus court chemin vers la liberté.

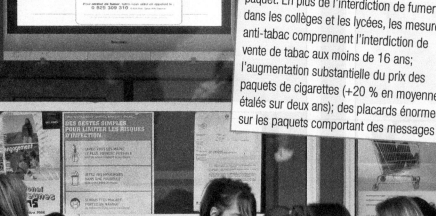

Lire 3 Répondez aux questions en anglais en donnant tous les détails nécessaires.

1 What is the legal situation with regard to smoking in public in France?
2 According to the second paragraph, why should the French government be particularly worried about young people and smoking? Give three reasons.
3 Apart from the smoking ban, what three measures has the French government taken to change the situation?
4 Name three things that attract young people to smoking, according to the article.
5 Give three pieces of evidence that anti-smoking messages are succeeding.

à l'examen

When answering questions like these, make sure you give *all* the information required. Look carefully at the number of reasons, measures, etc. you are asked for in the questions.

Écouter 4 Écoutez cette émission de radio dans laquelle on donne des conseils pour arrêter de fumer.
Complétez ce texte avec les bons verbes selon le sens du passage. Ensuite traduisez le texte.

Conseils généraux
1 _____ à vos amis ou à votre famille. 2 _____-leur de ne pas vous tenter en fumant devant vous. Mieux,
3 _____-les d'arrêter avec vous! 4 _____ en groupe. 5 _____ une date. 6 _____ entre vous et
7 _____ une date qui convient à tout le monde.

arrêtez   demandez   discutez   fixez   parlez
pensez   persuadez   regardez   trouvez

Conseils à Jérôme
8 _____ peu à peu le nombre de cigarettes que tu fumes. Chaque jour 9 _____ de retarder le moment où tu fumes ta première cigarette. 10 _____ ta routine. Il faut dissocier café et cigarette. Au lieu de prendre un café, 11 _____ une petite promenade, ou 12 _____ autre chose que du café. Si tu fumes à table à la fin du repas, 13 _____-toi tout de suite et 14 _____ dans le salon, 15 _____ la télé, ou 16 _____ un peu de musique.

bois   change   écoute   essaie   fais   lève
mange   réduis   regarde   sors   va

Conseils à Natacha et Lucas
L'un de vous peut dire à l'autre: «17 _____, on a déjà économisé soixante euros en ne fumant pas; 18 _____ au cinéma», ou «19 _____ telle ou telle chose», ou «20 _____ au resto ce soir.» 21 _____-vous un petit cadeau pour vous récompenser. Et surtout 22 _____ toute tentation. Ne 23 _____ pas de cigarettes à la maison.

achetons   allons   arrêtons   écoute   évitez
faisons   gardez   mangeons   offrez

Grammaire

L'impératif (the imperative)

You use the imperative to give commands or suggest doing something. It exists in the **tu**, **vous** and **nous** forms.

To form the imperative, use the **tu**, **vous** or **nous** forms of the present tense without the subject pronoun.
choisir → ~~tu~~ choisis → Choisis la liberté! *(Choose freedom!)*

With **-er** verbs in the **tu** form, drop the final **s**.
arrêter → ~~tu~~ arrêtes → Arrête de fumer. *(Stop smoking.)*

Exceptions:
avoir   **aie, ayez, ayons**
être   **sois, soyez, soyons**
savoir   **sache, sachez, sachons**

With reflexive verbs, keep the reflexive pronoun (**te** becomes **toi**). The pronoun comes after the verb, joined with a hyphen.
s'arrêter de fumer: Arrête-**toi**, arrêtez-**vous**, arrêtons-**nous**.
Ne te démotive pas.

Direct and indirect object pronouns also follow the verb with a hyphen.

Encourage-**la** à abandonner la cigarette. (*Encourage **her** to give up cigarettes.*)
Ne **lui en** donnez pas. (*Don't give **him/her any**.*)

Écrire 5 Traduisez en français.

1 (**tu**) Do some sport or go to the cinema.
2 (**vous**) Finish your meal and listen to some music.
3 (**nous**) Let's ask for some advice and (let's) avoid smoking.
4 (**tu**) Fix a date and don't buy any more fags.
5 (**vous**) Don't stop completely straight away, gradually reduce the number of cigarettes you smoke.
6 (**nous**) Let's be positive and (let's) have confidence in ourselves!

Parler 6 Seul(e), à deux ou en groupes: inventez une campagne anti-tabac pour la télé ou la radio.

To convey the message of your advert effectively:
● Start with one or two powerful facts about smoking.
● Research and use some statistics on smoking-related deaths.
● Offer advice about stopping smoking and suggest some techniques for coping with the craving to smoke.
● Use the **vous** form imperative for most of the advice but include examples of the **tu** and **nous** form imperative, either by quoting someone else (e.g. *If your partner smokes, say to him/her: …*), or by including a scene between two other people who refer to each other as **tu** and **nous**.
● Use expressions for persuading or convincing someone.

Écrire 7 Écrivez un e-mail à un ami qui a du mal à arrêter de fumer pour lui donner des conseils.

7 · Du tourisme de toutes les couleurs

Parler 1   En trois minutes, trouvez un maximum de réponses aux questions suivantes.

> Pourquoi partir en vacances?   Où partir?   Avec qui?   Quand?   Que faire?

Écouter 2   Écoutez ce court passage qui traite des raisons pour lesquelles les Français partent en vacances.
Écrivez le passage comme on vous le dicte.

Écouter 3   Écoutez ces quatre jeunes gens parler de leurs vacances.
Quel type, quelle couleur de tourisme pratiquent-ils?

A

Le tourisme *vert*, encore appelé rural, de campagne ou agritourisme est motivé par la recherche de la nature et du calme.

C

Le tourisme *blanc* est celui qui conduit vers la pureté et la froideur des montagnes enneigées en hiver.

Le tourisme *gris* est celui pratiqué dans les villes. Il est plus sensible à l'artificiel qu'à l'authentique.

D

Le tourisme *jaune* conduit le voyageur dans le sable des déserts.

E

B

Le tourisme *bleu* est orienté vers la mer, mais aussi plus largement vers l'eau, sous toutes ses formes: lacs, rivières, torrents . . .

Parler 4   Écoutez Marjane. Imitez la prononciation des sons indiqués.

M**on** truc, c'est le ski. Normalem**en**t je pars d**an**s les Alpes. Je vais à Courchevel ou à Chamonix, au pied du M**on**t Bl**an**c. Là **on** peut vraim**en**t apprécier la majesté de la nature. J'aime surtout partir **en** avril, quand **on** peut s**en**tir le soleil sur s**on** visage et le v**en**t d**an**s les cheveux.

Prononciation

Make the distinction between these nasal sounds:

on – **on**, m**on**tagne, c**on**duit

en – **en**, **en**neigés, **en**core, s**en**sible, v**en**t, ori**en**ter, auth**en**tique

an – d**an**s, bl**an**c, c**am**pagne

patrimoine	*heritage*
prendre conscience de	*to become aware of something*
figurer	*to feature*
suffire	*to suffice*
ludique	*playful*

Fichier Edition E-mail Communiquer Services Sécurité Fenêtre Mot-clé Déconnexion Aide

Le tourisme intelligent

Fini le bronzage «idiot», place au tourisme intelligent. Les Français semblent en effet redécouvrir le riche patrimoine historique et culturel de leurs régions. Celles-ci en ont d'ailleurs pris conscience, et essayent de mettre en avant leurs petites églises, les villages pittoresques ou les musées à thème … 120 villes ont ainsi demandé et obtenu un label «Villes et pays d'Art et d'Histoire». Le must restant l'inscription au Patrimoine Mondial de l'Unesco. Le maire du Havre, dont la ville y a été inscrite en juillet dernier, espère ainsi la voir figurer rapidement dans les circuits touristiques.

Développer le tourisme ludique

Et pourtant, il ne suffit pas d'un château ou d'une cathédrale pour que le touriste fasse un détour. Les enfants sont devenus les principaux prescripteurs, et pas question pour eux de passer leur après-midi dans un château Renaissance avec un guide expliquant l'histoire de chaque meuble. Les régions cherchent à développer un «tourisme ludique». Par exemple, le château de Chambord a lancé cette année un spectacle nocturne son et lumière. Car les principaux concurrents sont les parcs d'attractions: Eurodisney arrive toujours devant la Tour Eiffel au hit-parade des sites les plus fréquentés! Les projets pour ce type de parcs ne manquent d'ailleurs pas: après le Futuroscope de Poitiers et Vulcania en Auvergne, l'Alsace prépare le Bioscope, un parc ludo-éducatif sur la santé et la vie.

Lire 5 Répondez aux questions suivantes en anglais.

1 According to the text, what do the French now prefer to sunbathing?
2 How are the regions responding?
3 Which accolade did the town of Le Havre receive? What does the mayor hope will happen as a consequence?
4 According to the text, what would a child not wish to do?
5 What are the principal attractions for children?
6 Why are Eurodisney and the Fiffel tower mentioned?
7 What exactly will the Bioscope in Alsace be?

Écrire 6 Choisissez le mot correct pour relier les deux phrases. Modifiez les verbes si nécessaire.

L'évolution du tourisme en France

1 **à cause de / car / pour que**
Cette année, vous aurez plus de chance de trouver un petit bout de sable pour votre serviette sur la côte méditerranéenne. Les Français partent à la recherche de leur héritage.

2 **parce qu' / ou / bien qu'**
Partout dans l'Hexagone, les petits villages s'efforcent de mettre en valeur leurs monuments. Ils veulent attirer des visiteurs.

3 **ni / afin / afin que**
Ils font du marketing. Les touristes viennent.

4 **en raison de / faute de / puisque**
L'inscription du Havre au Patrimoine Mondial de l'Unesco. Le maire est optimiste pour l'avenir du tourisme dans sa ville.

5 **lorsque / bien que / puisque**
Les enfants sont d'une importance primordiale dans ces enjeux. Ce sont eux qui décident et qu'est-ce qu'ils sont exigeants!

6 **comme / à cause de / par conséquent**
Ces goûts sophistiqués. Les villes et les villages ont dû reformuler leur approche.

7 **afin que / donc / car**
La barre est haute. Les parcs d'attractions sont des concurrents sérieux, Eurodisney est le monument le plus visité en France.

8 **pour que / donc / bien que**
Nos villages sont pittoresques. On peut se demander s'ils vont pouvoir relever le défi lancé par ces parcs d'attractions.

Grammaire

Les conjonctions (*conjunctions*)

Conjunctions link two words, phrases or sentences together. Use them to make your sentences more interesting, more complex and also to explain causes, consequences, conclusions or to give examples.

comme	*as*	pour que + subjunctive	*so that*
lorsque	*when*	afin que + subjunctive	*so that*
puisque	*since*	bien que + subjunctive	*although*
parce que	*because*		

Ils font du marketing **afin que** les touristes viennent.
Les enfants sont d'une importance primordiale dans ces enjeux **puisque** ce sont eux qui décident.

Écrire 7 Écrivez un texte sur le tourisme et sur vos préférences en tant que vacancier. Vous devez écrire 200 mots minimum.

● Pourquoi les gens partent-ils en vacances?
● Quel genre de tourisme vous intéresse le plus?
● Que pensez-vous du tourisme ludique?
● Quel pays aimeriez-vous visiter un jour?

• Brainstorm your vocabulary for each bullet point before you start. Try to make sure your French is at an analytical level and that you are not using purely descriptive language.
• Vary your tenses, your vocabulary and your opinion-giving phrases.
Include at least: 1 subjunctive, 1 perfect infinitive, 1 si clause, 1 explanation, 1 example.

Pour expliquer

à cause de	*because of*	en raison de	*because of*
faute de	*for the lack of*	grâce à	*thanks to*
car	*for*	comme	*as*
puisque	*since*		

Pour donner un exemple

On peut citer, …   Prenons l'exemple de …
Considérons, par exemple le cas de …

t Raconter un voyage
g Reconnaître le passé simple
s Écrire un blog

8 · Carnet de voyage

Alexandre Dumas
De Paris à Cadix

Madrid, ce 9 octobre 1846

En quittant Burgos, la première chose remarquable que nous trouvâmes sur notre route fut le château de Lerma, où mourut en exil le fameux duc du même nom, célèbre par la faveur dont il jouit près du roi Philippe III, et par la profonde disgrâce qui la suivit.

Les biens, et par conséquent le château que l'on voit de la route et qui faisait partie de ses biens, furent saisis après sa mort pour une somme de quatorze cent mille écus. Personne, dès lors, ne s'occupa plus de cette propriété, qui peu à peu tomba en ruine.

Monsieur Faure, l'un de nos voyageurs, nous donna tous ces détails.

Au fur et à mesure que nous avancions, nous voyions, trompés par un effet d'optique, venir à nous les sommets bleuâtres de la Somma Sierra. Pour traverser ce passage, l'effectif de notre attelage fut porté à douze mules.

Le matin, en nous éveillant, nous vîmes à l'horizon d'un vaste désert quelques points blancs se détachant dans une brume violette: c'était Madrid.

Naissance: 24 juillet 1802
Décès: 15 décembre 1870
Activité: romancier
Nationalité: français
Œuvres principales: *Les Trois Mousquetaires*
Le Comte de Monte-Cristo

les biens	*goods*
dès lors	*since that time*
au fur et à mesure	*as*
attelage	*team*
se détacher	*to stand out*

L'auteur des *Trois Mousquetaires* et du *Comte de Monte-Cristo* a écrit ce texte lors d'un voyage avec son fils et des amis en 1846.

 Écoutez et lisez un texte d'Alexandre Dumas. Ensuite, complétez ces phrases en anglais.

1 Having left Burgos, the first remarkable thing they found was …
2 In exile, the Duke of Lerma …
3 After his death all of his goods and the castle therefore were …
4 The castle fell …
5 In order to cross the mountains, the team of mules was made up to …

 Trouvez le passé simple de ces verbes dans le livre. Traduisez-les en anglais.

trouver	jouir	tomber
être x 2	suivre	donner
mourir	s'occuper	voir

Grammaire

Le passé simple (*the past historic*)

This is a formal literary tense which is used mainly for narration of events in the past.

To form it, take off **-er**, **-ir** or **-re** and add the following endings:

-er verbs	-ir/-re verbs	irregular verbs with past participles ending in *u*
je tomb**ai**	je part**is**	je b**us**
tu tomb**as**	tu part**is**	tu l**us**
il/elle/on tomb**a**	il/elle/on part**it**	il/elle/on e**ut**
nous tomb**âmes**	nous part**îmes**	nous voul**ûmes**
vous tomb**âtes**	vous part**îtes**	vous cour**ûtes**
ils/elles tomb**èrent**	ils/elles part**irent**	ils/elles véc**urent**

Some verbs are irregular (see pp146–157). The following three verbs are completely irregular.

être – je fus, tu fus, il fut, nous fûmes, vous fûtes, ils furent
venir – je vins, tu vins, il vint, nous vînmes, vous vîntes, ils vinrent
mourir – je mourus, tu mourus, il mourut, nous mourûmes, vous mourûtes, ils moururent

Paradoxically, the vogue for blogging has seen a renewal of interest in the **passé simple**. New technology has revived a traditional verb form!

Nous **quittâmes** la maison à sept heures du matin. Le voyage à l'aéroport **fut** facile.
Nous **prîmes** l'avion à 10h30.

Balade le nez au vent

Qu'est-ce qui nous manque le plus à nous, personnes à mobilité réduite? Eh bien évidemment le fait de se déplacer avec aisance là où on le désire. Grâce à un engin récupéré dans un

«vide grenier» j'ai pu redécouvrir les joies de la promenade. Il s'agit d'une tricyclette Poirier, vénérable engin des années 50.

Après quelques réparations qui s'imposaient, j'étais prêt pour les premiers essais avec mes amis en vélo. L'idée d'une randonnée germa bien vite. C'était parti, sous un frais soleil d'automne, je roulais enfin en toute liberté, le vent dans la figure et le cœur content.

Après une très belle première journée, nous arrivâmes au-delà des grottes de Ladevèze chez une amie qui nous hébergea pour la nuit. Le lendemain, la pluie essaya de nous clouer sur place, mais nous visitâmes quand même les environs de Saint-Pons.

Le lendemain, nous rejoignîmes Olargues puis le camping de Tarassac où Yves monta la tente pendant que je rédigeais quelques cartes postales au bord du torrent.

Ce petit périple m'a permis de retrouver des sensations et des plaisirs que je croyais à jamais perdus. Je souhaite continuer cette expérience et peut-être rejoindre des amis au Burkina Faso via le Sénégal et le Mali.

Thierry Goix

manquer	*to miss*
vide grenier	*garage sale*
héberger	*to lodge*
clouer	*to nail*

 Lire 3 Lisez ce passage et trouvez l'équivalent dans le passage des phrases suivantes.

1 clairement
2 bouger facilement
3 à l'aide de
4 tentatives
5 les alentours
6 la rivière
7 circuit
8 joies

 Lire 4 Trouvez les verbes suivants dans le passage:

1 deux verbes au passé composé
2 six verbes à l'imparfait
3 sept verbes au passé simple

Lire 5 Identifiez et corrigez les erreurs dans les phrases suivantes.

1 Thierry a acheté sa tricyclette sur la toile.
2 La tricyclette était comme neuve.
3 Thierry ne voulait pas faire une randonnée.
4 Thierry est parti en été.
5 Le premier soir, ils ont logé dans une auberge.
6 Le lendemain, ils ont fait du camping au bord d'un lac.
7 À présent, Thierry aimerait partir en Asie.

Écrire 6 À vous de continuer le blog! Écrivez (minimum 200 mots) au passé simple ou au passé composé. Vous devez inclure les mots suivants dans votre blog: **poisson, autocar, fatigant, nouilles, brusquement.**

 Once you finish your text, check through and look carefully at what can be done to improve the quality of the language. Check that:
• you haven't used the same verb too many times;
• you included at least four different tenses;
• you used linking words to structure your text;
• you included a description, an event, an opinion, an explanation and an example.

Grammaire

The past historic is often used with other tenses.

The **perfect** is used for completed actions in the past.

• Use the correct auxiliary **être/avoir**, and if using **être** check that the past participle agrees with the subject.
• Check if the past participle is regular (-**er** verbs → -**é**, -**ir** → -**i**, -**re** → -**u**) or irregular.
• With **avoir** verbs, check if there is a direct object pronoun before the verb. If so, the past participle must agree. (Les vacances (f.pl.) qu'on a pass**ées** étaient formidables.)

The **imperfect** is used for description, for feelings, for repeated actions in the past or for a continuous action in the past.

• Use the **nous** form of the present tense and add the imperfect endings: **-ais, -ais, -ait, -ions, -iez, -aient.**

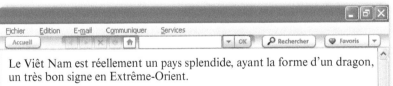

Le Viêt Nam est réellement un pays splendide, ayant la forme d'un dragon, un très bon signe en Extrême-Orient.

25–26 juin 2007

Arrivés à l'aéroport, l'enregistrement des bagages et l'embarquement se passèrent sans encombres. Le décollage fut pour moi une expérience nouvelle. Nous avions un avion hi-tech avec écran tactile, films et musique, mais très peu de place. Nous arrivâmes tout de même à somnoler quelques heures.

Une fois au Viêt Nam, ce qui m'a tout d'abord impressionné, ce fut la chaleur étouffante. Une amie de David, qui s'appelle Hoa, vint nous accueillir avec des fleurs, quel bel accueil!

Nous passâmes le reste de la matinée avec elle et elle nous invita chez elle pour manger. C'était si convivial chez Hoa! Elle est devenue notre guide et traductrice personnelle. Elle nous donna rendez-vous le lendemain à 7h du matin …

t · Parler de la francophonie
g · Le discours indirect
s · Faire des recherches

9 · Francophones et francophiles

Fichier   Edition   E-mail   Communiquer   Services   Sécurité   Fenêtre   Mot-clé   Déconnexion   Aide

Accueil   ▼ OK   Rechercher   Favoris

200 millions de francophones, dont 1 ____ millions de francophones partiels dans le monde

Le français est avec l'anglais l'une des deux seules langues parlées sur tous les continents. Il est en outre la 2 _____ langue la plus utilisée dans le monde.

Entre 1994 et 3 _____ le nombre **d'apprenants** du français et en français dans le monde **augmente** de 4 _____ , soit 20% de plus qu'en 1994. Passant de 75 340 561 apprenants en 1994 à 90 749 813 en 2002, on peut parler d'une augmentation globale significative. L'**analyse** par région permet d'**enregistrer** que l'augmentation la plus importante du nombre d'apprenants concerne l'Afrique et le Moyen-Orient.

Les pays où l'on trouve le plus de francophones et francophones partiels pour l'Afrique du Nord, sont le Maroc en nombre et la Tunisie en pourcentage de la population totale; pour l'Afrique subsaharienne, la République démocratique du Congo en nombre et le Gabon en pourcentage; pour l'Europe centrale et orientale, la Roumanie en nombre et en pourcentage; au Moyen-Orient le Liban **devance** largement l'Égypte en pourcentage; dans l'Océan indien, Madagascar passe devant les Comores en nombre, mais pas en pourcentage; en Extrême-Orient, avec des **valeurs** très faibles, si le Viêt Nam est premier en nombre, le Cambodge l'est en pourcentage; en Europe de l'Ouest, les pourcentages **atteignent**, bien sûr, quasiment 5 _____ % en France et en Communauté française de Belgique et s'en rapprochent au Luxembourg. Le Québec, quant à lui, **recense** plus de 6 _____ de francophones, soit 7 _____ % de sa population. Pour l'ensemble du Canada, le nombre de locuteurs est en **progression** et se situe à plus de 8 _____ millions.

Écouter 1 Notez les huit chiffres qui manquent dans cet article.

Lire 2 Traduisez les mots suivants en anglais en utilisant le contexte. Vérifiez avec un dictionnaire.

1 dont   2 partiel   3 l'un(e) des   4 tous les   5 entre   6 soit   7 total   8 largement   9 quasiment   10 l'ensemble de

à l'examen

Look out for those little words which may change slightly or completely the meaning like **quasiment** or **dont**, and especially:

ne … que	*only*	sans	*without*
ne … aucun	*not any*	à l'exception de	*with the exception of*
sauf	*except*		

Lire 3 Pour tous les mots en gras dans l'article, écrivez soit le nom, soit le verbe de la même famille.

Lire 4 Complétez ce tableau selon l'article.

	Pays où l'on trouve le plus de francophones en nombre	… en pourcentage par rapport à la population totale
en Afrique du Nord		
en Afrique subsaharienne		
en Europe centrale et orientale		
au Moyen-Orient		
dans l'Océan indien		
en Extrême-Orient		

Parler 5 Parlez pendant une minute des pays francophones dans le monde. Mentionnez:

- trois régions différentes du monde
- quatre pays différents
- une date
- deux statistiques
- au moins trois des expressions utiles

Les études/analyses montrent que …
Les pourcentages de … atteignent …
Le nombre de … augmente/est en baisse.
est en progression.
devance largement …/chute.
On peut parler d'une augmentation significative.
Il se situe à/On compte plus de …/entre … et …
Le premier (1ᵉʳ), le second (2ⁿᵈ), le troisième (3ᵉᵐᵉ) …

Écouter 6 Écoutez ces personnes qui parlent de leurs vacances dans un pays francophone. Qui parle? Écrivez le bon prénom: Rachida, Émilie ou Léa.

1 … dit que les maisons au village de Gorée ressemblaient à des maisons provençales.
2 … dit qu'elle aimerait retourner au cœur de l'île pour y habiter.
3 … dit que Nefta est une oasis avec mille sources.
4 … a dit qu'elle avait fait des randonnées impressionnantes et qu'elle avait vu des cascades superbes.
5 … a dit qu'elle était partie toute seule.
6 … a dit qu'elle avait flâné sous les palmiers et qu'elle avait vu de merveilleux couchers de soleil.
7 … a dit que la vue du Piton des Neiges était stupéfiante.
8 … a dit que l'accueil était vraiment très chaleureux.
9 … a dit que c'étaient les meilleures vacances de sa vie.

Lire 7 Lisez le texte et choisissez le verbe correct.

«L'été dernier, je suis parti au Canada afin de découvrir le Québec. Je voulais trouver un job d'été et par la même occasion financer tout mon voyage. J'ai dû obtenir un permis de travail auprès de l'Ambassade du Canada et ce processus a été plutôt compliqué, mais j'ai réussi à avoir une autorisation de travail temporaire, ce qui m'a permis de travailler dans un bar. Mon séjour s'est très bien passé!»   **Ovide**

Ovide nous raconte que, l'été dernier, **je suis parti/il est parti/il va partir** au Canada afin de découvrir le Québec. Il nous a confié qu'**il voulait/il voudrait/il allait** trouver un job d'été et par la même occasion financer tout son voyage. Il nous a expliqué qu'**il doit/il a dû/il avait dû** obtenir un permis de travail auprès de l'Ambassade du Canada et que ce processus **avait été/a été/va être** plutôt compliqué, mais qu'**il réussit/j'ai réussi/il avait réussi** à avoir une autorisation de travail temporaire, ce qui lui **a permis/avait permis/permet** de travailler dans un bar. Il nous avoue que son séjour s'est très bien passé!

Grammaire

Le discours indirect (*reported speech*)

For examples of reported speech, see Grammar section page 143.

Just as in English, reported speech requires grammatical changes:
- personal pronouns and possessives change;
- verb endings change;
- tenses change in the subordinate clause. The sequence of tenses is the same as in English.

main verb	tense of the verb in direct speech	tense of the verb in reported speech
1 present tense **elle dit …**	NO CHANGE	NO CHANGE
2 past tense **elle a dit …**	present or imperfect	imperfect
	perfect or pluperfect	pluperfect
	future or conditional	conditional
	subjunctive	subjunctive

Vary the verbs you use to report what someone said. Try to use **dire** only once.

dire	*say*	expliquer	*explain*
répondre	*answer*	déclarer	*declare*
préciser	*specify*	se plaindre	*complain*
révéler	*reveal*	rapporter	*report*
avouer	*confess*		

Parler 8 Faites des recherches sur un pays (ou une région) francophone afin de faire un exposé oral de deux minutes. Trouvez les réponses aux questions suivantes:

- Sur quel continent se trouve le pays que vous avez choisi?
- Quels sont les pays voisins?
- Quel est le statut du français? Langue officielle? Couramment utilisé?
- Quels sont les aspects de l'histoire de ce pays?
- Quelles industries contribuent à l'économie du pays?
- Le tourisme est-il développé? Quels sont les principaux attraits touristiques?

Vocabulaire

Sport et tempérament — *Sport and personality*

le personnage	*character*	individuel	*individual*
le concurrent	*competitor*	tout seul	*on one's own*
l'adversaire (m/f)	*opponent*	sans but	*aimlessly*
le sport (collectif)	*(team) sport*	reposant	*relaxing*
l'esprit (m) d'équipe	*team spirit*	approprié	*appropriate*
la règle	*rule, regulation*	commun	*shared*
le footing	*jogging*	révélateur de	*revealing about*
le sprint	*sprinting*	entouré de	*surrounded by*
la tactique	*tactics*	perdu	*lost*
le cœur de l'action	*heart of the action*	inhabituel	*unusual*
la confrontation	*confrontation*	fatiguer qqn	*to make sb tired*
la victoire	*victory*	(faire) transpirer	*(to make sb) sweat*
la défaite	*defeat*	faire prendre l'air	*to make sb get some fresh air*
le face à face	*confrontation*	gagner en endurance	*to improve one's stamina*
le défi	*challenge*	s'évader	*to get away from it all*
le genre	*type*	correspondre à	*to match*
l'élément (m)	*element*	permettre (de)	*to allow (to)*
le code (vestimentaire)	*(dress) code*	se vider la tête	*to clear (one's) mind*
l'événement (m)	*event*	quitter	*to leave*
le mélange	*mix*	réfléchir	*to think, reflect*
le défoulement	*(psychological) release*	être contre/opposé	*to be against*
le dépaysement	*change of scene*	s'identifier à	*to identify with*
la vue d'ensemble	*overview*	dépendre de	*to depend on*
la vie (en collectivité)	*(group) life*	se mesurer à	*to pit oneself against*
la philosophie	*philosophy*	convenir à	*to fit, suit*
l'enfer (m)	*hell*	être fait(e) pour	*to be cut out for*
solitaire	*solitary*		

Sports extrêmes — *Extreme sports*

la sensation forte	*thrill*	inconscient	*reckless*
le saut	*jump, leap*	inacceptable	*unacceptable*
le parachute	*parachute*	cinglé	*crazy*
le casque	*helmet*	à la recherche de	*in search of*
l'accident (m)	*accident*	à (mes) risques et périls	*at (my) own risk*
l'acte (m)	*act, action*	(prendre) un risque	*(to take) a risk*
la conséquence	*consequence*	(prendre) des précautions	*(to take) precautions*
le sauveteur (de montagne)	*(mountain) rescuer*	apprendre à	*to learn (how) to*
le blessé	*casualty (injured)*	oser	*to dare*
le mort	*casualty (dead)*	sauter	*to jump, leap*
courageux(se)	*brave*	plonger	*to dive*
casse-cou	*reckless*	rouler	*to roll (down)*
ridicule	*ridiculous*	descendre une pente	*to go downhill*
incroyable	*unbelievable*	se faire mal	*to hurt oneself*
effrayant	*frightening*	se tuer	*to kill oneself*
impressionnant	*impressive*	mettre qqn en danger	*to put sb at risk*
terrifiant	*terrifying*	entraîner (la mort)	*to cause (death)*
marrant	*fun*	risquer sa vie	*to risk one's life*
dangereux(se)	*dangerous*	venir au secours de	*to go to sb's help*
fou(folle)	*mad*	empêcher qqn de	*to prevent sb from*
irresponsable	*irresponsible*	interdire qqch/à qqn de	*to forbid sth/sb from*
stupide	*stupid*	autoriser qqn à	*to allow sb to*

Loisirs — *Leisure*

le graphique	*graph*	l'inscription (f)	*subscription*
les statistiques (f)	*statistics*	la salle de gymnastique	*gym*
la moyenne	*average*	similaire	*similar*
l'habitude (f)	*habit*	différent de	*different from*
le loisir à domicile/domestique	*home-based leisure*	pareil que	*same as*
la radio	*radio*	attaché à	*attached to*
le média	*media*	abrité de	*sheltered, shielded from*
l'activité culturelle/sportive	*cultural/sport activity*	connecté à	*connected to*
l'offre (f)	*offer*	sophistiqué	*sophisticated*
le bien (m) d'équipement	*household goods*	consacrer (du temps à)	*to devote (time to)*
l'image (f)	*picture*	pratiquer	*to practise*
le son	*sound*	s'entraîner à	*to train in*
le système audiovisuel numérique	*digital audiovisual system*	s'enrichir	*to develop*
le lecteur-enregistreur (de salon)	*(home) player-recorder*	baisser	*to go down, decrease*
le téléviseur LCD/plasma	*LCD/plasma TV set*	augmenter	*to go up, improve*
l'écran plat et géant	*large flat screen*	surfer sur Internet	*to surf the Net*
le programme en haute définition	*high-definition programme*	déguster	*to enjoy (food/drink)*
Internet haut débit	*broadband Internet*	se passer de	*to manage without*
la performance	*performance*	fréquenter	*to visit (a public place)*
le plat préparé	*ready meal*	se faire livrer	*to have delivered*
la grande surface	*supermarket*	faire l'économie de	*to save on*

Évolution des styles de vie — *Changing lifestyles*

l'activité (f) physique	*physical activity*	par terre	*on the ground/floor*
l'apparence (f) physique	*physical appearance*	faire de l'exercice	*to exercise, keep fit*
l'effort (m)	*effort*	prendre l'ascenseur	*to take the lift*
l'obésité (f)	*obesity*	améliorer	*to improve*
le diabète	*diabetes*	influencer	*to influence*
la maladie cardiaque	*heart disease*	recommander	*to recommend*
l'os (m)	*bone*	éviter	*to avoid*
le muscle	*muscle*	renforcer	*to strengthen*
la fonction respiratoire	*respiratory function*	diminuer	*to reduce, decrease*
le taux d'énergie	*energy rate*	favoriser	*to help, promote*
le stress	*stress*	manquer de motivation	*to lack motivation*
le sommeil	*sleep*	continuer à	*to carry on*
le souci	*care, concern*	remarquer	*to notice*
le terrain de tennis	*tennis court*	flirter avec	*to flirt with*
la tenue de tennis	*tennis gear*	impressionner	*to impress*
assis (devant)	*sitting (in front of)*	nuire à	*to harm*
paresseux(se)	*lazy*		

Régimes (m) alimentaires — *Diets*

le/la nutritionniste	*dietician*	le calcium	*calcium*
le sportif/la sportive	*sportsperson*	le mode de vie	*lifestyle*
la femme enceinte	*pregnant woman*	le besoin	*need*
l'alimentation (f)	*diet*	sec/sèche	*dry*
l'aliment (m)	*food*	riche en	*rich in*
le nutriment	*nutrient*	raisonnable	*reasonable*
le féculent	*starchy food*	être en pleine croissance	*to be growing*
le produit laitier	*dairy product*	consommer	*to eat, consume*
la matière grasse	*fat*	avoir besoin de	*to need*
le fer	*iron*		

Vocabulaire

L'obésité (f) (infantile)   *(Child) obesity*

le milieu social	*social background*	la durée de la vie	*longevity*
la famille d'ouvriers	*working-class family*	la prévalence	*prevalence*
la famille d'employés de bureau	*lower-middle class family*	en matière nutritionnelle	*about nutrition*
le grignotage	*snacking (between meals)*	multiplié par	*multiplied by*
le surpoids	*excess weight*	élevé	*high, substantial*
la méconnaissance	*ignorance*	diversifié	*varied*
la cause	*cause*	grave	*serious*
le manque	*lack*	accru	*increased*
la dépense calorifique	*use of calories*	sédentaire	*sedentary*
le motif (d'inquiétude)	*grounds (for concern)*	exercer une forte influence	*to have a strong influence*
le facteur (clé)	*(key) factor*	grignoter	*to snack, nibble*
la vie urbaine	*urban life*	atteindre	*to reach*
la qualité (de la vie)	*quality (of life)*		

Le tabagisme   *Addiction to smoking*

la clope (fam)	*fag*	cool (fam)	*cool*
le milieu scolaire	*school environment*	convivial	*convivial*
le lieu public	*public place*	étaler sur	*to spread over (time)*
la boîte de nuit	*nightclub*	s'étendre à	*to spread to*
l'industriel (m)	*manufacturer*	reconnaître	*to recognise*
le marchand de mort	*death merchant*	convaincre	*to convince*
la vente	*sale*	tenter qqn	*to tempt sb*
la respiration	*breathing*	persuader	*to persuade*
le poumon	*lung*	retarder	*to delay*
l'interdiction (f)	*prohibition*	réduire	*to reduce, decrease*
la mesure anti-tabac	*anti-smoking measure*	économiser	*to save*
la campagne (de prévention)	*(prevention) campaign*	récompenser	*to reward*
le plan	*plan*	mâcher	*to chew*
l'astuce (f)	*clever trick*	se défouler	*to let off steam*
le message	*message*	ramer (fam)	*to fight, struggle*
le slogan	*slogan*	arrêter	*to stop*
le placard	*notice*	choquer	*to shock*
le phénomène	*phenomenon*	imiter	*to imitate*
l'augmentation (f)	*increase*	faire comme	*to copy*
l'appartenance (f)	*membership*	faire semblant de	*to pretend to*
régulier(ère)	*regular*	passer pour	*to be considered as*
passif(ive)	*passive*	prendre l'habitude de (fumer)	*to pick up the habit of (smoking)*
interdit	*forbidden*		
choquant	*shocking*	nouer des liens	*to bond*
fort	*strong*	dépendre (d'une drogue)	*to depend (on a drug)*
puissant	*powerful*	souffrir (d'un cancer)	*to suffer (from cancer)*
frappant	*striking*	rendre impuissant	*to make sb impotent*
saisissant	*impressive*	gagner du terrain	*to gain ground*

Les motivations des vacanciers   *Holiday-makers' motives*

le tourisme vert / l'agritourisme (m)	*rural tourism*	la majesté	*awesomeness*
le tourisme bleu	*water-based tourism*	le patrimoine	*heritage*
le tourisme blanc	*snow-based tourism*	le musée à thème	*theme museum*
le tourisme gris	*urban tourism*	le circuit touristique	*tourist trail*
le tourisme jaune	*desert-based tourism*	le spectacle (nocturne son et lumière)	*(night son et lumière) show*
le tourisme ludique	*play-based tourism*	le parc d'attractions	*theme park*
le bronzage idiot	*unstimulating beach holiday*	le parc ludo-éducatif	*educational theme park*
le voyageur	*traveller*	sensible à	*sensitive to*
le prescripteur	*decision-maker*	pittoresque	*picturesque*
le calme	*peace and quiet*	fréquenté	*popular, most visited*
la pureté	*purity*	apprécier	*to appreciate*
la froideur	*coldness*	figurer	*to feature*
la chaleur	*heat*	prendre conscience de	*to become aware of*
l'artificiel (m)	*artificiality*	faire un détour	*to make a detour*
l'authentique (m)	*authenticity*	mettre en valeur	*to develop*

Raconter un voyage   *Recounting a trip*

la randonnée	*ramble*	le décollage	*take-off*
la balade (fam)	*walk, tour*	la mobilité réduite	*reduced mobility (physical handicap)*
le périple	*tour, trip*		
les environs (m) de	*surrounding area*	superbe	*superb*
la vue	*sight*	stupéfiant	*amazing*
l'île (f)	*island*	impressionnant	*impressive*
l'oasis (f)	*oasis*	merveilleux(se)	*wonderful*
la source	*spring*	splendide	*splendid*
la cascade	*cascade*	chaleureux(se)	*friendly*
la grotte	*cave*	convivial	*convivial*
le torrent	*fast-flowing stream*	sans encombres	*without a problem*
le sable (des déserts)	*(desert) sand*	flâner	*to stroll*
le palmier	*palm tree*	se déplacer	*to travel, move around*
le coucher de soleil	*sunset*	rouler	*to cycle, to drive*
l'accueil (m)	*welcome*	rejoindre	*to reach, to meet up with*
le séjour	*stay*	somnoler	*to doze off*
le permi/l'autorisation (f) de travail	*work permit*	accueillir	*to welcome*
l'enregistrement (m) des bagages	*luggage check-in*	héberger	*to give accommodation*
l'embarquement (m)	*boarding (a plane)*	ressembler à	*to look like*

La francophonie   *French-speaking world*

l'apprenant (m)	*learner*	l'Extrême-Orient (m)	*Far East*
le locuteur	*speaker*	la valeur	*number*
la population	*population*	l'ensemble (m)	*whole*
l'augmentation (f)	*increase*	significatif(ve)	*meaningful*
le statut	*status*	partiel(le)	*partial*
la langue officielle/couramment utilisée	*official/commonly-used language*	faible	*weak*
		en progression	*on the increase*
l'analyse (f)	*analysis*	augmenter	*to increase*
l'Europe (f) (centrale/orientale)	*(Central/Eastern) Europe*	enregistrer	*to record*
		devancer/passer devant	*to be/move ahead*
l'Afrique (f) (du Nord/ subsaharienne)	*(North/Sub-saharan) Africa*	se rapprocher de	*to come near*
		recenser	*to list*
le Moyen-Orient	*Middle East*		

Épreuve orale

 Your oral exam will be in two parts: a discussion based on a stimulus card (5 minutes) followed by a conversation based on AS course topics (10 minutes). You will have 20 minutes to prepare.

 Lisez le sujet d'examen et préparez vos notes pour répondre aux cinq questions.

Les consoles qui font faire du sport

Fini le temps où les jeux vidéo contribuaient à l'obésité des jeunes! Les dernières consoles interactives permettent de brûler jusqu'à 300 calories en une demi-heure: l'équivalent d'une heure de marche rapide.

De quoi s'agit-il?

Que pensez-vous de cette nouvelle technologie?

Que faites-vous, personnellement, pour être en forme?

Pourquoi est-il important de faire de l'exercice?

À votre avis, les jeunes consacrent-ils assez de temps à l'activité physique?

- During your preparation time, you can make notes, which you can refer to during the exam. Don't write full sentences or you may be tempted to just read them out. The discussion needs to sound natural.
- Show that you can manipulate the language of the stimulus by changing the verb forms or tenses.

e g. (Question 1) Try saying, in French, *It's about a new type of console which asks the player to move his whole body.*

- To prepare answers to 4 and 5, look back at units 4 and 5. Make sure you know all the vocabulary and phrases you need to talk about the importance of exercise, active/inactive lifestyles and the causes of obesity.
- Express a clear opinion in answer to these two questions and be prepared to justify and back up your view, if the examiner challenges it.
- Using a range of expressions and some more complex structures will gain you marks. Try to use at least four of the phrases, below, in your answers.
- Try to predict what other questions on the same subject the examiner might ask and prepare your answers to those, too.

Certes, il est vrai que/j'admets que …	It's certainly true that/I admit that …
mais/cependant/quand même/tout de même …	but/however/all the same …
Il n'est pas seulement question de (+ nom ou infinitif)	It's not only a question of (+ noun or –ing)
Il faut reconnaître que/le fait que …	You have to recognise that/the fact that …
Contrairement à ce qu'on dit/lit dans les journaux/ voit à la télévision …	Contrary to what people say/read in the newspapers/ see on TV …
On doit tenir compte de/(du fait que) …	You have to take into account (the fact that) …
N'oublions pas que/le fait que …	Let's not forget that/the fact that …
soit … soit …	either … or …

 À deux. L'un joue le rôle de l'examinateur, l'autre celui du candidat. Comparez vos réponses. Qui a les meilleurs arguments?

 Écoutez une candidate répondre aux mêmes questions pendant son examen oral. Notez en français:

1 Les réponses de la candidate aux cinq questions ci-dessus.
2 Les autres questions que l'examinateur lui pose sur le même sujet. Aviez-vous deviné les questions qu'il a posées?
3 Les idées et les opinions de la candidate lors de la conversation.

 Using the following grammatical structures will help you to create more extended and complex sentences which is something examiners will reward you for. Listen for examples of these in exercise 3:

- **au lieu de** au lieu de faire quelque chose + infinitive
- **Si** clauses Si on ne fait rien …
- The conditional Les parents devraient …

Gare aux gaffes!

Make sure you avoid these common mistakes in your exam:

	Gaffe	Version correcte
Wrong verb ending	Certains dit que …	Certains **disent** que …
	Beaucoup de jeunes va …	Beaucoup de jeunes **vont** …
Wrong agreement	Une nouveau console	Une nouv**elle** console
	Un jeu vidéo interactive	Un jeu vidéo interact**if**
Wrong/missing preposition	à voiture, en vélo	**en** voiture, **à** vélo
	jouer la console	jouer **à** la console
Wrong gender	le responsabilité des parents	**la** responsabilité des parents
	les maladies de la cœur	les maladies **du** cœur
Wrong tense	Si on ne fait rien, il y a …	Si on ne fait rien, il y **aura** …
	Si les parents refusaient, les jeunes faisaient …	Si les parents refusaient, les jeunes **feraient** …

Lire 4 Lisez et préparez vos réponses aux questions. Prenez des notes.

Consider what the statistics tell you about French people's holiday preferences. Be prepared to say whether this surprises you and why.

Also say why you think French people do this and how the places mentioned reflect what people generally look for in a holiday.

To help you answer question 4, look back at unit 7 for ideas and useful language.

Les Français en vacances

Chaque été 45 millions de Français partent en vacances. 88,6% de ces vacanciers restent en France. Les destinations étrangères les plus populaires sont l'Espagne et l'Italie. Hors d'Europe, ce sont le Maroc et la Tunisie.

De quoi s'agit-il?
Quelle est votre réaction face à ces statistiques?
Laquelle des destinations mentionnées aimeriez-vous visiter? Pourquoi?
Quels bénéfices les vacances apportent-elles?
Quels sont les problèmes que le tourisme peut créer?

For question 5, think about the issues that tourism can cause: pollution, rapid building expansion, invasion of quiet, unspoilt places, etc. What other ideas can you come up with?

- Take 20 minutes to prepare. Note down key words you could use, remembering to avoid 'lifting' chunks from the stimulus material.
- Look for ways of including more sophisticated grammar and expressions in your answers.
- Write down three or four other questions in French that you might be asked and prepare answers to those, too.

Parler 5 À deux. L'un joue le rôle de l'examinateur, l'autre celui du candidat. Répondez aux questions ci-dessus et à celles que vous avez formées vous-mêmes.

Parler 6 Préparez des notes pour répondre aux questions suivantes. Ensuite, répondez-y oralement.

Trop jeune pour boire autant?

À l'âge de 18 ans, 22% des garçons et 7% des filles consomment de l'alcool au moins dix fois par mois.

De quoi s'agit-il?
Que pensez-vous de ces statistiques?
Pourquoi les jeunes consomment-ils de l'alcool?
Quels sont les dangers de l'alcool pour les jeunes?
Que faut-il faire pour protéger les jeunes de ces dangers?

Écrire 7 Préparez vos réponses à ces questions plus générales que l'examinateur pourrait poser au sujet de la santé, des vacances et des styles de vie.

- Que pensez-vous de l'idée de la tolérance zéro pour l'alcool au volant?
- À part l'alcool, quels sont les autres dangers pour la santé des jeunes?
- Comment peut-on pousser les jeunes à vivre plus sainement?
- Que faites-vous pour vous relaxer?
- Quel genre de tourisme vous attire le plus? Le tourisme vert? Bleu? Blanc? Pourquoi?

- The second part of your speaking test will consist of a conversation, covering three of the four AS topics. You can choose the first of these yourself.
- This part of the exam will last ten minutes.
- Try to predict what questions might come up (especially in the topic which you choose yourself) and prepare your answers.

Épreuve écrite

 Lisez le sujet d'examen et suivez les conseils ci-dessous pour écrire votre article.

> «L'interdiction de fumer dans les lieux publics est injuste! Moi, je continuerai à fumer dans la rue et heureusement mes parents me laissent fumer à la maison.»
>
> Théo, 17 ans
>
> Écrivez un article pour le journal de votre lycée pour expliquer ce que vous pensez du problème du tabagisme chez les jeunes.

- The task gives you the freedom to write about the aspects of the topic that interest you, but make sure you cover a good range of issues and express your views clearly.
- Start by making an essay plan. Structure it so it has a short introduction and conclusion, with the largest section being in between, covering your main points.
- In your plan, list the sub-headings you want to deal with and underneath each one, note down in French key information, ideas, expressions and vocabulary you are going to use.
- Take no more than 10 minutes to make your plan.

Introduction
- Interdiction de fumer dans lieux publics
- opinion: bonne chose
- car tabac = drogue dangereuse, forte dépendance, tabagisme passif

Dangers pour la santé
- cancer des poumons
- problèmes de respiration
- … (Try to come up with two more points you could add here.)
- …

Pourquoi les jeunes fument
- image «cool» (Add at least two more ideas of your own.)
- …
- …

Comment décourager les jeunes de fumer
- … (Think of at least three points you could mention under this heading.)
- …
- …

Conclusion
- … (Try to come up with a couple of lines to summarise what you have said
- … and a punchy final line.)

Gare aux gaffes!

Make sure you avoid these common mistakes in your exam:

	Gaffe ✗	Version correcte ✓
Wrong verb ending	Les jeunes mange …	Les jeunes mang**ent** …
Wrong tense	On a des problèmes de santé plus tard dans la vie	On **aura** des problèmes …
Confusing **il y a, c'est** and **il est**	C'est trop de morts / Il y a important de …	**Il y a** trop de morts / **Il est** important de …
'Franglais'	Il faut éducater les sportifs	Il faut **éduquer** les sportifs
	Obvieusement, les gens aiment …	**Évidemment/Naturellement**, les gens aiment …
Anglicisms	dans la maison, sur la télévision	**à** la maison, **à** la télévision

The common mistakes mentioned on page 99 apply to the written exam as well as the oral, so make sure you avoid those, too!

Lire 2 Lisez la copie d'un candidat et les conseils suivants. Améliorez la copie en tenant compte des conseils donnés et en ajoutant vos propres idées.

The answer is in correct French, but wouldn't score many marks, because:
- It's too short.
- The sentences are often quite short and simple.
- The style is rather basic, repetitive and uninteresting.
- The writer hasn't given enough information and examples, or developed his/her ideas.

Remember, marks will be given for:
1 Content: relevance, depth of treatment, a well-organised and logical structure and points which are well argued and backed up with reasons and example.
2 Quality of language: range of vocabulary and grammatical structures and accuracy.

Avoid 'lifting' language from the text. Paraphrase and use synonyms instead.
In my opinion, it's a good thing that young people no longer have the right to (**avoir le droit de**) *smoke at school, in shops, cafés, bars or restaurants.*
You could be really clever and use **ne … plus … ni … ni …** (*no longer … neither … nor …*)

Join sentences with **parce que, puisque, car**

Avoid repetition: use a subject pronoun to replace the noun, or synonyms: **la cigarette/le tabac/le tabagisme.**

Develop this idea and use some more complex grammar.
Passive smoking can be as harmful as (**aussi nuisible que**) *smoking and non-smokers should not have to* (conditional of **devoir**) *breathe in smoke in a public place.*

Je pense que l'interdiction de fumer dans les lieux publics est une bonne chose. Les cigarettes sont très dangereuses. Les cigarettes causent le cancer des poumons et des maladies du cœur. Il n'est pas juste d'exposer les gens qui ne fument pas à la fumée. Je pense que les jeunes fument parce qu'ils pensent que c'est cool. On pourrait encourager les jeunes à arrêter de fumer. Il faut éduquer les jeunes sur les risques du tabac.

When adding to a list of ideas or reasons, use **d'ailleurs, de plus, en outre, ajoutons que, de même que …**

Add more ideas and list them using *first of all, secondly*. Ideas could include increasing the price of cigarettes, putting posters up in schools giving tips for stopping smoking … What else?
Try using at least one **si** clause.
If we increased the price of cigarettes, young people would (not) …

Avoid repeating **les jeunes** by using a direct object pronoun.

Give more than one reason. Try using **Certains (jeunes) fument parce que** (+ verbe) **d'autres à cause de** (+ nom).

Vary your opinion-giving phrases. What could you use instead of **je pense que?**

Don't just peter out! Add a proper conclusion. **En conclusion/Pour conclure, le tabagisme chez les jeunes est … Il faut faire quelque chose avant que …**

Écrire 3 Choisissez un de ces sujets d'examen et écrivez un article pour répondre à la question que vous avez choisie.

A Les jeunes doivent faire quatre vrais repas par jour. Il faut qu'ils mangent chaque jour au moins cinq portions de fruits et légumes ainsi que de la viande, du poisson ou des œufs.

Est-ce que la majorité des jeunes mange bien, et si non pourquoi?

Limit yourself to 45 minutes to write your essay and then spend 5 minutes checking it for spelling, accents, gender and correct use of tenses.

B Les sports extrêmes font trop de blessés et trop de morts! Ne peut-on pas s'amuser sans risquer sa vie? Il faut interdire les sports extrêmes!

Écrivez une lettre au journal pour donner votre réaction par rapport à ce texte.

- Formal letters should have your name and address in the top right-hand corner and the name and address of the person you are writing to in the top left-hand corner. You should address them as **Monsieur/Madame**. (You do not use **cher/chère** in formal letters.) Sign off using **Veuillez agréer** or **Je vous prie d'agréer, Monsieur/Madame, l'expression de mes sentiments distingués** (*yours sincerely*).

C «Mon fils préfère rester dans sa chambre à lire des BD et à dessiner des mangas. Je ne comprends pas … Moi, à son âge, j'étais tout le temps dehors avec mes copains!»

Est-ce qu'il faut sortir de chez soi pour avoir des loisirs?

t Thèmes

- Parler de la musique
- Parler du lien entre musique et identité
- Faire une critique de film
- Parler de l'évolution du cinéma

- Parler de la mode
- Discuter de la perte de poids
- Parler du culte de la célébrité

g Grammaire

- Révision du passé composé et de l'imparfait
- Les pronoms indéfinis
- Le plus-que-parfait
- Le futur antérieur

- Les verbes impersonnels
- **Faire** + infinitif
- Le participe présent
- Le conditionnel passé

s Stratégies

- Améliorer une présentation orale
- Repérer les chiffres à l'écoute
- Élargir son vocabulaire
- Évaluer les avantages et les inconvénients

- Remplacer le verbe **penser** par d'autres verbes
- Répondre en changeant la forme des verbes
- Émettre des hypothèses

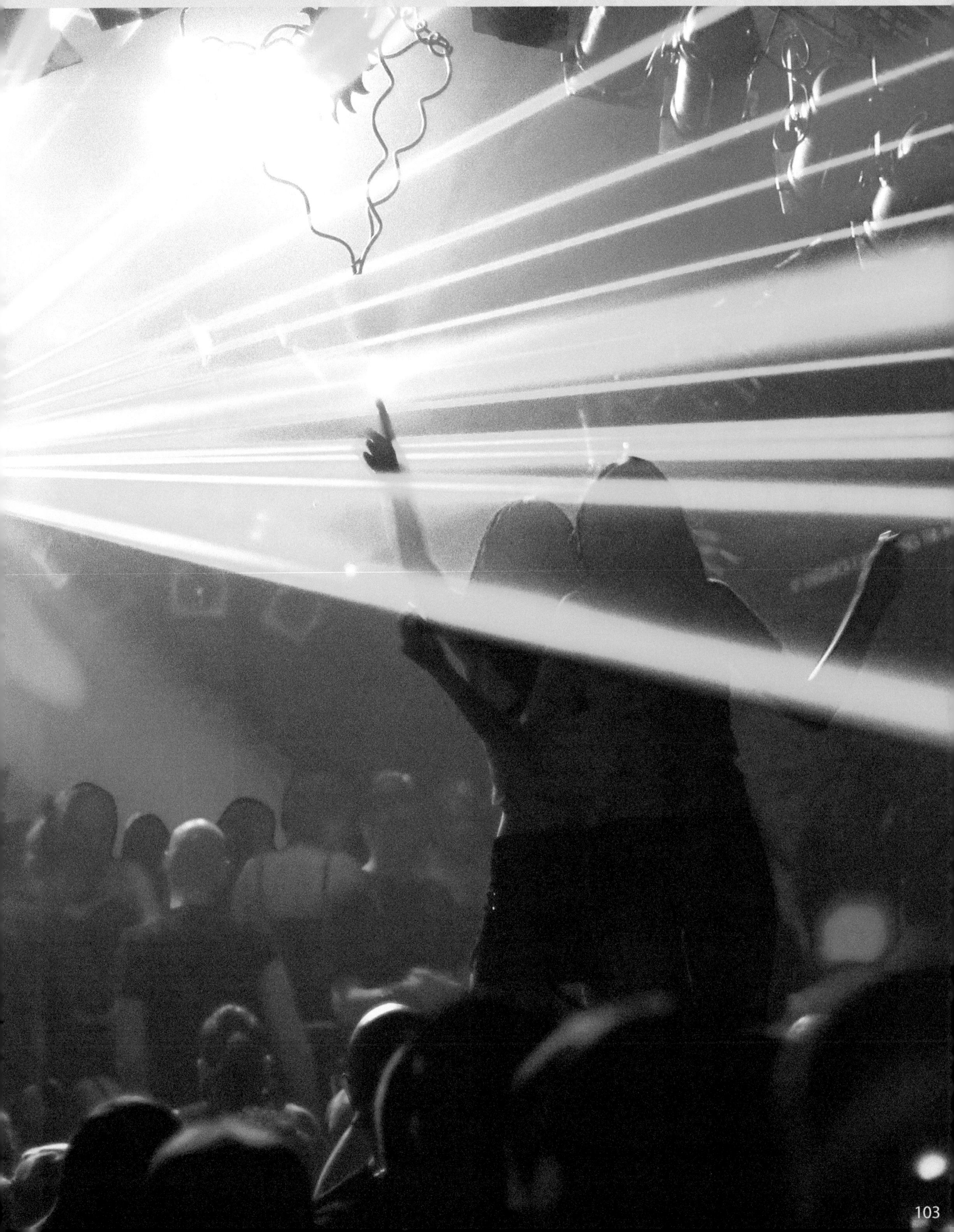

t Parler de la musique
g Révision du passé composé et de l'imparfait
s Améliorer une présentation orale

1 On connaît la chanson!

Parler 1 Écoutez ces six extraits de chansons françaises. Que pensez-vous de chaque morceau?

Personnellement, …
Je dois dire que …/Il faut avouer que …/On ne peut pas nier que …
J'apprécie beaucoup/Je ne supporte pas/J'ai horreur de ce/cette …
Ce genre/style de musique me plaît beaucoup/me paraît tout à fait/plutôt/un peu trop …
Je n'ai pas l'habitude d'écouter ce genre de musique.
Le chanteur/La chanteuse/L'interprète est/a une voix …
Je trouve cette chanson/l'air (de la chanson)/les paroles …

banal	original	rigolo	sérieux
triste	gai	romantique	sans émotion
superficiel	profond	niais	intelligent
tragique	léger	prétentieux	simple
optimiste	pessimiste	monotone	varié
agréable	désagréable	rétro	avant-garde
reposant	stressant		

Lire 2 Écoutez et lisez les articles suivants. Précisez si les informations contenues dans l'article et correspondant à 1–10 concernent Superbus ou Jenifer.

DEUX GÉANTS DU HIT-PARADE

JENIFER BARTOLI

Née d'une mère corse et d'un père algérien le 15 novembre 1982 à Nice, Jenifer Bartoli est la première gagnante du concours musical télévisé, *Star Academy*. Dès son enfance elle est plongée dans un univers musical et grandit avec Stevie Wonder, James Brown et Les Beatles. À l'âge de dix ans, elle chantait déjà dans des restaurants et des concerts, mais c'est en 2001, à la suite d'un casting, que Jenifer a participé à la première saison de la *Star Academy*, dont elle est sortie victorieuse en 2002. Elle a sorti depuis deux albums, dont un enregistré en public. En 2003, Jenifer faisait partie des nominés aux Victoires de la Musique. La même année elle chantait en duo avec Johnny Hallyday lors de sa tournée des stades de France. Jenifer est actuellement en studio en train de terminer son troisième album, dont elle a composé la musique avec son compagnon Maxim Nucci.

SUPERBUS

Formé en 1999 par la chanteuse, guitariste et batteuse Jennifer Ayache, Superbus est devenu un des groupes les plus connus de France. C'est Jennifer elle-même qui a donné le nom de Superbus au groupe. Rien à voir avec les transports en commun! Elle feuilletait les pages d'un dictionnaire de latin et elle est tombée sur ce mot qui signifie «magnifique» (dans le sens «superbe, insolent»). Superbus a sorti son premier album intitulé *Aéromusical* en 2002. Il a remporté un franc succès et s'est vendu à 80 000 exemplaires. À cette époque, leur musique était plutôt électrique et on pouvait reconnaître des sonorités pop rock et punk. Superbus a gagné son premier Disque d'Or grâce à *Pop'n'gum*, leur deuxième album, qui est sorti deux ans plus tard. Quant à leur troisième album *Wow*, il a été élu «Meilleur album pop rock» aux Victoires de la Musique, en 2006. Aux dernières nouvelles, ils prévoyaient la sortie d'un DVD live comprenant deux concerts à Paris, dont un acoustique et un électrique.

élu (participe passé d'élire)	*elected, chosen*
casting (m)	*audition*
tournée (f)	*tour*
Les Victoires de la Musique	*French music awards*

1 son lieu et sa date de naissance
2 ses influences musicales
3 l'origine de son nom
4 son âge lors de ses premières représentations en public
5 le nom de ses trois albums
6 son style de musique
7 l'année de sa victoire à un programme télé
8 les chiffres de vente de son premier album
9 l'année de sa participation aux concerts d'un autre chanteur
10 la catégorie dans laquelle il/elle concourait aux Victoires de la Musique

les années 1940 — Édith Piaf
Jacques Brel
les années 1950
Juliette Gréco
les années 1960
Johnny Hallyday
les années 1970

Grammaire

Le passé composé et l'imparfait (*the perfect and imperfect tenses*)

When you are speaking or writing about the past, you will need to use a mix of the perfect and imperfect tenses. Examiners will reward correct use of these key tenses. Remember: The perfect tense is used mainly for events which have been completed:

Elle est née le 15 novembre 1982.

The imperfect tense is used for past habits and past actions which happened more than once, or went on for some time: À dix ans, elle chantait dans des concerts.

Parler 3 Faites des recherches sur Internet pour préparer et donner une présentation orale d'environ deux minutes sur un chanteur, une chanteuse ou un groupe français(e) (soit un des artistes mentionnés dans cette unité, ou un artiste que vous avez choisi vous-même).

À inclure
- Des informations personnelles (vrai nom, nom de scène, date et lieu de naissance, etc.)
- Style musical
- Influences et expériences
- Résumé de carrière
- Succès (titre de chansons, albums, récompenses, etc.)
- Projets
- Extraits de musique et impressions

- Adapt key phrases from exercise 2 and use at least 3 of the following expressions:
  à cette époque (*at that time*)   quant à (*as for*)   dès son enfance (*from his/her childhood onwards*)   suite à (*following*) lors de (*during, as part of*)
- Vary your sentence structure. Start one or two sentences with a past participle:
  Formé en 1999, le groupe …
  Née le 15 novembre 1982, elle …
  Nommé aux Victoires de la Musique en 2003, il …

Écouter 4 Vrai ou faux? Corrigez les phrases fausses.

1 La chanson française populaire n'a jamais évolué.
2 Brassens est un auteur-compositeur-interprète de chansons dites à textes.
3 Les chansons de variété contiennent des messages politiques.
4 Les chansons de variété divertissent le public tandis que les chansons engagées le font réfléchir.
5 Malheureusement la tradition de la chanson d'auteur a disparu.
6 La suprématie de la langue anglaise a fini par tuer la chanson française.

Écouter 5 Dans ce passage, il s'agit des changements dans la façon d'écouter et d'acheter de la musique.
Répondez aux questions en français.

La musique à l'ère du numérique!

1 Quel changement a eu lieu depuis les années 1990?
2 Selon ce texte, pourquoi les iPods sont-ils populaires auprès des jeunes?
3 Pour ceux-ci, quel est l'avantage principal du MP3 par rapport au baladeur traditionnel?
4 Pourquoi peut-on télécharger plus de morceaux de musique sur certains appareils?
5 Quelle autre raison expliquant la popularité de la musique numérique est citée dans ce texte?
6 De quoi l'industrie de la musique profite-t-elle actuellement?
7 Quel est le chiffre d'affaires des ventes de musique numérique?
8 À quel type de distribution numérique correspond ce chiffre d'affaires?

disque (m) dur	*hard disk*
appareil (m)	*piece of equipment*
croissance (f)	*growth*

Écrire 6 Utilisez vos réponses à l'exercice 5 pour écrire un court article sur la musique numérique. Incluez vos préférences musicales et votre opinion sur l'évolution des modes de diffusion et de consommation de la musique.

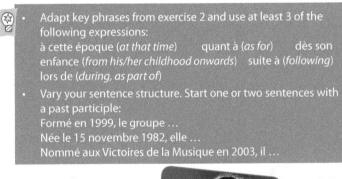

Dalida
Renaud
les années 1980–1990
Serge Gainsbourg
MC Solaar
les années 2000
Jenifer
Léo Ferré
Téléphone
Superbus

2 · Musique et identité

La musique c'est quelque chose de vital pour moi, c'est plus qu'une passion, c'est tout mon univers. Grâce à ma gratte, j'oublie tout. Si jamais j'ai des soucis, je joue quelques morceaux et tout de suite je suis plus calme et de meilleure humeur.

Noémie

En aimant un style de musique particulier, c'est marrant parce que tout d'un coup on appartient à un groupe et en même temps on se différencie d'un autre. Moi, je choisis mes amis en fonction de leurs goûts musicaux. C'est très important pour moi qu'on partage les mêmes goûts, qu'on puisse se faire découvrir de nouveaux groupes. Je dois avouer que depuis qu'on s'échange de la musique grâce à nos portables, j'écoute beaucoup plus d'artistes différents.

Sacha

La musique que j'aime définit qui je suis. Je suis skateur et j'ai plutôt tendance à écouter du rock, tandis que d'autres, comme les streets par exemple, vont plutôt avoir tendance à écouter du rap ou du hip-hop. En ce qui concerne la musique, toutes les générations s'identifient à des courants musicaux différents, voire à des styles vestimentaires différents. Par exemple, mon grand-père, lui, c'est un amoureux du jazz, c'est le beatnik typique, avec son col roulé noir. Mon père, lui, pendant les années 80 il portait des pantalons en cuir et il avait une coupe de cheveux style «Indochine», la honte!

Léo

Lire 1 Voici des opinions sur la musique. Pour chaque phrase écrivez Noémie (N), Sacha (S), ou Léo (L) pour indiquer la bonne personne.

1 Qui joue d'un instrument?
2 Qui évoque différentes modes?
3 Qui profite des nouvelles technologies?
4 Qui parle de l'effet que la musique lui fait?
5 Qui pense que la musique lui permet de faire partie d'un groupe?
6 Qui écoute une plus grande variété de musiques qu'avant?

> Whenever you undertake any activity try not to treat it as a task but as a vocabulary gathering exercise. Aim to build up your vocabulary by writing down as many words as you can – noun, verb, adjective, adverb, then aim to learn and use the interesting phrases you come across in your own work. It often helps to write down the sentence in which you first came across an item in your vocabulary book.

Écouter 2 Écoutez cet extrait sur la musique et les jeunes. Mettez ces titres dans l'ordre du passage.

a L'impact du Pair à Pair
b La musique à toute heure
c La musique moyen de communication
d L'omniprésence des supports numériques
e La musique, on baigne dedans

i culture

Kamini est connu pour être l'auteur de Marly-Gaumont, clip de «ploucsta rap» qui est devenu un phénomène sur Internet. Plusieurs «majors» de l'industrie musicale avaient refusé son clip, mais avec *YouTube*, il est devenu très populaire.

Écouter 3 Réécoutez cet extrait sur la musique et les jeunes. Écrivez la bonne lettre pour compléter ces phrases.

1 Un jeune sur deux écoute
2 90%
3 Deux répondants sur trois
4 80% des jeunes technophiles
5 85%
6 Près de neuf répondants sur dix
7 Depuis qu'ils utilisent le P2P, la quasi-totalité des répondants
8 Une minorité de jeunes

a gravent des compilations pour leurs amis.
b écoutent de la musique quand ils sont seuls.
c téléchargent des morceaux de musique grâce au Pair à Pair.
d dispose également d'un baladeur.
e s'inquiète de la non-rémunération des maisons de disques.
f déclare écouter une plus grande variété de musiques.
g écoutent fréquemment de la musique tout en faisant autre chose.
h utilisent le micro-ordinateur plutôt que la chaîne hi-fi pour écouter de la musique.
i plus de deux heures de musique par jour.
j écoutent de la musique chez eux.

environ	*about*
à peu près	*about*
on compte	*one can count*
presque	*almost*
seul	*only*
sauf	*except*
quasi	*almost*
plus/moins de	*more/less than*

The suffix **-aine** gives an approximate feel

une vingtaine	*about twenty*
plusieurs centaines	*several hundred*
des milliers	*thousands*
six sur dix	*six out of ten*
le quart	*one quarter*
la moitié	*half*

à l'examen

High numbers come up a lot in exams. Don't panic, you can listen as many times as you need to. Listen once without writing, then try to note down the figures you need.

Make sure you read the questions first to know which numbers you need to concentrate on. Give precise answers and pay attention to detail. Be aware that there may well be words around the numbers which you will have to take note of if they enhance the meaning.

Lire 4 Choisissez le bon pronom indéfini.

La musique est considérée comme un loisir très important pour 25% des Français.
1 Quelqu'un/Quelques-uns déclarent même qu'elle est «vitale» pour eux, qu'elle est «l'objet d'une véritable passion».
La musique est **2 quelque chose/quelqu'un** d'important dans la vie. Elle constitue un plaisir, un moyen de se détendre. Pour **3 certains/quelque chose**, c'est la forme d'art dont ils pourraient le moins facilement se passer. **4 Chacune/D'autres** ont des souvenirs liés à une musique, et très souvent des souvenirs heureux …
5 Plusieurs/Chacun ressent **6 quelques-unes/ quelque chose** de différent par rapport à la musique.

Les pronoms indéfinis (*indefinite pronouns*)

Indefinite pronouns are used in place of nouns. They can be the subject or the object of a sentence. They refer to people or things that are not specified.

Singular		Plural	
on	*one*	tous	*all*
chacun(e)	*each one*	certain(e)s	*certain ones/some*
tout le monde	*everybody*	d'autres	*others*
personne	*no one*	plusieurs	*several*
partout	*everywhere*	quelques-un(e)s	*some people*
nulle part	*nowhere*		
tout	*everything*		
rien	*nothing*		
quelqu'un	*someone*		
quelque chose	*something*		

When **quelque chose** and **quelqu'un** are followed by an adjective, you must put **de** in between **quelque chose de** rythmé/**quelqu'un d'**intéressant

Parler 5 À deux, préparez une réponse aux questions ci-dessous.

La musique fait partie intégrante de l'univers des jeunes. Elle est présente dans tous les moments de leur vie quotidienne et en tout lieu.
La musique constitue pour eux à la fois une distraction, un signe de reconnaissance et d'appartenance à un groupe, un moyen de différenciation par rapport aux autres.

1 De quoi s'agit-il?
2 Quand les jeunes écoutent-ils de la musique?
3 Pourquoi les jeunes écoutent-ils de la musique?
4 Aimez-vous écouter de la musique? Pourquoi? Pourquoi pas?
5 À votre avis, les jeunes attachent-ils trop d'importance à la musique?
6 Que pensez-vous du P2P (Pair à Pair)?
7 Quand écoutez-vous de la musique?
8 La musique définit-elle votre identité?

Écrire 6 Écrivez 200 mots en réponse à la question suivante.

La musique envahit notre vie. Arrêtez de suivre le troupeau. Éteignez vos baladeurs. Assez!

Pourquoi la musique est-elle si populaire auprès des jeunes?

entrer dans un autre univers
se calmer
se définir
faire partie de son identité
partager les mêmes goûts
échanger
s'entourer de musique
une passion
une distraction
un signe de reconnaissance/d'appartenance à un groupe
amateur de concerts
choix musicaux
toute une gamme de musique
suivre la mode/les tendances
se conformer
adopter un genre musical/un style vestimentaire
s'exprimer
les paroles

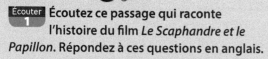

3 Le septième art

t Faire une critique de film

g Le plus-que-parfait

s Élargir son vocabulaire

Écouter 1 Écoutez ce passage qui raconte l'histoire du film *Le Scaphandre et le Papillon*. Répondez à ces questions en anglais.

1 What details are given about Jean-Dominique Bauby's situation prior to the incident?

2 Name three things he was unable to do as a victim of 'locked in syndrome'?

3 Which part of himself was he able to move?

4 What does he do to indicate 'yes' and 'no'?

5 What does he do each morning and why?

Quand avez-vous découvert le livre Le Scaphandre et le Papillon?

Julian Schnabel:

Alors que j'en faisais la lecture à un ami qui était hospitalisé. Je suis donc allé à Berck rencontrer tous ceux qui s'étaient occupés de Jean-Dominique Bauby. Des êtres humains qui ont choisi de venir en aide aux autres. Ils les nourrissent, les lavent, se soucient de leur sort, les aiment tout simplement. Beaucoup d'entre eux apparaissent dans le film. Les handicapés sont de vrais pensionnaires de l'établissement. Ils souffrent d'être marginalisés à cause de leur maladie. J'ai sympathisé en particulier avec un garçon, Jérôme. La jeune actrice qui incarne la fille de Jean-Dominique Bauby n'osait pas lui demander ce qui lui était arrivé. Il lui a dit qu'il était paralysé des jambes depuis la naissance. La glace rompue, ils ont discuté normalement.

Pourquoi avez-vous choisi Mathieu Amalric pour le rôle de Jean-Dominique Bauby?

J.S: Je l'avais rencontré il y a quelques années quand j'étais juré au festival de San Sebastian. Je l'avais adoré dans le film d'Olivier Assayas, *Fin août, début septembre*. Au début, j'avais choisi mon ami Johnny Depp, surtout qu'il parle français, mais il était débordé. Je me suis souvenu de Mathieu et j'en ai parlé à ma productrice ...

Écouter 2 Écoutez cet entretien avec Julian Schnabel, le réalisateur du film *Le Scaphandre et le Papillon*. Ensuite répondez aux questions en français.

1 Quand est-ce que Julian Schnabel a lu *Le Scaphandre et le Papillon* pour la première fois?

2 Selon Julian Schnabel, de quoi les pensionnaires de Berck souffrent-ils en plus de leur handicap?

3 Quel est le handicap de Jérôme?

4 Quel acteur était préssenti pour le rôle de Jean-Dominique Bauby au départ?

5 Pourquoi cet acteur n'a-t-il pas pu jouer ce rôle?

Lire 3 Trouvez les verbes au plus-que parfait dans l'interview et traduisez-les en anglais.

Grammaire

Le plus-que-parfait (*the pluperfect tense*)

The pluperfect refers to an action which precedes another action or event in the past.

Julian Schnabel s'est souvenu de Mathieu Amalric qu'il **avait rencontré** quelques années avant. Julian Schnabel remembered Mathieu Amalric whom he *had met* some years before.

Au début, il **avait choisi** son ami Johnny Depp.
At the outset he *had chosen* his friend Johnny Depp.

To form this compound tense, use the imperfect form of the auxiliary verb (**avoir** or **être** as appropriate) and the past participle.

choisir	arriver	s'occuper
j'avais choisi	j'étais arrivé(e)	je m'étais occupé(e)
tu avais choisi	tu étais arrivé(e)	tu t'étais occupé(e)
il/elle/on avait choisi	il/elle/on était arrivé(e)	il/elle/on s'était occupé(e)
nous avions choisi	nous étions arrivé(e)s	nous nous étions occupé(e)s
vous aviez choisi	vous étiez arrivé(e)(s)	vous vous étiez occupé(e)(s)
ils/elles avaient choisi	ils/elles étaient arrivé(e)s	ils/elles s'étaient occupé(e)s

Écrire 4 **Mettez les verbes entre parenthèses au plus-que-parfait.**

1 Je (**lire**) le livre de Jean-Dominique Bauby et je l' (**trouver**) très émouvant.

2 Ce qui lui (**arriver**) et l'histoire de son livre me (**bouleverser**).

3 J'ai rencontré un acteur que je (**voir**) déjà dans un film à un festival.

4 Il (**être**) très sympathique.

5 Un peu avant, je (**rencontrer**) ma productrice. On (**parler**) du projet. On (**se mettre d'accord**).

6 D'abord je (**choisir**) Johnny Depp pour le rôle de Jean-Dominique.

7 Mais Mathieu Amalric me (**impressionner**) beaucoup lors de notre rencontre.

Lire 5 **Quelles sont les attitudes des critiques envers** *Le Scaphandre et le Papillon*? **Notez P pour une attitude positive ou N pour une attitude négative.**

Écrire 6 **Écrivez la critique d'un film que vous avez vu.**

● Il faut inclure: le titre, le nom du réalisateur, le genre du film.

● Il faut résumer l'histoire.

● Il faut commenter l'interprétation, l'image, la musique, le scénario, les effets spéciaux.

● Recommandez-vous ce film? (de ★ à ★★★★★)

Parler 7 **Dans votre classe, organisez un forum dédié au cinéma. Chacun présente sa critique d'un film.** Chaque participant doit poser une question ou faire un commentaire.

> Je ne peux pas supporter cet acteur.

> Le scénario ne tient pas debout.

L'histoire se passe/traite de …
L'intrigue s'avère intéressante/confuse
Au niveau de l'interprétation … Dans le rôle de …
Les acteurs sont …
L'image est …
La bande son est …
Le scénario est …/les dialogues sont bien/mal écrits.
Les décors sont … Les effets spéciaux sont …
Le réalisateur a bien/mal …
Un film qui vaut le coup/mérite d'être vu.
J'ai vu la version sous-titrée/originale.

réaliste	réussi	superbe
magnifique	sublime	original
intense	émouvant	talentueux
insupportable	insipide	interminable
décevant	agaçant	raté
prévisible		

1

On émergeait du livre bouleversé et désireux comme jamais de profiter de la vie. Ce très beau film produit le même effet.

2

L'adaptation du récit autobiographique donne lieu au plus navrant trafic de sentimentalité et d'imagerie.

3

Un film magnifique qui travaille longtemps après qu'on l'a vu.

4

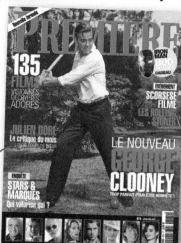

Pirouettes formelles et grosses ficelles lacrymales: dans un cas comme dans l'autre, c'est raté.

5

Nous avons tous à apprendre de celui qui a écrit *Le Scaphandre et le Papillon*. Et de celui qui met aujourd'hui ce livre en images, comme on dirait en musique, pour le faire retentir magnifiquement.

t Parler de l'évolution du cinéma
g Le futur antérieur
s Évaluer les avantages et les inconvénients

4 Moteur … Action!

Le cinéma français est le premier d'Europe. Pour beaucoup de gens le cinéma constitue un moyen d'évasion. En général, c'est un loisir hivernal et aussi un loisir de week-end.

Beaucoup de films figurant aux premières places du hit-parade cinématographique sont produits spécialement pour un jeune public amateur d'aventures, de fantastique et d'effets spéciaux: la plupart sont américains. Mais, si les jeunes aiment les films qui font peur, ils apprécient aussi ceux qui font rire.

Outre les films à grand spectacle, la production s'est orientée dans plusieurs directions au cours des dernières années: films d'horreur, films engagés dénonçant les grands problèmes du monde (trafic de drogue, d'armes, pratiques douteuses de certaines entreprises multinationales …). On observe toujours un intérêt pour les films romantiques positifs et «gentils», en contrepoint aux films violents, cyniques et «méchants» …

Lire 1 Trouvez des synonymes de ces expressions dans le passage.

1 le plus important
2 une façon de se distraire
3 qui occupent
4 qui aime
5 la majorité
6 en plus
7 s'est tournée
8 qui révèlent
9 à l'opposé de

Écouter 2 Écoutez ce passage. Écrivez la lettre correspondant à la bonne réponse.

1 Les Français visionnent
  a moins de films à la maison.
  b le même nombre de films dans les salles qu'à la maison.
  c plus de films chez eux qu'au cinéma.

2 Le DVD
  a n'a eu aucun effet sur le cinéma.
  b est visionné au cinéma.
  c connaît un grand succès.

3 Selon le passage, les DVD sont disponibles
  a six jours après la sortie des films en salles.
  b six mois après la sortie des films en salles.
  c six semaines après la sortie des films en salles.

4 On peut aussi
  a télécharger les films.
  b regarder les films sur son portable.
  c enregistrer les films.

5 La technologie évolue
  a rapidement.
  b de moins en moins rapidement.
  c de plus en plus lentement.

i Les frères Lumière

Auguste et Louis Lumière sont deux ingénieurs qui ont joué un rôle primordial dans l'histoire du cinéma. Bien qu'ils n'aient pas inventé le cinématographe, ils sont néanmoins les inventeurs de l'exploitation commerciale de la cinématographie dans les cinémas en 1895. La première projection publique a lieu au Salon indien du Grand Café à Paris le 28 décembre 1895.

Lire 3 Relevez les verbes des phrases suivantes. Notez également leur infinitif.

En 2050 …

1 Le numérique aura remplacé l'analogue à 100%.

2 Les salles de cinéma auront fermé leurs portes.

3 Les DVD auront disparu.

4 Tout le monde aura installé l'e-cinéma chez soi.

5 Le cinéma 3D sera redevenu à la mode.

6 Il y aura eu beaucoup de changements.

7 Les méthodes de projection auront changé.

8 On aura inventé des écrans interactifs.

9 On aura restauré tous les films classiques du vingtième siècle.

10 Les réalisateurs auront découvert de nouveaux effets spéciaux extraordinaires.

Écrire 4 Écrivez ces verbes au futur antérieur.

En 2050 …
1 Je (**voir**) beaucoup de films.
2 Il y (**avoir**) une révolution.
3 Mon ami (**installer**) un cinéma à domicile.
4 Les caméscopes (**disparaître**).
5 Nous (**choisir**) tous la VOD.
6 Vous (**vendre**) votre poste de télévision.
7 Un nouveau genre de cinéma (**arriver**).
8 La production (**s'orienter**) vers des films interactifs.

Grammaire

Le futur antérieur (*the future perfect*)

The future perfect translates as *will have*. It is a compound tense formed by using the future tense of the appropriate auxiliary + the past participle.

En 2050, les salles de cinéma **auront fermé** leurs portes.
In 2050, cinemas *will have closed* their doors.
Le cinéma 3D **sera redevenu** à la mode.
3D cinema *will have come back* in fashion.

Auxiliary **avoir**	+ past participle	Auxiliary **être**	+ past participle	ending
j'aur**ai**	changé	je ser**ai**	mort	**+ e/s/es**
tu aur**as**	remplacé	tu ser**as**	retourné	
il/elle/on aur**a**	fermé	il/elle/on ser**a**	arrivé	
nous aur**ons**	fini	nous ser**ons**	parti	
vous aur**ez**	perdu	vous ser**ez**	entré	
ils/elles aur**ont**	disparu	ils/elles ser**ont**	venu	
	vu		redevenu	
		Reflexive form:	+ other **être** verbs	
		je me ser**ai**		
		tu te ser**as**		
		il/elle/on se ser**a**		
		nous nous ser**ons**		
		vous vous ser**ez**		
		ils/elles se ser**ont**		

The future perfect is sometimes used in French where we would not use it in English. After certain conjunctions like **quand**, **lorsque** (*when*), **dès que**, **aussitôt que** (*as soon as*).
Je le regarderai **quand j'aurai fini**. I will watch it when I have finished.

Parler 5 À deux, répondez à ces questions. Justifiez-vous!

1 Êtes-vous canapé et pizza ou cinéma et pop-corn?
2 Êtes-vous cinéma multiplexe ou cinéma de quartier?
3 Êtes-vous 3D ou vieux films en noir et blanc?
4 Préféreriez-vous être devant ou derrière la caméra?
5 Êtes-vous version originale sous-titrée ou version doublée?
6 Êtes-vous magasin de location ou téléchargement légal?
7 Êtes-vous ciné américain ou européen?
8 Êtes-vous gros budget ou moyens du bord?
9 Êtes-vous plutôt traditionnel ou plutôt interactif?

Écrire 6 Êtes-vous d'accord avec cette déclaration? Expliquez-vous en 200 mots minimum.

> On ne va plus au cinéma …
> désormais, le salon c'est le cinéma.

 Often, you need to compare ideas to show that you have understood and are able to express two sides of an argument before giving your point of view.

L'un des avantages, c'est que …/L'un des inconvénients c'est que …
D'un côté …/De l'autre …/D'un autre côté …
D'une part …/D'autre part …
En revanche …/Par contre …/Le revers de la médaille, c'est que …
Tandis que …/Alors que …

intime	sortir vraiment au lieu de rester à la maison	apprécier le montage/l'image/les effets spéciaux/les techniques
plus de choix	traditionnel	économiser de l'argent
plus d'ambiance	moderne	visionner ce que l'on veut lorsqu'on veut
plus de souplesse	pratique	profiter d'un choix énorme
le grand écran	jouer	
la meilleure option	réaliser	
l'expérience	se concentrer sur l'histoire	

t	Parler de la mode
g	• Les verbes impersonnels • **faire** + infinitif
s	Remplacer le verbe **penser** par d'autres verbes

5 T'es tendance?

Lire 1
Lisez les opinions de ces jeunes sur la mode et reliez les moitiés de phrases suivantes.

1 **cachou35** estime qu' …
2 **Niko** pense qu' …
3 **bogosse** considère que …
4 **nanou77** croit qu' …
5 **ptite_lily** est convaincue qu' …
6 **JemzBond007** prétend que …
7 **Benji** est de l'avis que …
8 **franfeluche** est persuadée qu' …
9 **TiBo** constate que le problème c'est qu' …
10 **msieu_alx** remarque que …

a il n'est pas essentiel de suivre la mode.
b il faut rejeter les conventions.
c elle s'en fiche de plaire aux autres.
d la mode, c'est un code à respecter.
e nous vivons dans un monde qui attache beaucoup d'importance à l'image.
f le désir d'être rebelle mène au conformisme.
g il faut imiter les stars pour être à la mode.
h l'importance attachée à un sac à dos est absurde.
i il faut suivre le troupeau.
j les tendances du moment n'ont aucune importance.

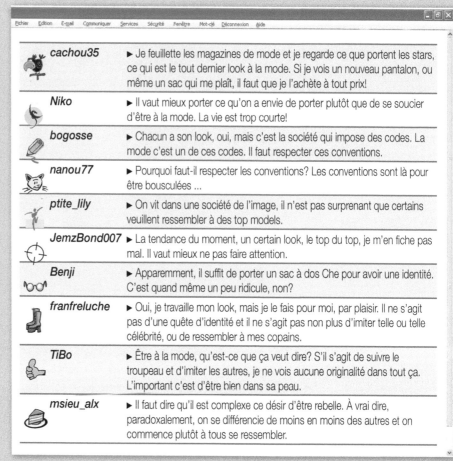

cachou35 ▸ Je feuillette les magazines de mode et je regarde ce que portent les stars, ce qui est le tout dernier look à la mode. Si je vois un nouveau pantalon, ou même un sac qui me plaît, il faut que je l'achète à tout prix!

Niko ▸ Il vaut mieux porter ce qu'on a envie de porter plutôt que de se soucier d'être à la mode. La vie est trop courte!

bogosse ▸ Chacun a son look, oui, mais c'est la société qui impose des codes. La mode c'est un de ces codes. Il faut respecter ces conventions.

nanou77 ▸ Pourquoi faut-il respecter les conventions? Les conventions sont là pour être bousculées …

ptite_lily ▸ On vit dans une société de l'image, il n'est pas surprenant que certains veuillent ressembler à des top models.

JemzBond007 ▸ La tendance du moment, un certain look, le top du top, je m'en fiche pas mal. Il vaut mieux ne pas faire attention.

Benji ▸ Apparemment, il suffit de porter un sac à dos Che pour avoir une identité. C'est quand même un peu ridicule, non?

franfreluche ▸ Oui, je travaille mon look, mais je le fais pour moi, par plaisir. Il ne s'agit pas d'une quête d'identité et il ne s'agit pas non plus d'imiter telle ou telle célébrité, ou de ressembler à mes copains.

TiBo ▸ Être à la mode, qu'est-ce que ça veut dire? S'il s'agit de suivre le troupeau et d'imiter les autres, je ne vois aucune originalité dans tout ça. L'important c'est d'être bien dans sa peau.

msieu_alx ▸ Il faut dire qu'il est complexe ce désir d'être rebelle. À vrai dire, paradoxalement, on se différencie de moins en moins des autres et on commence plutôt à tous se ressembler.

Make a list of all the verbs that were used to express the verb *to think/to assert*. Use these verbs in your own work. When you are about to say or write **penser**, try to use a verb which is richer and less predictable. Set yourself a goal of using **penser** only once in an essay or conversation and use synonyms in the rest of the time. Keep adding to your list of alternatives.

À Paris, Berlin, Barcelone et Milan, la photographe Catherine Balet a fait la sortie des lycées pour capturer les looks des 13–19 ans. À l'arrivée, un patchwork de logos, de rébellion, de luxe et de musique, recensé dans un livre et une exposition.

«Les looks des adolescents sont très marqués: leur dégaine exprime leur volonté d'être différent, voire rebelle. Même s'il existe toujours une cohorte de jeunes gens assez ternes, habillés en bleu marine par exemple, ou encore, depuis peu, des «no-looks» qui choisissent de ne pas porter de marques, les différentes allures à la disposition des 13–19 ans n'ont rien à voir avec celles en vogue dans les années 50, 60 ou 70 … Ces adolescents se définissent eux-mêmes comme «lolita», «urban chic», «goth», «skateur» etc. tout en rejetant l'idée de tribu. Ils disaient souvent: «je génère mon propre style», «Avec ce style je montre que je ne suis pas comme les autres», alors qu'en fait ils étaient habillés comme leurs camarades.

C'est vrai que l'on constate une uniformisation: mêmes groupes de musique, mêmes idoles. Malgré tout on saisit les différences. À Londres, c'est l'éternel conflit entre le carcan de l'uniforme et l'esprit rebelle. À Milan, un certain classicisme et le respect des codes de l'élégance malgré tout; à Barcelone l'explosion de créativité; à Paris un éventail assez large de genres, et à Berlin, beaucoup plus extrême, une grande influence punk …»

Ados, le grand vestiaire

Lire 2
Trouvez l'équivalent de ces expressions en anglais dans l'article.

1 their desire to be different
2 who choose not to wear labels
3 These adolescents define themselves as
4 I create my own style
5 in fact they were dressed like their friends
6 you can see uniformity
7 you can perceive differences
8 quite a broad span of types

Lire 3 Indiquez si les phrases sont vraies (V) fausses (F) ou si l'information n'est pas donnée (ND). Corrigez les phrases qui sont fausses.

1 Catherine Balet a publié un livre de portraits.
2 Elle a pris toutes ses photos à la sortie du métro.
3 Les «no-looks» ne portent pas de marques.
4 Les «streets» sont nombreux.
5 Les adolescents acceptent l'idée de tribu.
6 À Londres, les jeunes résistent à l'uniforme.
7 À Milan, ils portent de très belles chaussures.
8 À Berlin, les jeunes sont plutôt conservateurs.

Écouter 4 Trouvez ces informations et écrivez votre réponse en anglais.

1 Who was involved in Catherine Balet's project.
2 The significance of the backpack for young people.
3 How girls tend to dress.

Écrire 5 Traduisez ces phrases en français.

1 It is better to wear what you feel like wearing.
2 It is necessary to respect the conventions of fashion.
3 It is a question of recognising the desire to be a rebel.
4 It is better not to follow the herd.
5 It is necessary to create one's own style.
6 It has always been necessary to follow fashion.
7 It is not a question of imitating others.

Parler 6 Répondez à ces questions.

Look, piercing, tatouage, scarifications

De quoi s'agit-il?
Que pensez-vous des tatouages et des piercings?
Êtes-vous à la mode?
Pourquoi les gens ont-ils des tatouages, à votre avis?
À votre avis, est-ce que la mode a une bonne ou une mauvaise influence sur les jeunes?

Grammaire

Les verbes impersonnels (*impersonal verbs*)

These verbs and expressions exist only in the **il** form. They are generally translated by *it* and are mostly followed by the infinitive.

il s'agit de	*it is a question of …*
il semble	*it seems …*
il faut + inf	*it is necessary/must …*
il faut que + subjunctive	*it is necessary that …*
il vaut mieux	*it is better to …*
il suffit de	*it is enough to …*
il se peut que	*it is possible that …*
il est essentiel	*it is essential …*

Il faut avoir son propre style. **Il faut que** tu te sentes bien dans ta peau.

Grammaire

faire + infinitive = *to have or to get something done, to make something happen or to make someone do something*
Je voudrais me **faire tatouer**. I would like *to have* myself *tattooed*.
Elle **m'a fait teindre** mes cheveux en noir. She *made me dye* my hair black.

Écrire 7 Aidez la pauvre Christelle! Répondez-lui! (environ 200 mots)

Ma mère me terrorise!

Je voudrais me faire tatouer, mais ma mère ne veut pas … Je voudrais porter ce que je veux, mais ma mère ne veut pas … Elle fait faire mes vêtements. Elle tisse le tissu elle-même et elle utilise la laine de nos moutons. Elle teint les tissus avec des teintures faites avec les plantes du jardin. Ensuite elle fait venir la couturière et ensemble elles créent des modèles impossibles. Quand je débarque en cours, tout le monde éclate de rire, tant j'ai l'air d'un épouvantail. Et puis aussi, ma mère m'accuse de ne pas prendre au sérieux le développement durable. C'est injuste.

Christelle

PS J'ai oublié de vous dire que tous les week-ends, elle ne me laisse pas sortir et me fait participer à des manifs de Greenpeace. Je n'en peux plus. Au secours!

6 Mincir ou maigrir?

t Discuter de la perte de poids

g Le participe présent

s Répondre en changeant la forme des verbes

Écouter 1 Dans ce passage, une lycéenne, Camille, parle de l'amaigrissement. Choisissez la bonne réponse.

1 Camille trouve que dans les magazines de mode …
  A les mannequins sont belles.
  B les mannequins sont bêtes.
  C les mannequins sont trop minces.

2 Les amies de Camille ont peur …
  A de devenir malades.
  B de devenir grosses.
  C de devenir maigres.

3 Une de ses amies …
  A a besoin de faire un régime.
  B refuse de suivre un régime.
  C est toujours en train de faire un régime.

4 Camille s'autorise à manger des choses grasses …
  A une fois par semaine.
  B deux fois par semaine.
  C trois fois par semaine.

5 Pour aller à l'école …
  A Elle y va toujours à vélo.
  B Elle y va quelquefois à vélo.
  C Elle n'y va jamais à vélo.

6 Elle trouve …
  A qu'elle est trop maigre.
  B qu'elle est trop grosse.
  C qu'elle a un poids normal.

Lire 2 Complétez ce paragraphe, puis vérifiez en réécoutant.

Camille n'est pas obsédée par **1** _____, contrairement à certaines de ses amies. Elle trouve qu'on peut aller trop loin en se comparant à des **2** _____ et en essayant de leur ressembler. Au lieu de suivre un régime, elle garde la forme en faisant **3** _____ à ce qu'elle mange, ou plutôt en mangeant **4** _____, en évitant de manger souvent des choses trop grasses ou trop **5** _____ et en consacrant un peu de temps chaque jour à **6** _____.

| la peau | attention | sucrées | maigre |
| l'activité physique | mannequins | son poids | équilibré |

Grammaire

Le participe présent *(the present participle)*

You use the present participle with **en** to mean *by (do)-ing* or *while (do)-ing*.

To form the present participle, take the **nous** form of the verb in the present tense, remove the **-ons** ending and replace it with **-ant**.

nous suivons → suiv- → suivant: **En suivant** soigneusement ce régime, elle a perdu trois kilos.

Exceptions: être → **ét**ant; savoir → **sach**ant

Note the position of the negative with the present participle:

On peut garder la forme en **ne** mangeant **pas** trop gras.

The participle can sometimes be used without **en** to mean simply *(do)-ing*.

Sachant qu'elle a tendance à grignoter, je l'ai encouragée à manger des fruits secs.

à l'examen

In an exam-style listening task like this:

- look and listen for paraphrasing (e.g. **ne pas avoir un kilo de trop = être mince**);
- pay careful attention to detail (e.g. **Je suis maigre/Je suis *loin d'être* maigre**);
- and to small words which alter meaning (e.g. **Je *ne* me permets d'en manger *que* … fois par semaine (ne … que)**).

Lire 3 Traduisez en anglais le texte de l'exercice 2, en faisant surtout attention aux participes présents.

Écrire 4 Complétez ces phrases avec vos propres idées et en utilisant des participes présents.

1 Si on a quelques kilos en trop, on pourra perdre du poids _____.
2 On peut éviter d'avoir faim pendant la matinée _____.
3 _____, les mannequins arrivent à rester très minces.
4 J'ai réussi à faire plus d'exercice _____.
5 _____, on risque de devenir obsédé par le poids.
6 J'ai un ami qui s'est rendu malade _____.
7 Tu pourrais améliorer ton alimentation _____.
8 Malheureusement, _____ il est devenu obèse.

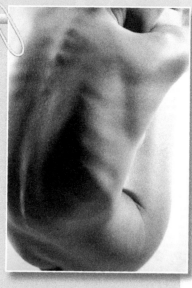

À 16 ans, Claire est devenue assez ronde. Elle mangeait très mal, comme beaucoup d'ados. Elle a fait un régime toute seule, et elle a retrouvé un poids normal. Mais elle ne s'est pas arrêtée là … Un jour, en me montrant de nouveaux sous-vêtements, elle m'a donné un choc: elle était vraiment maigre. Je lui ai dit d'arrêter son régime tout de suite, mais elle se trouvait bien comme ça.

Elle continuait à maigrir et pourtant je la voyais manger. J'ai fini par comprendre qu'elle trichait, en se faisant vomir après chaque repas. Son apparence a rapidement changé. Les yeux lui sortaient de la tête tant ses joues étaient creuses. Elle ne riait plus. Un zombie. Elle est tombée à 30 kilos, pour 1m62. Toutes les semaines, le médecin la pesait, mais Claire cachait son vrai poids en mettant de petites bouteilles de parfum dans ses poches avant de monter sur la balance.

À 18 ans, hyper maigre, affaiblie, elle se tenait aux meubles pour marcher. Pour monter dans le bus, il lui fallait porter sa jambe. Mais ça ne l'empêchait pas de focaliser sur ses genoux, de les trouver gros. Elle est allée voir plusieurs psychiatres, sans succès. Sachant que j'étais désespérée, elle a enfin accepté d'être hospitalisée, mais elle m'appelait sans cesse, criant qu'elle était là contre sa volonté. Malheureusement, étant majeure, elle a eu le droit de signer son propre bulletin de sortie et elle est rentrée. Claire était au pire de la maladie, mais j'étais toujours déterminée à gagner cette guerre. Peu à peu, on s'est mis à négocier sur son poids. Je disais 50 kg, elle répondait «Ah non, je vais être énorme!». Alors, on disait 45 kg. Et ainsi de suite. Petit à petit, elle a accepté de remanger. Aujourd'hui, elle est mince mais elle n'est plus maigre. Je pense qu'elle ne rechutera pas. Je ne sais toujours pas ce qui a fait qu'elle s'en est sortie, pourquoi d'un coup elle s'est remise à s'alimenter. Claire non plus ne peut pas l'expliquer. Mais elle, elle est certaine que ça l'a aidée de sentir que sa mère était là. Elle a dit: «Maman, tu m'as donné deux fois la vie.»

rond	round, plump
peser	to weigh
balance (f)	scales
joue (f)	cheek
creux (-se)	hollow
faible/affaibli	weak/weakened
meuble (m)	(piece of) furniture
désespéré	desperate
majeur	of age (i.e. over 18)
se remettre à	to start (something) again

Lire 5 Marie Philippe parle de sa bataille contre l'anorexie dont souffrait sa fille, Claire. Lisez son histoire vraie et répondez aux questions en français.

1 Comment Claire a-t-elle commencé à prendre du poids?
2 À quel moment la mère de Claire s'est-elle rendue compte que Claire était trop maigre?
3 Que faisait Claire pour donner à sa mère l'impression qu'elle mangeait?
4 Pourquoi Claire mettait-elle des bouteilles de parfum dans ses poches quand elle allait chez le médecin?
5 Comment sait-on que Claire était très faible à cause de l'anorexie? (Donnez deux exemples.)
6 Pourquoi Claire a-t-elle eu le droit de quitter l'hôpital?
7 Comment sa mère a-t-elle encouragé Claire à recommencer à manger?
8 Selon Claire, comment a-t-elle pu se sortir de cette maladie atroce?

à l'examen

- Use synonyms (e.g. **être majeur** = **avoir 18 ans**), or paraphrase (e.g. *by eating badly* → *by not eating very well*).
- Show that you can manipulate the language. Instead of **elle tenait les meubles pour marcher**, try saying *she couldn't walk without holding the furniture* (**sans** + infinitive).
- Think carefully about what tense or verb form to use.
- Some questions with **comment …?** can be answered using a present participle.
- Some **pourquoi …?** questions can be answered with **pour** + infinitive (*in order to (do something)*).
- **À quel moment …?** questions can often be answered with **Au moment où …**

Parler 6 «De nos jours, les célébrités et les mannequins trop maigres donnent un mauvais exemple aux jeunes filles.» Qu'en pensez-vous? Préparez des notes sur votre point de vue et discutez à deux.

être la faute de	to be the fault of
être responsable (de)	to be responsible (for)
reprocher à quelqu'un de (+ nom ou inf)	to blame someone for (+ noun or inf)

Exemple:
Je suis partiellement d'accord avec cette déclaration, puisque beaucoup de jeunes filles veulent imiter/ressembler à … À mon avis, l'industrie de la mode devrait … Pourtant, on ne peut pas reprocher seulement … C'est aussi la faute de … S'ils s'occupaient plus de …

Écrire 7 Écrivez un paragraphe pour exprimer votre réaction à la déclaration de l'exercice 6. Utilisez au moins deux participes présents et deux propositions avec *si*.

7 Les coulisses de la célébrité

«La gloire: être reconnu par le plus grand nombre», répond Marie Haddou, la psy du premier *Loft*. Aujourd'hui la réussite se mesure à la capacité de faire parler de soi. Heureusement, beaucoup d'entre nous ne sont pas obsédés par le succès …

L'argent et la reconnaissance sont les deux trophées de la célébrité. Il suffit de lire les journaux à potins pour voir que les stars s'éclatent: shopping de luxe, vacances à Malibu … La célébrité, ça peut rapporter gros côté portefeuille … et cœur! Quand on est célèbre, les gens vous aiment: dans les lieux publics, ils veulent absolument vous embrasser, vous toucher.

La confusion entre l'image publique et privée, en revanche, guette la star, avec à la clé, la perte de son identité. Explication: à force de n'être qu'une image, qu'un personnage public, que devient le personnage privé? Un des aspects négatifs de la célébrité est la perte de l'intimité. «Dans la vie, l'intimité permet de faire ce qu'on a envie de faire, d'être soi-même, naturel, authentique … de sortir du rôle social», commente Marie Haddou. «Perdre l'intimité rend très vulnérable.» À partir du moment où on n'a plus un moment à soi, on court le risque de se perdre.

Pourquoi veulent-ils tous devenir célèbres?
Quels sont les avantages et les inconvénients de faire la une des magazines?

 Lire 1 **Lisez et écoutez. Terminez ces phrases en anglais.**

1 Nowadays, success is measured by …
2 The two benefits of being a celebrity are …
3 In the gossip magazines, you can read about …
4 When you are famous, people love you. In public places …
5 The confusion between public and private image can lead to …
6 In life, privacy allows one to be …
7 Losing this privacy makes one …
8 As soon as you do not have time to yourself, you …

Écouter 2 **Écoutez cette interview de Mathilde Seigner. Écrivez la lettre correspondant à la bonne réponse.**

1 **Selon Mathilde Seigner: être observée constamment, c'est**
  a son métier.
  b un aspect négatif de son métier.
  c quelque chose dont elle n'a pas fait l'expérience.

2 **Elle trouve que les célébrités sont**
  a poursuivies toute l'année.
  b tranquilles une partie de l'année.
  c jugées toute l'année.

3 **Les actrices deviennent**
  a obsédées.   b fatiguées.   c décortiquées.

4 **À un moment, Mathilde a cru qu'elle était**
  a trop grosse.   b trop laide.   c trop solide.

5 **Elle estime que les actrices veulent**
  a qu'on les respecte.   b qu'on les aime.   c qu'on les photographie.

Écouter 3 **Écoutez cet entretien avec une célébrité de l'émission de télé-réalité *Le Loft*. Remplissez les blancs avec les verbes de la liste ci-dessous.**

«Il faut dire que j'ai beaucoup de regrets. Si j'avais su comment ça se passerait, **1**_____ au *Loft*. Ce n'est pas facile, vous savez, d'être constamment espionnée, d'être toujours sous les feux des projecteurs. **2**_____ toutes ces bêtises devant tout le monde. **3** _____ avec mon petit ami et **4**_____ de mes amis ni de ma famille.

À vrai dire, je n'ai rien compris au jeu … Mais je voulais absolument être célèbre! Je voulais que les gens parlent de moi. Quand je suis sortie du jeu, d'accord j'ai eu mon quart d'heure de célébrité, j'ai adoré qu'on me reconnaisse. J'ai adoré signer des autographes. J'ai gagné beaucoup d'argent, oui, mais maintenant il ne reste plus rien. **5**_____ mon appartement au lieu de le vendre. Si j'avais su que je perdrais tout cet argent, **6**_____ en vacances. **7**_____ l'argent que j'avais gagné, mais j'ai tout dépensé. J'aurais dû garder la tête froide. **8**_____ que ça ne pouvait pas durer …»

je n'aurais pas parlé
je ne serais pas partie
je n'aurais pas rompu
j'aurais dû me rendre compte
je ne me serais jamais présentée
je n'aurais pas dit
j'aurais dû garder
j'aurais dû investir

Another way to express a hypothesis is by using these phrases.
Je suppose que … (*I suppose*) J'imagine que … (*I imagine*) Je présume que … (*I assume*)
Je suppose que la plupart des célébrités ont du talent.
J'imagine qu'à l'avenir, je serai célèbre pour mes exploits sportifs.
Je présume que dans 50 ans, les journaux à potins n'existeront plus.

Écrire 4 Traduisez ce passage en français.

If I had won, I would have been famous. I would have travelled with my boyfriend. We would have gone to Australia for two months. We would have had a great time. People would have recognised me on the street. What would you have done in my shoes?

Lire 5 Choisissez le mot correct.

Les people les plus mal habillées sont …

Les Britanniques Victoria Beckham et Amy Winehouse **1 figure/figurent** en tête du classement des célébrités les plus mal **2 habillé/habillées** révélé aujourd'hui par un féroce critique de mode américain surnommé «Mr Blackwell», institution **3 hollywoodienne/hollywoodiennes** depuis près d'un demi-siècle.

Dans **4 ce/cet** classement d'infamie, l'épouse du footballeur David Beckham est épinglée pour **5 sa/ses** minijupes, «mini-monstruosités». Derrière la chanteuse Amy Winehouse, sujette à des rumeurs d'**6 usage/usager** de drogue, la troisième de cette compilation est l'actrice Mary-Kate Olsen, «un cure-dents balayé par une tornade».

Parler 6 À deux préparez une réponse aux questions suivantes.

1 Pourquoi les gens veulent-ils devenir célèbres?
2 Quels sont les avantages et les inconvénients de faire la une des magazines?
3 Aimeriez-vous être célèbre?

Écrire 7 Écrivez un article pour le journal de l'école dans lequel vous expliquerez le phénomène de la célébrité (200 mots minimum).

«Je veux être l'étoile qui brille dans les yeux des gens …»
Pourquoi les gens rêvent-ils d'être célèbres?

Grammaire

Le conditionnel passé (*the conditional perfect*)

The conditional perfect translates as *would have*. It is a compound tense formed by using the conditional tense of the appropriate auxiliary plus the past participle.

Auxiliary **avoir**	+ past participle	Auxiliary **être**	+ past participle	ending
j'aur**ais**	acheté	je ser**ais**	allé	+ **e/s/es**
tu aur**ais**	essayé	tu ser**ais**	retourné	
il/elle/on aur**ait**	gardé	il/elle/on ser**ait**	arrivé	
nous aur**ions**	vendu	nous ser**ions**	parti	
vous aur**iez**	su	vous ser**iez**	entré	
ils/elles aur**aient**	pris	ils/elles ser**aient**	venu	
	pu	reflexive form:	+ other	
	écrit	je me ser**ais**	**être** verbs	
		tu te ser**ais**		
		il/elle/on se ser**ait**		
		nous nous ser**ions**		
		vous vous ser**iez**		
		ils/elles se ser**aient**		

Je n'aurais pas dû acheter ce sac Gucci. = *I should not have bought that Gucci bag.*

Take care not to confuse the conditional perfect with the future perfect.
J'aurai acheté = *I will have bought*
J'aurai**s** acheté = *I would have bought*

To make a supposition in the past use **si** with the pluperfect then the conditional perfect.
Si j'avais su comment ce serait, **je** ne **me serais** jamais **présentée** au Loft. *If I had known how it would be, I would never have put myself forward for Big Brother.*

 To ensure you show you can use a range of tenses and structures, aim to include:

- a good opinion-giving phrase;
- a hypothetical sentence using **si**;
- a hypothesis using **je présume/je suppose/j'imagine**;
- an example of the subjunctive;
- an example of the conditional perfect.

faire parler de soi
être obsédé par le succès
avoir de l'argent et la reconnaissance
la perte de l'identité
être espionné/critiqué/jugé/exposé
perdre son intimité
être toujours sur la scène publique
être riche et célèbre: les nouveaux codes du bonheur
avoir des tendances exhibitionnistes
être narcissique/en quête de reconnaissance

Décrire une chanson — *Describing a song*

banal	*banal*	niais	*silly*
triste	*sad*	prétentieux(se)	*pretentious*
superficiel	*shallow*	monotone	*monotonous*
tragique	*tragic*	rétro	*retro*
optimiste	*optimistic*	sérieux(se)	*serious*
agréable	*pleasant*	sans émotion	*devoid of feeling*
reposant	*restful*	intelligent	*intelligent*
original	*original*	simple	*simple*
gai	*joyful*	varié	*varied*
profond	*deep*	avant-garde	*avant-garde*
léger	*light-hearted*	le genre/style de musique	*music genre/style*
pessimiste	*pessimistic*	la musique (de variété)	*(light) music*
désagréable	*unpleasant*	la chanson à texte/d'auteur	*song with a message*
stressant	*stressful*	la chanson engagée	*protest song*
rigolo	*funny*	les paroles (f)	*lyrics*
romantique	*romantic*		

Décrire un chanteur/un groupe — *Describing a singer/a group*

le chanteur/la chanteuse (de variétés)	*(pop) singer*	le disque d'or	*gold record*
l'interprète (m/f)	*performer*	connu	*famous*
l'auteur-compositeur-interprète (m/f)	*writer-composer-performer*	intitulé	*called*
		acoustique	*acoustic*
le géant	*giant*	électrique	*electric*
le/la guitariste	*guitar player*	élu	*elected, chosen*
le batteur/la batteuse	*drummer*	plongé (dans un univers musical)	*steeped (in a music world)*
le gagnant/la gagnante	*winner*	enregistré	*recorded*
le nominé	*short-listed candidate*	chanter	*to sing*
le studio	*studio*	composer	*to compose*
la sonorité	*sound*	gagner	*to win*
le nom de scène	*stage name*	sortir victorieux(se) de	*to win*
le casting	*audition*	sortir (un album)	*to bring out (an album)*
le concours (musical télévisé)	*(TV music) competition*	se vendre à X exemplaires	*to sell X copies*
le concert	*concert*	remporter/rencontrer un (grand) succès	*to be (very) successful*
la tournée	*tour*		
le DVD live	*DVD of a live concert*	prévoir la sortie de	*to plan to bring out*
le hit-parade	*charts*		

L'ère du numérique — *The digital age*

la musique numérique	*digital music*	l'industrie (f) de la musique	*music industry*
le consommateur	*consumer*	le canal de distribution	*distribution channel*
le baladeur numérique	*digital personal stereo*	le taux de croissance	*growth rate*
le baladeur CD	*CD personal stereo*	le revenu	*income*
l'appareil (m)	*piece of equipment*	la maison de disques	*record company*
la grande marque	*major brand*	la distribution en ligne	*online distribution*
le dernier gadget à la mode	*latest gadget*	proposé	*offered*
le téléchargement de musique	*music downloading*	tenir absolument à	*to absolutely want to*
la capacité de mémoire du lecteur	*memory capacity of the player*	posséder	*to own*
le format numérique	*digital format*	profiter à	*to benefit*
le mode d'achat	*purchasing method*		

Musique et identité
Music and identity

la gratte (fam)	*guitar*
le morceau (de musique)	*piece (of music)*
l'artiste (m/f)	*musician*
le street	*youth culture sub-group*
le rock	*rock music*
le rap	*rap*
le hip-hop	*hip-hop*
le courant (musical)	*(music) trend*
l'amoureux (m) (du jazz)	*(jazz) lover*
le beatnik	*beatnik*
le pull à col roulé	*polo neck jumper*
le pantalon en cuir	*leather trousers*
la coupe de cheveux	*haircut*
les transports (m)	*means of transport*
l'environnement (m)	*environment*
la pratique (culturelle)	*(cultural) practice*
la soirée	*evening party*
le micro-ordinateur	*personal computer*
la chaîne hi-fi	*hi-fi*
le support (numérique)	*(digital) medium*
le réseau pair à pair	*P2P network*
la (non-) rémunération	*(non) payment*
la passion	*passion*
l'univers (m)	*universe*
la composante	*component*

le souci	*worry*
le souvenir	*memory*
la distraction	*entertainment*
la reconnaissance	*acknowledgment*
la différenciation	*differentiation*
vital	*vital*
calme	*calm*
de bonne/meilleure humeur	*in a good/better mood*
particulier	*particular*
marrant	*funny, peculiar*
typique	*typical*
compatible	*compatible*
oublier	*to forget*
échanger	*to swap*
définir	*to define*
emporter	*to take away*
naviguer sur	*to surf*
se concentrer (sur)	*to concentrate (on)*
s'entourer de	*to surround oneself with*
se différencier de	*to distinguish oneself from*
se faire découvrir qqch	*to make each other discover sth*
graver une compilation	*to cut a compilation*
attacher de l'importance à	*to set great store by*
faire partie intégrante de	*to be fully part of*

Faire une critique de film   *Writing a film review*

le/la critique	*reviewer*
l'acteur/l'actrice	*actor*
le producteur/la productrice	*(film) producer*
le réalisateur	*director, film-maker*
le juré	*juror*
le festival	*festival*
la critique	*review*
le projet	*project*
le titre	*title*
l'histoire (f)	*story*
le récit (autobiographique)	*(autobiographical) story*
l'adaptation (f)	*adaptation*
l'interprétation (f)	*performance*
l'image (f)	*photography*
le scénario	*scenario*
l'effet spécial	*special effect*
le trafic	*dealings*
la sentimentalité	*soppiness*
l'imagerie (f)	*imagery*

la (grosse) ficelle	*(unsubtle) trick*
émouvant	*moving*
navrant	*depressing*
magnifique	*superb*
lacrymal	*tear-inducing*
c'est raté	*it's a failure*
pressentir	*to approach*
incarner	*to play (the role of)*
adorer	*to love*
émerger	*to come out*
bouleverser	*to move deeply*
impressionner	*to impress*
retentir	*to resonate*
produire (le même) effet	*to have (the same) effect*
travailler qqn	*to move, have an effect on sb*
mettre en images	*to illustrate*
mettre en musique	*to set to music*
ça ne tient pas debout	*it doesn't have a leg to stand on*
je ne peux pas supporter	*I can't stand*

Vocabulaire

Évolution du cinéma — *Evolution in cinema*

la sortie en salle	cinema release	l'inventeur (m)	inventor
le visionnage	viewing	l'exploitation commerciale	commercial exploitation
le cinéma à domicile	home cinema	la projection	screening
l'écran interactif	interactive screen	l'analogue (m)	analogue
le cinéma multiplexe	multiplex cinema	le caméscope	camcorder
le cinéma de quartier	local cinema	le magasin de location	hire shop
le hit-parade cinématographique	most successful films	le gros budget	big budget
le film 3D	3D film	les moyens (m) du bord	small budget
le film en noir et blanc	black and white film	énorme	huge
la version originale sous-titrée	original version with subtitles	hivernal	winter
la version doublée	dubbed version	amateur de	fond of
le fantastique	fantasy	gentil	nice, sweet
le film qui fait peur/film d'horreur	horror film	méchant	bad, violent
le film qui fait rire	comedy	douteux/euse	dubious
le film à grand spectacle	epic film	primordial	crucial
le film engagé	politically committed film	s'orienter dans	to turn towards
le film classique	classic film	inventer	to invent
le trafic de drogues/d'armes	drug/arms trafficking	visionner	to view
l'entreprise multinationale	multinational company	restaurer	to restore
l'ingénieur (m)	engineer		

Décrire la mode — *Talking about fashion*

le vestiaire	wardrobe	la teinture	dye
le patchwork	patchwork	la couturière	seamstress
le logo	logo	l'épouvantail (m)	scarecrow
le sac à dos	rucksack	le no-look	youth culture sub-group
le révolutionnaire	revolutionary	lolita	youth culture sub-group
l'accessoire (m)	accessory	urban chic	youth culture sub-group
la magie	magic	goth	youth culture sub-group
l'elfe (m)	elf	punk	youth culture sub-group
la fée	fairy	marqué	marked, noticeable
l'effigie (f)	effigy, picture	garçon manqué	tomboy
le piercing	piercing	terne	dull
le tatouage	tattoo	tisser	to weave
la scarification	scarification	teindre	to dye
le tissu	material	se faire tatouer	to get a tattoo

Analyser la mode — *Analysing fashion*

la société	society	l'explosion (f)	explosion
le top model	super model	la créativité	creativity
la tribu	tribe	l'éventail (m)	range
la cohorte	troop	la combinaison	combination
l'idole (f)	idol	la détermination	determination
l'icône (f)	icon	la fragilité	fragility
l'identité (f)	identity	l'ordre (m) des choses	order of things
la tendance	trend	la palette	range
la rébellion	rebellion	le culte	cult
la dégaine (fam)	look	les conventions (s) de la mode	fashion conventions
l'allure (f)	look, appearance	l'originalité (f)	originality
l'uniformisation (f)	uniformity	le conformisme	conformism
le carcan	straitjacket	le désir	wish
le classicisme	classicism	la quête	search
l'élégance (f)	elegance	le développement durable	sustainable development

rebelle	rebel	saisir	to realise, understand
en vogue	fashionable	côtoyer	to mix with
parlant	eloquent, meaningful	respecter	to respect
large	wide	imposer	to impose
surprenant	surprising	bousculer	to shake up
tendance	trendy	terroriser	to terrorise
dérisoire	ridiculously small	débarquer (fam)	to arrive
conservateur/trice	conservative	plaire à	to please
injuste	unfair	éclater de rire	to burst out laughing
se définir	to define oneself	se soucier de	to worry about
rejeter	to reject	suivre le troupeau	to follow the herd
générer	to generate	être bien dans sa peau	to be happy in oneself

La perte de poids — *Losing weight*

le mannequin	(catwalk) model	maigrir	to get thinner
le poids	weight	peser	to weigh
l'anorexie (f)	anorexia	compter	to matter
l'amaigrissement (m)	slimming	tricher	to cheat
le régime	diet	focaliser sur	to focus on
la balance	scales	se permettre de	to let yourself
la joue	cheek	négocier	to negotiate
mince	slim	se remettre à	to start sth again
maigre	thin	rechuter	to fall ill again
rond	plump	s'alimenter	to eat, feed oneself
creux(se)	hollow	(se faire) vomir	(to make oneself) vomit
malsain	unhealthy	être obsédé par	to be obsessed by
faible	weak	avoir des kilos en trop	to be overweight
affaibli	weakened	suivre un régime	to be on a diet
désespéré	desperate	être la faute de	to be the fault of
majeur	of age (over 18)	être responsable de	to be responsible for
mincir	to get slimmer	reprocher à qqn de	to blame sb for

Le culte de la célébrité — *Celebrity worship*

les coulisses (f)	backstage	épinglé	slammed
la une	front page	sujet à	object of
la gloire	fame	naturel	natural
le succès	success	authentique	authentic
la célébrité	celebrity, fame	laid	ugly
le trophée	trophy	fragile	fragile
les feux (m) des projecteurs	limelight	bien/mal habillé	well/badly dressed
les people (m/f) (fam)	celebs	féroce	ferocious
l'autographe (m)	autograph	sans répit	relentlessly
la tête du classement	top of the list	se mesurer à	to be measured by
le journal à potins	gossip sheet	faire parler de soi	to be talked about
la rumeur	rumour	s'éclater (fam)	to have fun
le/la psy(chologue)	psychologist	rapporter gros (fam)	to be very profitable
la confusion	confusion	embrasser	to kiss
l'intimité (f)	privacy	guetter	to risk befalling
le rôle social	social role	courir le risque de	to run the risk of
le métier	trade	grossir	to put on weight
la solidité	solidity	faire refaire (sa bouche)	to have (one's mouth) corrected
le regret	regret	complexer (fam)	to be hung up
la bêtise	nonsense	abîmer	to damage
l'infâmie	infamy	poursuivre	to chase
scruté	scrutinised	se présenter à	to be a candidate for
exposé	exposed	rompre avec	to break up with
décortiqué	dissected	investir	to invest
espionné	spied on	se rendre compte	to realise
révélé	revealed		

Épreuve orale

Écouter 1 Lisez le sujet d'examen de Sébastien puis écoutez-le parler lors de son épreuve orale. Notez les deux questions supplémentaires que l'examinateur lui pose.

Les Français déclarent écouter deux heures de musique par jour.
83% des Français disent chanter fréquemment ou occasionnellement.
19% le font dans leur voiture, 13% dans leur salle de bains.
10% chantent lorsqu'ils sont de bonne humeur.
55% d'entre eux déclarent avoir des souvenirs liés à la musique.

De quoi s'agit-il?
Quelle est votre réaction par rapport à ces statistiques?
Quel genre de musique aimez-vous écouter?
Pourquoi la musique est-elle vitale pour certaines personnes?
Pourquoi les loisirs sont-ils importants dans la vie?

Parler 2 Réécoutez les réponses de Sébastien aux questions de la carte. Comment a-t-il évité de répéter les mots du texte dans ses réponses?

Exemple: 1 Dans ce texte il s'agit de … → *ce texte souligne l'importance de …*

1 Dans ce texte il s'agit de …
2 statistiques
3 55%
4 avoir des souvenirs liés à la musique
5 fréquemment ou occasionnellement
6 genre
7 importants

Écouter 3 Notez les phrases que Sébastien utilise et qui contiennent les expressions ci-dessous.

Expressions pour remplacer *il y a*
On compte …
Il semble qu'il y ait …
On estime à … + chiffre + le nombre de …

Expressions pour remplacer *Je pense*
J'estime que …/Je crois que …/Je trouve que …
Je suis certain que …/Je suis sûr que …/Je suis persuadé que …
On peut constater que …
Il me semble que …
Il est indéniable que …

Personnaliser votre réponse en exprimant la surprise
Je suis très surpris(e) d'apprendre que …
Je suis étonné(e) que … + subjonctif
Je suis surpris(e) que … + subjonctif
Il est surprenant que … + subjonctif
Je n'imaginais pas une seconde que … + subjonctif
Je n'aurais jamais pensé que … + subjonctif

Écrire 4 Lisez le sujet d'examen de Franck. Améliorez sa réponse en supprimant les répétitions.

«Les vêtements sont, pour les ados, un support extérieur et visible de reconnaissance. C'est leur signe de ralliement et d'appartenance à telle ou telle tribu. C'est aussi pour eux une manière évidente de se démarquer de la génération de leurs parents.» Pascal Hachet, psychologue.

De quoi s'agit-il?
Êtes-vous d'accord avec l'opinion de Pascal?
Appartenez-vous à une tribu?
Pourquoi les jeunes veulent-ils se différencier de leurs parents?
À votre avis, la mode a-t-elle une bonne ou une mauvaise influence sur les jeunes?

Je ne suis pas d'accord avec l'opinion de Pascal.
À mon avis, les vêtements ne sont pas pour les ados un support extérieur.
À mon avis, les vêtements ne sont pas un signe d'appartenance à une tribu.
C'est une manière de s'exprimer, selon moi.

Parler 5 À deux, utilisez le même sujet d'examen. L'un de vous est l'examinateur, l'autre le candidat.

Écrire 6 Préparez une réponse à ces questions.

1 Pourquoi les gens écoutent-ils de la musique?
2 Quand écoutez-vous de la musique?
3 Comment la musique peut-elle former l'identité de quelqu'un?
4 Pourquoi les iPods sont-ils populaires auprès des jeunes?
5 Que pensez-vous des émissions comme la *Star Ac'*?
6 Comment est-ce que vous visionnez les films?
7 Aimez-vous aller au cinéma?
8 Quels magazines lisez-vous?
9 Est-ce important de lire le journal?
10 Pourquoi les loisirs sont-ils importants?
11 À votre avis, comment les habitudes des jeunes vont-elles évoluer?
12 Pourquoi les gens rêvent-ils d'être célèbres?
13 Comment expliquez-vous le culte de la célébrité?
14 À votre avis, est-ce que les jeunes attachent trop d'importance à la mode?
15 Les mannequins sont-ils trop minces?

If the examiner's question does not interest you or you find that you have little to say in response, try to take charge of the conversation and steer it to an aspect of the topic where you do have an opinion.

Vous parlez de …, ça me fait penser que …
Ce qui m'intéresse, c'est …
Avant tout, ce qui est important, c'est …
Oui, je suis d'accord dans une certaine mesure, mais il faut aussi considérer …
Oui, d'ailleurs, je pense que …
Cela me rappelle que …

 You need to communicate effectively and confidently on different issues. The structure of the exam allows you to nominate the first of the three conversation topics. Essentially, when preparing for your oral exam, you will need to practise what you might say in response to a whole range of questions on the prescribed subtopics.

- Try to develop an opinion on issues around all the topics.
- Try to learn a broad range of topic-based vocabulary and also opinion-giving vocabulary.
- Practise your answers in your spare time, on the bus, on the way to school. Talk to yourself in your head. Record your answers on to your MP3 player. Work with your teacher, the French assistant or a friend to improve them. Make sure your answers don't sound false or over-rehearsed.

How do you get the highest mark you can for knowledge of grammar?

Very good command of the language. Good use of idiom, complex structures and range of vocabulary. Highly accurate grammar and sentence structure; occasional mistakes.

Exemple: 9 Est-ce important de lire le journal?

| use of the subjunctive | use of **si** clause in present tense | Pronounce correctly **jour-nal**, **cou-rant** |

use of infinitive as a subject

use of perfect infinitive with preceding direct object
Varied vocabulary

si clause + pluperfect, conditional perfect

relative clause

«*Bien entendu! Il faut absolument qu'on lise le journal. Si vous vous intéressez à l'actualité, lire le journal vous permet de vous tenir au courant des événements mondiaux. Après l'avoir lu, on peut discuter, on peut donner son point de vue et le justifier. Par exemple, si je n'avais pas lu le journal hier, je n'aurais pas vu l'article sur le dernier film des frères Coen, qui sont mes réalisateurs préférés. Demain j'achèterai le journal ou bien je le consulterai en ligne pour voir s'il y a des choses, des sujets, des affaires qui sont susceptibles de m'intéresser. Après tout, savoir c'est pouvoir! Vous me parlez du journal, ça me fait penser que pour m'informer je regarde aussi les informations à la télévision …*»

future tense

idiomatic expression

Épreuve écrite

Regardez ces trois plans. Lequel est le meilleur pour répondre à cette question d'examen?

Autrefois les ados admiraient les sportifs, ils voulaient être champions de judo, devenir pompier ou docteur. Aujourd'hui ils admirent les stars de la télé-réalité et ont comme ambition d'être célèbre.

Écrivez un article pour le journal de l'école dans lequel vous essayerez d'expliquer le culte de la célébrité.

A

Plan A

Pourquoi veulent-ils tous devenir célèbres?

1 Avantages/inconvénients: être reconnu partout, avoir du succès, gagner de l'argent, être admiré, avoir de l'influence, attirer l'attention, perdre son intimité

2 Pourquoi je voudrais être célèbre

B

Plan B

Le culte de la célébrité
Intro: Notre société obsédée par la célébrité.
Les magazines, les médias créent un autre monde, un monde parallèle, virtuel, celui des vedettes
Société de l'image

1 Ceux qui recherchent la célébrité:
rêver d'un monde de luxe
vouloir découvrir le paradis des riches, la vie de luxe
souhaiter côtoyer les stars
désirer faire parler d'eux
avoir envie de gagner beaucoup d'argent

2 Le revers de la médaille
le risque de perdre ses amis, sa vie privée et son identité
entrer dans un monde de faux-semblants
être manipulé par les médias
être tourmenté par les photographes
perdre le sens de la réalité
perdre la valeur des choses
on est célèbre pour ses faux-pas, comportements inacceptables

Conclusion

C

Plan C

La célébrité
Pour:
• gagner beaucoup d'argent
• être riche
• être reconnu partout
• une célébrité aujourd'hui grâce aux journaux et à la télé, on sait où elle était, avec qui, ce qu'elle a fait, son argent, son comportement

Contre:
• perdre ses amis
• perdre sa vie privée
• perdre son identité
• perdre le nord

Conclusion: on veut tout, tout de suite, sans effort

Écoutez et lisez. Que pensez-vous du contenu de cette copie?

Le culte de la célébrité

La société dans laquelle nous vivons est obsédée par la célébrité. Dans cette société de l'image, ce sont les magazines et les médias qui établissent les normes et les valeurs, qui créent un autre monde quasiment virtuel: celui des vedettes.
Et cette société est malade ...
Ceux qui recherchent la célébrité ont souvent envie d'amasser des fortunes colossales. Ils rêvent d'un monde de luxe, celui qui est défini par les médias. Certains veulent découvrir le paradis des riches et côtoyer les stars. En été,

ils séjourneront chez Tom, Katie et Suri, en hiver ils vont choisir Aspen pour faire du ski ... D'autres souhaitent faire parler d'eux. Tous veulent se faire remarquer.
Ces jeunes n'ont-ils pas saisi que le revers de la médaille se révèle terrifiant? Cette ambition démesurée assure l'entrée dans un monde de faux-semblants où rien n'est réel. Dans un monde pareil, on perd très rapidement la valeur des choses.
On court le risque de perdre ses amis, de n'avoir plus du tout de vie privée.
La perte de sa propre identité devient une réalité, voire une nécessité. Le plus

souvent, les célébrités sont tourmentées par les photographes et manipulées par les médias. À un certain moment, on risque de perdre le sens de la réalité. Comme Britney Spears, ou Amy Winehouse, à partir d'un certain moment, on est célèbre pour ses faux-pas, ou bien pour son comportement inacceptable et le monde oublie complètement le talent des célébrités.
La culture humaniste ancienne a été rejetée en faveur du plaisir immédiat et d'un mode de vie plus facile. Si le culte de la célébrité persiste, l'humanité est en danger.

À deux. Identifiez chacun cinq exemples de structure ou d'usage qui méritent d'être récompensés.

Lire 4 Cherchez dans le module 4 des structures que vous pouvez réutiliser pour obtenir une bonne note à l'épreuve écrite.

Make a list of the structures you could use to access the higher level 'quality of language' marks for writing.
- Range of vocabulary: wide range of vocabulary = 5 marks
- Range of structures: wide range of complex structures = 5 marks
- Accuracy: Highly accurate with only occasional errors = 5 marks

Écrire 5 Réécrivez ce paragraphe en utilisant les structures que vous avez identifiées dans les exercices 3 et 4.

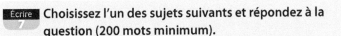

> Les journaux nous informent de ce qui se passe dans le monde. Les journalistes parlent de choses importantes. Il y a la carte de la météo, le sport, les BD.
> Les journaux paraissent tous les jours. Il y a beaucoup de journaux différents.
> Ça dépend de la région. Aussi, certains journaux ont des points de vue différents.

Écrire 6 Relisez votre texte pour corriger les erreurs éventuelles.

Draw up a checklist for your written work.
- I planned my work: I drafted ideas about points I must cover
- I structured my text linking ideas, opinions, justifications and examples
- I explained and developed my ideas clearly and in an interesting way
- I showed off the range of tenses and vocabulary I have: I got the basic structures right first and then I dared to use more complex ones
- I checked the agreement of nouns, adjectives and verbs
- I checked spelling.

Ask your teacher also which mistakes you habitually make.

Write out your checklist and your list of target structures before you begin the exam written task.

Écrire 7 Choisissez l'un des sujets suivants et répondez à la question (200 mots minimum).

A Ana Carolina Reston était un mannequin brésilien. Elle est morte d'anorexie. Elle pesait 40kg pour 1,74m. Elle ne mangeait que des pommes et des tomates …

Est-ce que les jeunes attachent trop d'importance à la mode?

B La musique adoucit les mœurs!

Écrivez une lettre au journal pour parler de l'importance de la musique dans la vie des jeunes.

C «On a besoin d'avoir du talent pour être célèbre.»

Écrivez un article pour le journal de l'école dans lequel vous expliquez le culte de la célébrité.

Don't panic when you start your writing exercise. Leave yourself enough time and don't hesitate to use the exam paper itself as a resource. Look back for structures you can use if you are feeling stuck. There is a difference between reusing structures from a stimulus and copying topic linked vocabulary. Beware of copying word for word though. This is never rewarded.

If you are writing an article, give it a title. Try to use **je** as little as possible. Use impersonal verbs and set the article in a more general context. Include facts and examples.

Grammaire

Nouns

Gender

The gender of nouns is fundamental to the French language. Some nouns are clearly masculine or feminine but most are not and these must be learned. There are some rules that can be applied but many of them have exceptions. The following are the easiest to remember:

- All nouns of more than one syllable ending in *-age* are masculine, except *une image*.
- All nouns ending in *-ment* are masculine, except *la jument*.
- Most nouns ending in *-eau* are masculine (exceptions *l'eau* and *la peau*).
- All nouns ending in *-ance*, *-anse*, *-ence* and *-ense* are feminine, except *le silence*.
- Nouns that end in a double consonant +*e* (*-elle*, *-enne*, *-esse*, *-ette*) are feminine.

NOTES

1. Some nouns are always feminine even if they refer to males, e.g. *la personne*, *la vedette*, *la victime*.

2. The names of many occupations remain masculine, even if they refer to women, e.g. *le professeur*. Some can be masculine or feminine, e.g. *un/une dentiste*, *un/une secrétaire*. Other occupations have different masculine and feminine forms:

un boucher	*une bouchère* (and others ending *-er/ère*)
un informaticien	*une informaticienne* (and others ending *-ien/ienne*)
un acteur	*une actrice*
un serveur	*une serveuse*

3. Some nouns have a different meaning according to their gender. These include:

le critique – critic	*la critique* – criticism
le livre – book	*la livre* – pound
le manche – handle	*la manche* – sleeve
	(*la Manche* – English Channel)
le mode – manner, way	*la mode* – fashion
le page – pageboy	*la page* – page
le poêle – stove	*la poêle* – frying-pan
le poste – job set (TV)	*la poste* – post office
le somme – nap	*la somme* – sum
le tour – trick, turn, tour	*la tour* – tower
le vase – vase	*la vase* – mud
le voile – veil	*la voile* – sail

Plural forms

- Most nouns form their plural by adding *-s* to the singular: *la lettre* → *les lettres*
- Nouns ending in *-s*, *-x*, and *-z* do not change in the plural: *la souris* → *les souris*   *le prix* → *les prix*   *le nez* → *les nez*
- Nouns ending in *-au*, *-eau* and *-eu* add an *-x*: *le château* → *les châteaux*   *le jeu* → *les jeux*
- Most nouns ending in *-al* and *-ail* change to *-aux*: *le journal* → *les journaux*   *le vitrail* → *les vitraux* (Exceptions include *les bals* and *les détails*.)
- Most nouns ending in *-ou* add an *-s*, except *bijou*, *caillou*, *chou*, *genou*, *hibou*, *joujou* and *pou*, which add an *-x*.

NOTES

1. Remember *l'œil* becomes *les yeux*.
2. Some words are used only in the plural: *les frais*, *les ténèbres*, *les environs*.
3. French does not add *-s* to surnames: *Les Massot viendront déjeuner chez nous vendredi*.
4. It is best to learn the plural of compound nouns individually, e.g. *les belles-mères*, *les chefs-d'œuvre*, *les après-midi*.
5. *Monsieur*, *Madame* and *Mademoiselle* are made up of two elements, both of which must be made plural: *Messieurs*, *Mesdames*, *Mesdemoiselles*.

Use of nouns

Nouns are sometimes used in French where a verb would be used in English:

> *Il est allé à sa rencontre.* – He went to meet him/her.
> *Après votre départ.* – After you left.
> *Ils ont vendu la maison après sa mort.* – They sold the house after he died.

Articles

le, la, les

These are the French definite articles ('the'). *Le* is used with masculine nouns, *la* with feminine nouns, and *les* with plurals. Both *le* and *la* are sometimes replaced by *l'* before a vowel or the letter *h*.

Some words beginning with *h* are aspirated, i.e. the *h* is treated as though it is a consonant. Words of this type are shown in a particular way in a dictionary, often by * or ', and in these instances *le* and *la* are not shortened to *l'*, e.g. *le héros*, *la hâte*.

The definite articles combine with *à* and *de* in the following ways:

	le	la	l'	les
à	**au**	**à la**	**à l'**	**aux**
de	**du**	**de la**	**de l'**	**des**

The definite article is often used in French where it is omitted in English. It should be used in the following cases:

- In general statements: *La viande est chère.*
- With abstract nouns: *Le silence est d'or.*
- With countries: *la France, le Japon.*
- With titles and respectful forms of address, particularly with professions: *la reine Elizabeth; le maréchal Foch; oui, monsieur le commissaire.*

Other uses

When referring to parts of the body, French often uses the definite article because the identity of the owner is usually clear from the context:
Elle a levé la main. – She raised her hand.

In cases where the identity of the owner may not be clear, an additional pronoun is needed to show who is being affected by the action. This may be either the reflective pronoun:
Il se frottait les yeux. – He rubbed his eyes.

or the indirect object pronoun if another person is involved:
Il m'a pris la main. – He took my hand.

But when the noun is the subject of the sentence, the possessive adjective is used:
Sa tête lui faisait mal. – His head hurt.

The definite article is often used in descriptive phrases, e.g. *la femme aux cheveux gris.*

Sometimes in French, the definite article is used where English prefers the indefinite article or omits the article altogether, e.g. *à la page 35; dix euros le kilo.*

For the use of the definite article with expressions of time, see page 145.

un, une, des

The indefinite articles *un* (masculine) and *une* (feminine) means both 'a/an' and 'one' in English. The plural form of the indefinite article (*des*) means 'some' or 'any' (see below).

The use of the indefinite article is much the same as in English, with the following exceptions:

- It is not used when describing someone's profession, religion or politics:
  Il est professeur.
  Elle travaille comme infirmière.
  Nous sommes catholiques.
  Je suis devenu socialiste.
- It is not required with a list of items or people:
  Il a invité toute la famille: oncles, tantes, cousins, neveux et nièces.
- It must be included in French where it is sometimes omitted in English:
  Je pars en vacances avec des amis. – I'm going on holiday with (some) friends.
- It is not used after *sans*:
  Je suis parti sans valise.

NOTE

Neither the definite article nor the indefinite article is used with a noun in apposition, i.e. when it introduces a phrase, often within commas, that acts as a sort of parallel to the noun:
Paris, capitale de la France, contient beaucoup de beaux musées.
Bernard Hinault, cycliste bien connu, a gagné le Tour de France cinq fois.

du, de la, de l', des

These articles mean 'some' or 'any':
Je vais acheter du poisson, de l'huile et de la farine.
Tu as acheté des fleurs?

There are three occasions when *de* (*d'* before a vowel or *h*) is used instead of the articles *du/de la/de l'/des*, and instead of the indefinite article:

- After a negative (except *ne … que*):
  Il n'y a plus de vin.
  Je n'ai pas de bic.
- With a plural noun which is preceded by an adjective:
  Il a de bons rapports avec sa famille.
- With expressions of quantity:
  J'ai acheté un kilo de sucre.
  Elle a mangé beaucoup de cerises.
  Exceptions: *la plupart des, bien des, la moitié du/de la.*

Adjectives

Agreement of adjectives

Adjectives must agree in **number** (singular or plural) and **gender** (masculine or feminine) with the noun they describe. The form given in the dictionary is the masculine singular; if the feminine form is irregular it will probably be given too.

Regular adjectives – the basic rules

To the masculine singular, add:
- *-e* for the feminine
- *-s* for the masculine plural
- *-es* for the feminine plural.

m. sing	f. sing	m. plural	f. plural
grand	*grande*	*grands*	*grandes*

An adjective whose masculine singular form ends in *-e* does not add another in the feminine, unless it is *-é*.

jeune	jeune	jeunes	jeunes
fatigué	fatiguée	fatigués	fatiguées

Some groups of adjectives, depending on their ending, have different feminine forms:

Masc. ending	Fem. form	Example
-e	remains the same	jeune → jeune
-er	-ère	cher → chère
-eur	-euse	trompeur → trompeuse
-eux	-euse	heureux → heureuse
-f	-ve	vif → vive

An adjective whose masculine singular ends in -s or -x does not add another in the masculine plural.

Some adjectives that end in a consonant double that consonant before adding -e. This applies to most adjectives ending in -eil, -el, -en, -et, -ien, -ot and also gentil and nul:

l'union européenne; des choses pareilles

(Exceptions: complet, discret and inquiet, which become complète, discrète and inquiète.)

Adjectives ending in -al in the masculine singular usually change to -aux in the masculine plural. This does not affect the feminine form:

médical, médicale, médicaux, médicales.

Irregular adjectives

The following adjectives have irregular feminine forms:

Masculine	Feminine
bas	basse
blanc	blanche
bon	bonne
doux	douce
épais	épaisse
faux	fausse
favori	favorite
fou	folle
frais	fraîche
gras	grasse
gros	grosse
long	longue
mou	molle
public	publique
roux	rousse
sec	sèche

The following adjectives have irregular plural and/or feminine forms:

m. sing	f. sing	m. plural	f. plural
beau (*bel)	belle	beaux	belles
nouveau (*nouvel)	nouvelle	nouveaux	nouvelles
vieux (*vieil)	vieille	vieux	vieilles

* The additional form of these adjectives is used before a singular noun starting with a vowel or h, to make pronunciation easier. These forms sound like the feminine, but look masculine. A similar form is found for fou (fol) and mou (mol).

Tout has an irregular masculine plural form: tous.

NOTES

1 If an adjective describes two or more nouns of different gender, the adjective should always be in the masculine plural:
   des problèmes (m) et des solutions (f) importants

2 Compound adjectives (usually involving colour) do not agree with the noun they describe:
   la chemise bleu foncé

3 Some 'adjectives' are actually nouns used as adjectives. They do not agree:
   des chaussures marron

Position of adjectives

The natural position for an adjective in French is after the noun it describes. Some commonly used adjectives, however, usually precede the noun. These include:

beau	joli
bon	long
court	mauvais
grand	nouveau
gros	petit
haut	premier
jeune	vieux

Others change their meaning – slightly or considerably – depending on their position. These include:

	before noun	after noun
ancien	old/former	old/ancient
brave	good, nice	brave
certain	certain/undefined	certain/sure
cher	dear/beloved	dear/expensive
dernier	last (of series)	last (previous)
grand	great	big, tall
même	same	very, self
pauvre	poor (to be pitied)	poor (not rich)
prochain	next (in series)	next (following)
propre	own	clean
pur	mere	pure

NOTES

1 If two adjectives are qualifying the same noun, each keeps its normal position:
    une longue lettre intéressante
    de bons rapports familiaux
2 If the adjectives both follow the noun, they are joined by *et*:
    une maladie dangereuse et contagieuse.

Comparative and superlative

Comparative adjectives

The comparative is used to compare one thing or person with another. There are three types of expression:

plus … que	more … than
moins … que	less … than
aussi … que	as … as

The adjective always agrees with the first of the two items being compared:

Les voitures sont plus dangereuses que les vélos.
Le troisième âge est moins actif que l'adolescence.
Les loisirs sont aussi importants que le travail.

Most adjectives form their comparative by adding *plus*, *moins* or *aussi* as above. There are a few irregular forms:

bon	→	*meilleur*
mauvais	→	*pire*
petit	→	*moindre*

Of these, only *meilleur* is commonly used:
    Je trouve que le livre est meilleur que le film.
Pire is used to refer to non-material things, often in the moral sense:
    Le tabagisme est-il pire que l'alcoolisme?
Otherwise *plus mauvaise* is used:
    Elle est plus mauvaise que moi en maths.
Moindre means 'less' or 'inferior' (e.g. *de moindre qualité*), whereas *plus petit* should be used to refer to size:
    Jean est plus petit qu'Antoine.

NOTES

1 'More than' or 'less than' followed by a quantity are expressed by *plus de* and *moins de*:
    Elle travaille ici depuis plus de cinq ans.
2 'More and more', 'less and less' are expressed by *de plus en plus*, *de moins en moins*:
    Le travail devient de plus en plus dur.
3 French requires an additional *ne* when a comparative adjective is followed by a verb:
    La discrimination est plus répandue qu'on n'imagine (or *qu'on ne l'imagine*).

The best way to remember this is to realise that there is an element of a negative idea involved; e.g. we did not think that discrimination was widespread.

Superlative adjectives

To form the superlative ('most' and 'least') add *le/la/les* as appropriate to the comparative. The position follows the normal position of the adjective.
    Le plus grand problème de santé de nos jours, c'est le sida.
With superlatives that come after the noun, the definite article needs to be repeated:
    Le Tour de France est la course cycliste la plus importante du monde.

NOTE

To say 'in' after a noun with a superlative adjective, use *du/de la/de l'/ des*:
    La France est un des pays les plus beaux du monde.

Adjectives such as *premier*, *dernier* and *seul* have the force of a superlative and follow the same rule:
    Michel est le premier élève de la classe.

Demonstrative adjectives

Demonstrative adjectives are 'this', 'that', 'these' and 'those':

m. sing	f. sing	m. plural	f. plural
*ce/*cet*	*cette*	*ces*	*ces*

* used before a vowel or *h*

If you need to make a distinction between 'this' and 'that', 'these' and 'those', add *-ci* or *-là* to the noun:
    cet homme-ci
    cette maison-là

Possessive adjectives

These, like all other adjectives, agree in number and gender with the noun they describe, **not with the owner**:

m. sing	f. sing	plural	linked with
mon	*ma*	*mes*	*je*
ton	*ta*	*tes*	*tu*
son	*sa*	*ses*	*il, elle, on*
notre	*notre*	*nos*	*nous*
votre	*votre*	*vos*	*vous*
leur	*leur*	*leurs*	*ils, elles*

Mon, *ton* and *son* are used before a feminine noun beginning with a vowel or *h*, e.g. *mon amie*, *ton école*.

Particular care must be taken with *son/sa/ses* and *leur/leurs* to make sure they agree with the noun they are describing:
    Elle aime son père. ('Father' is masculine.)
    Elle préfère leur voiture. ('Car' is singular, but belongs to more than one person.)

Interrogative adjectives

These must agree with the noun to which they refer.

m. sing	f. sing	m. plural	f. plural
quel	quelle	quels	quelles

They can be used as straightforward question words:

Quel personnage préfères-tu?

Quelle heure est-il?

Quelles sont ses relations avec sa famille?

They are also found as exclamations. The indefinite article, which is required in the singular in English, is omitted in French.

Quel désastre! – What a disaster!

Quelle bonne idée! – What a good idea!

Adverbs

Adverbs are words that give more information about verbs, adjectives and other adverbs. They may be classified into four main groups: adverbs of manner, time, place and quantity/intensity. Adverbs may be single words or short phrases.

Adverbs expressing manner

These are usually formed by adding *-ment* (the equivalent of the English '-ly') to the feminine of the adjective:

léger, légère → *légèrement*

(Exception: *bref, brève* → *brièvement*)

If the adjective ends in a vowel, add *-ment* to the masculine form:

vrai, vraie → *vraiment*

(Exception: *gai* → *gaiement*)

With adjectives ending in *-ant/-ent*, add the endings -*amment/-emment*:

suffisant → *suffisamment*

évident → *évidemment*

(Exception: *lent* → *lentement*)

To make them easier to pronounce some add an accent to the *e* before *-ment*:

énorme → *énormément*

profond → *profondément*

Irregular adjectives of manner include *bien* (from *bon*) and *mal* (from *mauvais*).

NOTES

1   The adverb 'quickly' is *vite*, though the adjective 'quick' is *rapide* (but you can also say *rapidement*).

2   Certain adjectives may be used as adverbs, in which case they do not agree:

Cette voiture coûte cher.

Parlons plus bas.

Vous devez travailler dur.

Les fleurs sentent bon.

3   Other adverbs of manner include *ainsi*, *comment* and *peu à peu*.

Adverbs expressing time, place, quantity and intensity

There are too many adverbs and adverbial phrases to list here. They include:

Time

aujourd'hui	*soudain*
auparavant	*tantôt*
bientôt	*tard*
de bonne heure	*tôt*
déjà	*toujours*
demain	*tout à coup*
immédiatement	*tout à l'heure*
quelquefois	*tout de suite*

Note that *tout à l'heure* can mean 'just now' with a past tense or 'shortly' with a future tense.

Place

à côté	*ici*
ailleurs	*là-bas*
à proximité	*loin*
en face	*partout*

Quantity/Intensity

assez	*un peu*
autant	*plutôt*
beaucoup	*si*
combien	*tant*
fort	*tellement*
peu	*très*

NOTE

Take care to distinguish between *plutôt* ('rather') and *plus tôt* ('earlier').

Position of adverbs

Adverbs usually go immediately after the verb:

Je parle couramment le français.

In the case of compound tenses the adverb goes after the auxiliary verb and before the past participle.

Tu as bien dormi?

This rule may be relaxed if the adjective is long:

Elles ont agi courageusement.

Adverbs of place and some adverbs of time go after the past participle:

Je l'ai trouvé là-bas.

Il est arrivé tard.

Comparison of adverbs

These are formed in the same way as the comparative and superlative forms of adjectives:

Guillaume court aussi vite que Charles.

Édith Piaf chantait moins fort que Sasha Distel.

C'est cette voiture qui coûte le plus cher.

The adverbs *bien*, *beaucoup*, *mal* and *peau* have irregular forms:

	comparative	superlative
bien	*mieux*	*le mieux*
beaucoup	*plus*	*le plus*
mal	*pire*	*le pire*
peu	*moins*	*le moins*

NOTES

1   Care must be taken not to confuse *meilleur* (adjective) with *mieux* (adverb):
C'est le meilleur jour de ma vie.
Elle joue mieux que moi.

2   When 'more' comes at the end of a phrase or sentence, French prefers *davantage* to *plus*:
Il m'aime, mais moi je l'aime davantage.

3   Note the following construction in which the article is not required in French ('the more' in English):
Plus on travaille, plus on réussit.

Pronouns

Pronouns are words that stand in the place of nouns. The function of the pronoun – the part it plays in the sentence – is very important. In French, most pronouns are placed before the verb (the auxiliary verb in compound tenses).

Subject pronouns

The subject is the person or thing which is doing the action of the verb. The subject pronouns are:

je	*nous*
tu	*vous*
il/elle/on	*ils/elles*

Direct object pronouns

The direct object of a verb is the person or thing which is having the action of the verb done to it. In the sentence 'The secretary posted the letter.' the letter is the item that is being posted and is the direct object of the verb. The direct object pronouns are:

me	*nous*
te	*vous*
le/la	*les*

Examples:
Je mets la lettre sur le bureau. → *Je la mets sur le bureau.*
Ils ont acheté les billets. → *Ils les ont achetés.*
(For agreement of preceding direct object pronouns, see page 137.)

NOTES

1   *Le* may be used to mean 'so' in phrases such as:
Je vous l'avais bien dit. – I told you so.

2   *Le* is sometimes required in French when it is not needed in English:

Comme tu le sais. – As you know.

3   It is sometimes omitted in French when it is used in English:
Elle trouve difficile de s'entendre avec ses parents. – She finds it difficult to get on with her parents.

Indirect object pronouns

The indirect object is introduced by 'to' (and sometimes 'for') in English. In the sentences 'She showed the photos to <u>her friends</u>' and 'My father bought the tickets for <u>me</u>' the underlined words are the indirect objects of the verb.

The indirect object pronouns which are used to refer to people are:

me	*nous*
te	*vous*
lui	*leur*

Examples:
Elle n'a pas montré l'autographe à ses copains. → *Elle ne leur a pas montré l'autographe.*
Nous vous enverrons l'argent aussitôt que possible.
Mon père va m'acheter une voiture d'occasion.

NOTE

In English, the sentence 'She gave him a book' is the same as 'She gave a book to him'. For both versions, the French is the same:
Elle lui a offert un livre.
Watch out for these common French verbs which are followed by *à* and which therefore require an indirect object pronoun:

demander à	*offrir à*
dire à	*parler à*
donner à	*raconter à*
écrire à	*téléphoner à*

Je lui ai téléphoné pour lui dire que je serais en retard.

Reflexive pronouns

Reflexive pronouns are used with some verbs to describe actions that you do to yourself. (The verbs are known as reflexive verbs – see page 147.)

The reflexive pronouns are:

me	*nous*
te	*vous*
se	*se*

The reflexive pronoun must change according to the subject of the verb:
Je me lave.
Elle s'est débrouillée.
(For agreement of the past participle, see page 137.)

Reflexive pronouns can also be used with verbs to describe actions that people do to each other:
Nous nous téléphonons chaque soir.

NOTE

The reflexive pronoun of a verb in the infinitive must change according to the subject.

Nous allons nous réveiller de bonne heure.

Emphatic pronouns

The emphatic pronouns are:

moi	*nous*
toi	*vous*
lui	*eux* (m. plural)
elle	*elles* (f. plural)
soi (relates to *on*)	

The most common uses of the emphatic pronoun are:

- Whenever emphasis is required:
  Moi, j'adore le cinéma; eux, ils préfèrent le théâtre.
- When the pronoun stands alone:
  Qui a appelé la police? Moi.
- After *c'est* (*ce sont* with *eux* and *elles*):
  C'est toi qui as téléphoné hier?
- In comparisons:
  Sa sœur est plus grande que lui.
- After prepositions:
  chez moi, avec lui, sans eux
- After the preposition *à*, the emphatic pronoun may indicate possession:
  Ce livre est à moi.
- With *même*, meaning 'self':
  Vous êtes allés vous-mêmes parler au PDG?

Pronouns of place

These function like the indirect object pronouns above, but are used for places or things.

y

The pronoun *y* stands for a noun with almost any preposition of place (not 'from'). It most frequently replaces *à/au/à la/à l'/aux* + a place or thing. Its meanings include 'there', 'in it', 'on them', etc.

Tu es allée en Belgique? → Oui, j'y suis allée trois fois.
Qu'est-ce que tu as mis sur la table? → J'y ai mis tes papiers.

With verbs followed by *à* + noun, *y* must always be used, even though the English equivalent would be a direct object pronoun:

Tu joues souvent aux boules? → Oui, j'y joue toutes les semaines.

The pronoun *y* can also be used instead of *à* + verb:
Vous avez réussi à faire ça? → Oui, j'y ai réussi.

en

The pronoun *en* must be used when 'from it' or 'from there' is required. It most frequently replaces *de/du/de la/de l'/des* + a place or thing:

Votre mari est revenu des États-Unis? → Oui, il en est revenu jeudi.

In expressions of quantity, *en* means 'some', 'of it', 'of them'. It refers both to people and things:

Combien de bananes avez-vous acheté? → J'en ai acheté cinq.

The pronoun *en* can also be used instead of *de* + verb:
Souviens-toi de parler à ta mère. → Oui, je vais m'en souvenir.

Order of pronouns

When more than one pronoun is needed in a phrase, there is a specific order that must be adhered to:

me *te* *se* *nous* *vous*	*le* *la* *les*	*lui* *y* *leur*	*en*

Examples:
Elle m'a prêté ses disques compacts. → Elle me les a prêtés.
Vous lui en avez parlé?

Order of pronouns with the imperative

In a positive command, the verb must come first as it is the instruction that is important. The pronoun then follows the verb and is joined to it by a hyphen.

J'ai besoin de ces dossiers. Apportez-les tout de suite!
Allons-y!

If more than one pronoun is used, the direct object pronoun precedes the indirect object. *Me* and *te* are replaced by *moi* and *toi* when they come after the verb:

Apportez-les-moi!

In a negative command, the pronouns come before the verb as usual:

Ne la lui donne pas!

Relative pronouns

qui, que, dont

Relative pronouns relate to the person, thing or fact which has just been mentioned.

Sa copine, qui habitait à côté de chez lui, s'appelait Anne.
C'est la langue que je trouve la plus facile.
Voilà le garçon dont je vous ai parlé.

The choice of pronoun depends on its function in the sentence:
- *qui* ('who', 'which') is used for the subject of the verb following;
- *que* or *qu'* ('whom', 'which', 'that') is used for the object of the verb following.

It may be helpful to remember that if the verb immediately following has no subject, it needs one, so *qui* is used; if it has a subject already, *que* is used.

NOTES

1 *Qui* is never shortened to *qu'*.
2 *Que* can never be omitted as 'that' can in English:
   Le film que j'ai vu hier. – The film I saw yesterday.

Dont means 'whose', 'of whom', 'of which'. The word order in a phrase containing *dont* is important.

1	2	3	4
(person/thing referred to)	*dont*	subject + verb	anything else

Examples:
Ce sont des vacances dont je me souviendrai toujours.
Il y avait dans le groupe une fille dont j'ai oublié le nom.

NOTES

Verbs followed by *de* before the noun use *dont* as their relative pronoun:
   L'ordinateur dont je me sers est très utile.

ce qui, ce que, ce dont

If there is not a specific noun for the relative pronoun to refer to – perhaps it is an idea expressed in a complete phrase – *ce qui/ce que/ce dont* must be used. The choice is governed by the same rules as above:
   Ce qui m'étonne, c'est que la publicité exerce une grande influence de nos jours.
   La publicité exerce une grande influence de nos jours, ce que je trouve étonnant.
   La publicité exerce une grande influence de nos jours, ce dont je m'étonne.
(The third version is less natural than the first two.)

lequel, laquelle, lesquels, lesquelles

These also mean 'which' and are used after prepositions. They are made up of the definite article + *quel*:
   Le café vers lequel il se dirigeait …
   Les années pendant lesquelles elle avait travaillé …

After *à* or *de* the first element of this pronoun must be adapted in the usual way for the definite article:
   Le problème auquel je réfléchissais me paraissait insurmontable.
   Prenez ce petit sentier, au bout duquel il y a une vue splendide.

NOTES

1 *Où* is often used instead of *dans lequel, sur laquelle*, etc:
   Voilà la rue où j'habite.
2 *Qui* is used after a preposition when referring to people:
   L'homme avec qui je suis allé au cinéma.

(This does not apply to *parmi*, for which *lesquels/lesquelles* must be used.)

Demonstrative pronouns

celui, celle, ceux, celles

These are used to refer to things or people previously mentioned. They must agree with the noun they are replacing:

m. sing	f. sing	m. plural	f. plural
celui	celle	ceux	celles

Quel film as-tu vu? → *Celui avec Gérard Depardieu.*

As with demonstrative adjectives, these may have *-ci* or *-là* added for greater clarity or to make a distinction:
   Lesquels vas-tu choisir? – Ceux-là.

They are often followed by *qui, que* or *dont*:
   Quel film allons-nous voir? – Celui que tu préfères.
   Quelles idées sont les plus frappantes? – Celles qui expriment une opinion personnelle.

They may also be followed by *de*, to express possession:
   Tu verras mes photos et celles de ma sœur.

ceci, cela (this, that)

These are not related to a particular noun. *Cela* is often shortened to *ça*:
   Cela m'agace! – Ça se voit!

Ceci is used less frequently than *cela* and tends to refer to something that is still to be mentioned:
   Je vous dirai ceci: que nous devons améliorer les chiffres d'affaire.

c'est and il est

Both of these mean 'it is' and are not interchangeable (although in spoken French *c'est* is often used when strictly *il est* is required). Here are some of the rules:

- *Il est* + adjective + *de* + infinitive – refers forward to what is defined by the adjective:
  Il est difficile d'apprendre la grammaire.
- *C'est* + adjective + *à* + infinitive – refers back to what has been defined by the adjective:
  La grammaire, c'est difficile à apprendre.
  or
  Apprendre la grammaire, c'est difficile (à faire).
- *C'est* + noun + adjective:
  C'est un roman intéressant.

Possessive pronouns

As with other pronouns, these agree in number and gender with the noun they stand for.

m. sing	f. sing	m. plural	f. plural	
le mien	la mienne	les miens	les miennes	(mine)
le tien	la tienne	les tiens	les tiennes	(yours)
le sien	la sienne	les siens	les siennes	(his, hers)
le nôtre	la nôtre	les nôtres	les nôtres	(ours)
le vôtre	la vôtre	les vôtres	les vôtres	(yours)
le leur	la leur	les leurs	les leurs	(theirs)

À qui est ce dossier? – C'est le mien.

Interrogative pronouns

There are several interrogative (question) pronouns.

- **Qui** means 'who?' or 'whom?':
  Qui veut jouer au tennis?
  Avec qui vas-tu aller à la fête?
- **Que** means 'what?':
  Que dis-tu?
- **Quoi** also means 'what?' but is used after prepositions:
  De quoi parles-tu?
- **Qu'est-ce qui** and **Qu'est-ce que** mean 'what?' (='What is it that...?'). Use *qu'est-ce qui* when it is the subject of the verb:
  Qu'est-ce qui vous inquiète?
  Use *qu'est-ce que (qu')* when it is the object:
  Qu'est-ce que tu veux manger?
- **Lequel**, etc (see page 133) may be used as a question word meaning 'which one(s)?':
  Laquelle des politiques est la plus importante, à ton avis?

VERBS

See tables on pages 146–157 for verb forms.

Modes of address

It is easy to underestimate the degree of offence that can be caused by using the familiar *tu* form of the verb when the *vous* form is appropriate. It is best to take the tone from the person you are speaking or writing to. If in doubt always use *vous*, and wait for the other person to suggest the familiar form.

tutoyer – to call someone *tu*
vouvoyer – to call someone *vous*

It is important not to mix the two forms; care should be taken not to use set phrases such as *s'il vous plaît* at the end of a phrase containing the informal *tu*.

Letter-writing may require the extremely polite subjunctive *veuillez* (instead of *voulez-vous*) which means 'be so kind as to ...'.

Impersonal verbs

Some verbs only exist in the *il* form; they are known as impersonal verbs because no other person can be their subject. All are translated by 'it'. They include weather phrases such as *il neige*, *il pleut* and *il gèle*; also *il faut* ('it is necessary', though usually better translated as 'must') and *il s'agit de*.

There are a few verbs which may be used impersonally although they are complete. These impersonal firms include *il fait* + weather phrases, *il paraît*, *il semble*, *il suffit de* and *il vaut mieux*. *Il reste* (literally 'there remains') is frequently used:

Il ne reste plus de papier. – There's no paper left.

Il existe may be used as a formal alternative to *il y a*:

Il existe beaucoup de musées à Paris.

Verbs with the infinitive

When a verb is followed immediately by a second verb in French, the second verb must be in the infinitive form. Verbs used in this way are divided into three categories:

- Those which are followed directly by the infinitive:
  J'aimerais aller au théâtre.
- Those which are joined by *à*:
  Elle a commencé à ranger les lettres.
- Those which are joined by *de*:
  Nous avons décidé d'acheter votre produit.

There is no easy way of knowing which verbs fall into which group. The following are the most useful:

No preposition	à	de
aimer	aider	arrêter
aller	s'amuser	cesser
désirer	apprendre	choisir
detester	arriver (to manage)	craindre
devoir	s'attendre	décider
espérer	commencer	se dépêcher
faillir (to nearly do)	continuer	empêcher
falloir (il faut)	se décider (to make up mind)	essayer
oser	encourager	s'étonner
pouvoir	hésiter	éviter
préférer	inviter	s'excuser
prétendre	se mettre (to begin)	finir
savoir	renoncer	menacer
sembler	réussir	mériter
valoir (il vaut mieux)		offrir
venir		oublier
vouloir		proposer
		refuser
		regretter
		tenter

The following phrases are also followed by *de*:
avoir besoin   *avoir envie*
avoir l'intention   *avoir peur*

These verbs are followed by *à* + person + *de* + infinitive:

conseiller	permettre
défendre	promettre
demander	dire

Examples:

Le PDG a demandé au secrétaire d'apporter les dossiers.

Mes parents ne me permettent pas de sortir pendant la semaine.

Le médecin lui a dit de revenir le lendemain.

NOTES

1 *Commencer* and *finir* are followed by *par* + infinitive if the meaning is 'by'. Contrast:

Elle a commencé à travailler. – She began to work.

with

Elle a commencé par travailler. – She began by working (and then went on to do something else).

2 When a pronoun is used with two linked verbs, it comes before the infinitive:

Je dois le faire.

3 The infinitive is used after prepositions:

avant de	*Il faut réfléchir avant d'agir.*
au lieu de	*Fais tes devoirs au lieu d'écouter de la musique.*
en train de	*Je suis en train de faire la cuisine.*
pour	*Tu es assez intelligent pour comprendre ça.*
sans	*Ils sont partis sans me remercier.*

Other verbs with a dependent infinitive

faire

When followed immediately by an infinitive, *faire* means 'to have something done by someone else':

Je repeindrai ma maison. – I'll repaint my house.

Je ferai repeindre ma maison. – I'll have my house repainted.

Other expressions involving *faire* + infinitive include:

faire attendre – to make someone wait

faire entrer – to bring in/show in

faire faire – to have something done

faire monter – to carry up/show up

faire remarquer – to remark (to have it noticed)

faire savoir – to let know

faire venir – to fetch

faire voir – to show

entendre, laisser, sentir, voir

These verbs may be used with the infinitive in a similar way:

Elle a entendu frapper à la porte.

Ne le laisse pas partir.

Tu l'as vu sortir.

NOTES

Entendre dire and *entendre parler* mean 'to hear that' or 'to hear of':

J'ai entendu dire qu'on va mettre en place de nouveaux centres d'accueil.

J'ai entendu parler d'elle.

Perfect infinitive

The perfect infinitive means 'to have (done)':

Je m'excuse d'avoir manqué la réunion.

Je m'excuse d'être partie avant la fin de la réunion.

(For the use of *avoir* or *être* as the auxiliary, see examples on page 137.)

The most frequent use of the perfect infinitive is in the expression *après avoir/être* + past participle, meaning 'after having (done)' or in more natural English, 'after doing':

Après avoir renoncé à la cocaïne, il a pu refaire sa vie.

Après être revenue en France, elle a travaillé chez Renault.

Après nous être levés, nous avons discuté de nos projets.

(For agreement of the past participle, see page 137.)

NOTES

The subject of the main verb must always be the same as that of the *après avoir* clause. If it is not, a different construction must be used:

Quand il est rentré, sa sœur est sortie.

Negatives

The negative form of a verb is usually achieved by placing *ne* immediately in front of it and the second element of the negative after it. The most common negatives are:

ne … pas

ne … jamais

ne … personne

ne … plus

ne … rien

Examples:

Elle ne parle pas.

Ils ne fument jamais.

Je n'ai rien à faire.

In compound tenses, the second element is usually placed after the auxiliary verb:

Je n'ai rien fait.

This does not apply to *personne*, which is placed after the past participle:

Ils n'ont vu personne.

With reflexive verbs, *ne* is placed before the reflexive pronoun which is part of the verb:

Elles ne se sont pas dépêchées.

Jamais, *personne* and *rien* may be used on their own:

Qu'est-ce que tu vas manger? – Rien.

Personne and *rien* may be the subject of the verb. In that case they are placed at the beginning of the sentence, but *ne* is still required:

> *Personne ne sait quel sera le résultat de l'effet de serre.*

Other negatives include:

ne ... point
ne ... guère
ne ... ni ... ni
ne ... aucun(e)
ne ... nul(le)

These last two are in fact adjectives, though their meaning dictates that they cannot be plural. Both may be the subject of the sentence, as can *ni ... ni*:

> *Il n'y a aucune possibilité d'y aller ce soir.*
> *Nul ne saurait nier.*
> *Ni l'un ni l'autre ne peut me persuader.*

Ne ... que, meaning 'only', is not a true negative. (Contrast *il n'a pas de sœurs* with *il n'a qu'une sœur*.) Its word order does not always conform to that of other negatives since *que* is placed after the past participle in compound tenses:

> *Tu n'as bu qu'un verre d'eau.*

NOTES

1   'Not only' is *pas seulement*.
2   To make an infinitive negative it is usual to place the two elements together in front of the infinitive:
> *Ils ont décidé de ne pas venir.*
> *Il m'a conseillé de ne plus fumer.*

Interrogative forms

In French there are four ways of making a sentence into a question:

1   By far the most popular, particularly in speech, is to leave the word order as it is and add a question mark (in speech, raise the voice at the end):
Statement: *L'énergie nucléaire sera importante à l'avenir.*
Question: *L'énergie nucléaire sera importante à l'avenir?*

2   Use *est-ce que*:
Est-ce qu'on a trouvé un moyen de se débarrasser des déchets?
À quelle heure est-ce qu'on se revoit?

3   Invert the verb and subject. This is straightforward when the subject is a pronoun:
Statement: *Tu es content.*
Question: *Es-tu content?*
but is more complicated if it is a noun, when the relevant subject pronoun must be added:
Statement: *Suzanne est triste.*
Question: *Suzanne est-elle triste?*

4   A specific question word such as *qui?*, *pourquoi?*, *quand?* may be used. In informal speech the verb and subject are not always inverted; in practice, and in writing, it is probably better to do so or to use *est-ce que*:

> *Pourquoi as-tu choisi d'aller au musée?*
> *Quand est-ce que tes parents reviendront?*

NOTES

1   When the pronoun and subject are inverted, they count as one word, so in negative sentences they are sandwiched between the two negative elements:
N'est-elle pas contente?
2   *Je* is not normally used like this, except with very short verbs such as *ai-je*, *suis-je*, *dois-je* and *puis-je*.
3   When inversion produces two consecutive vowels, *-t-* is added between them to make pronunciation easier:
Va-t-il au café?
Cherche-t-elle les documents?
4   In compound tenses the pronoun and auxiliary verb are inverted, followed by the past participle:
As-tu vu?
Êtes-vous allé?
Se sont-ils levés?

Tenses

For all tenses of regular and irregular verbs, see the verb tables on pages 146–157. Notes on the use and formation of tenses are given below.

Present tense

Use and meaning

The present tense expresses:
- action that is taking place at the moment of speaking;
- a fact that is universally true.

There is only one form of the present tense in French while English has three. For example, *je crois* means:
- 'I think' – the simple present, the most frequently occurring use of the tense.
- 'I am thinking' – there is no separate form of the present continuous in French (but see note 3 under Special uses below).
- 'I do think' – found almost exclusively in the negative ('I do not think') and question ('Do you think?') forms.

Formation

There are three groups (*-er*, *-ir* and *-re*) of regular verb endings and a large number of irregular verbs. For regular verbs, remove the ending from the infinitive and add the appropriate endings:

	-er	-ir	-re
je	parle	finis	vends
tu	parles	finis	vends
il/elle/on	parle	finit	vend
nous	parlons	finissons	vendons
vous	parlez	finissez	vendez
ils/elles	parlent	finissent	vendent

A number of irregular verbs can be grouped which makes them easier to learn. These groups are marked in the verb tables.

Special uses

1 In expressions of time with *depuis* and *ça fait*, the present tense is used to express 'have/has been (doing)':
Il attend son visa d'entrée depuis trois mois. – He has been waiting for his visa for three months.
(The implication here is that he is still waiting, so the present tense is used.)
Ça fait un an qu'elle travaille chez Renault. – She has been working for Renault for a year (and is still there).

2 The present tense of *venir* + *de* + the infinitive expresses 'have/has just (done)':
Nous venons de lancer un nouveau produit. – We have just launched a new product.

3 To underline the fact that someone is in the middle of doing something, the expression *être en train de* + infinitive is used:
Ils sont en train de chercher leurs papiers.

4 The present tense of *aller* is used with the infinitive (as in English) to describe an action or event that is going to happen:
Ils vont retourner en France samedi.

Perfect tense

The perfect tense in French is the one on which all other compound tenses are based.

Use and meaning

The perfect tense is used for action in the past which happened only once (or possibly twice or three times but not as a regular occurrence), and has been completed. It is also used if it is known when the action started, when it ended or how long it lasted. It translates the following:

- a simple past tense ('I found').
- a past tense with 'have' or 'has' ('he has found').
- a past tense with 'did' ('I did find', 'did you find?').

Formation

It is composed of two elements: the present tense of the auxiliary verb (*avoir* or *être*) + the past participle (*trouvé*, *fini*, *vendu*, etc). It is essential that both elements are included.

To form the past participle:

- **-er** verbs: take off the *-er* and replace with *-é*;
- **-ir** verbs: take off the *-ir* and replace with *-i*;
- **-re** verbs: take off the *-re* and replace with *-u*.

See the verb tables on pages 146–157 for the many verbs that have an irregular past participle.

Most verbs use *avoir* as their auxiliary; the past participle usually remains unchanged (but see below).

j'ai cherché	*nous avons entendu*
tu as bu	*vous avez cru*
il a ouvert	*ils ont fini*
elle a fait	*elles ont voulu*

Although there is usually no agreement of the past participle of verbs taking *avoir*, if the verb has a direct object, and if that direct object precedes the verb, the past participle agrees with the direct object. There are three types of sentences in which this may occur:

- If there is a preceding direct object pronoun:
Tu as vu ta mère? – Oui, je l'ai vue hier.
- With the relative pronoun *que*:
Les articles que nous avons commandés ne sont pas encore arrivés.
- In questions after *quel?* and *combien?*:
Combien d'affiches a-t-il achetées?

The following verbs use *être* to form their perfect tense:

aller	*partir*
arriver	*rester*
descendre	*retourner*
entrer	*sortir*
monter	*tomber*
mourir	*venir*
naître	

as do their compound forms (*revenir*, *devenir*, *rentrer*, etc).

The past participle of verbs using *être* as their auxiliary agrees with the subject:

je suis allé(e)	*nous sommes descendu(e)s*
tu es venu(e)	*vous êtes arrivé(e)(s)*
il est entré	*ils sont restés*
elle est montée	*elles sont retournées*

NOTE

Verbs taking *être* are intransitive, i.e. they do not have an object. However, *descendre, monter, (r)entrer* and *sortir*, with a slightly different meaning, may be used with an object; in this case they use *avoir* as their auxiliary, and agreement of the past participle conforms to the rules for verbs taking *avoir*.

Il a monté les valises. – He brought up the cases.
As-tu descendu la chaise? – Oui, je l'ai descendue.

Reflexive verbs also use *être* to form their perfect tense. Agreement is with the subject:

je me suis fâché(e)	*nous nous sommes couché(e)s*
tu t'es baigné(e)	*vous vous êtes reposé(e)(s)*
il s'est promené	*ils se sont réveillés*
elle s'est sauvée	*elles se sont débrouillées*

NOTE

If the reflexive pronoun is not the direct object there is no agreement. This is often the case with a verb that is not usually reflexive.

> *Ils se sont parlé.* – They spoke to each other.
> *Elle s'est demandé.* – She wondered. (Literally, she asked herself: *demander à.*)

Imperfect tense (imparfait)

Use and meaning

The imperfect tense is used for:

- Past action that was unfinished ('was/were doing'):
  Il se promenait vers le café quand il a vu son copain.
- Habitual or repeated action in the past ('used to (do)'):
  Elle prenait le train tous les jours pour aller au travail.
- Description in the past:
  Les oiseaux chantaient; elle était triste; il avait les yeux bleus.

Certain words and phrases indicate that the imperfect tense may be needed. These include:

chaque semaine	*régulièrement*
d'habitude	*souvent*
le samedi	*toujours*

NOTES

Sometimes in English habitual action is expressed by 'would'; 'every day he would get up at six o'clock'. In French the imperfect tense must be used.

Formation

Remove *-ons* from the *nous* part of the present tense, and replace it with the following endings:

je	-ais
tu	-ais
il/elle/on	-ait
nous	-ions
vous	-iez
ils/elles	-aient

The only exception to this is the verb *être* (see page 150).

Special uses

1 *Depuis* is used with the imperfect tense to express 'had been (doing)':
  Ils jouaient au tennis depuis une demi-heure. – They had been playing tennis for half an hour (and were still doing so, the action was unfinished).
2 The imperfect tense of *venir* + *de* + infinitive is translated as 'had just (done)':
  Il venait d'arriver. – He had just arrived.

Future tense (future)

Use and meaning

The future tense means 'shall (do)' or more often 'will (do)' or 'will be (doing)'.

NOTES

'Will you' is sometimes translated by the present tense of *vouloir*, if it means 'are you willing to?', or if it is a request: *veux-tu fermer la porte?*.

Formation

The following endings are added to the future stem which for regular verbs is the infinitive (*-re* verbs drop the *e*):

je	-ai
tu	-as
il/elle/on	-a
nous	-ons
vous	-ez
ils/elles	-ont

Many verbs have an irregular future stem (see verb tables on page 146).

Special use

When the future tense is implied or understood, it must be used in French, although English prefers the present tense:

> *Je te téléphonerai quand je rentrerai au bureau.* – I'll ring you when I get back to the office.

Words and phrases that may indicate the need for a future tense include:

après que	*dès que*
aussitôt que	*lorsque, quand*

Note that this does not apply to sentences and clauses starting with *si*, in which the tense is always the same as in English.

Conditional (conditionnel)

The conditional is sometimes known as the 'future in the past' because it expresses the future from a position in the past.

Use and meaning

The conditional means 'should', or more often 'would (do)'. It is frequently used in indirect (reported) speech and in the main part of the sentence following a *si* clause whose verb is in the imperfect tense:

> *J'ai dit que je vous retrouverais.* – I said I would meet you.
> *Si je venais demain nous pourrions y aller ensemble.* – If I came tomorrow we would be able to go together.

Because there is an element of the future in it, the conditional is sometimes required to translate a past tense following *quand*, etc:

> *Le patron m'a demandé d'aller le voir quand je serais libre.*
> – The boss asked me to go and see him when I was free.

The conditional is also the tense of politeness:
Auriez-vous la bonté de m'envoyer… – Would you be kind enough to send me …

Formation

The endings of the imperfect tense are added to the future stem:

je voudr**ais**	nous finir**ions**
tu ser**ais**	vous ir**iez**
il enverr**ait**	ils pourr**aient**

NOTE

To express 'should' in the sense of 'ought to', the conditional tense of *devoir* must be used:
Nous devrions nous occuper des SDF.

Compound tenses

These tenses include the future perfect (*futur antérieur*), the conditional perfect (*conditionnel passé*) and the pluperfect (*plus-que-parfait*). Agreement of the past participle in every case is exactly the same as for the perfect tense. If a verb uses *être* to form its perfect tense, it also does so in the other compound tenses.

Future perfect tense (futur antérieur)

Use and meaning

The future perfect tense means 'shall have (done)' or, more usually 'will have (done)'. As its name suggests, there is an element of both future and past in its meaning:
Quand tu rentreras, j'aurais rangé ma chambre. – By the time you get home I will have tidied my room.

As with the future tense, the future perfect is used when the future is implied but not stated in English, usually when the main part of the sentence is in the future. In this case it means 'have/has (done)':
Nous vous ferons savoir dès que nous aurons pris une décision. – We'll let you know as soon as we have reached a decision.

Formation

The future tense of the auxiliary verb + the past participle.

Examples:

- *avoir* verbs:
  j'aurai envoyé, il aura écrit, nous aurons entendu, elles auront fini.
- *être* verbs:
  tu seras revenu(e), vous serez arrivé(e)(s), ils seront retournés.
- reflexive verbs:
  elle se sera baignée, nous nous serons levé(e)s, ils se seront couchés.

Conditional perfect (conditionnel parfait)

Use and meaning

The conditional perfect tense is used more frequently than the future perfect. It means 'would have (done)'. Its uses are very similar to those of the conditional; it is often required in the main part of the sentence linked with a *si* clause and when a future idea is implied:
S'il avait cessé de pleuvoir nous aurions joué au tennis.
Tu m'as dit que tu reviendrais quand tu aurais trouvé tes papiers (when you had found your papers).

Formation

The conditional of the auxiliary verb + the past participle.

Examples:

- *avoir* verbs:
  j'aurais cherché, elle aurait réussi, ils auraient pu.
- *être* verbs:
  tu serais arrivé(e), nous serions entré(e)s, elles seraient venues.
- reflexive verbs:
  il se serait reposé, vous vous seriez dépêché(e)(s).

NOTE

The conditional perfect tense of *devoir* means 'ought to have' or 'should have':
Tu aurais dû partir plus tôt. – You ought to have left earlier.

Pluperfect tense (plus-que-parfait)

Use and meaning

The pluperfect tense means 'had (done)'. It refers to an action or state that happened before something else in the past tense, i.e. it is one step further back in the past:
Quand je suis arrivé à l'aéroport l'avion avait déjà atterri.

Formation

The imperfect tense of the auxiliary verb + the past participle.

Examples:

- *avoir* verbs:
  j'avais trouvé, il avait réussi, nous avions pris.
- *être* verbs:
  tu étais allé(e), elle était rentrée, ils étaient sortis.
- reflexive verbs:
  il s'était occupé, vous vous étiez sauvé(e)(s), elles s'étaient retrouvées.

NOTES

1 The pluperfect is sometimes used in French where English uses a simple past tense:
  Je vous l'avais bien dit. – I told you so.
2 The use of the pluperfect is becoming less common in English, particularly in speech. It should still, however, be used in French.

Past historic (passé simple)

Use and meaning

This is a formal tense: it is found mainly in literary works and in some formal articles, and it is used for narration. It must be recognised but the A-level student should not need to use it. It has the meaning of a simple past tense and is the formal equivalent of the perfect tense to describe completed actions in the past. It does not mean 'have/has (done)', for which the perfect tense is used. Examples of *tu* or *vous* forms are found only in older literature.

Formation

There are three groups of endings:

- *-er* verbs

je	-ai
il/elle/on	-a
nous	-âmes
ils/elles	-èrent

- *-ir*, *-re* and some irregular verbs:

je	-is
il/elle	-it
nous	-îmes
ils/elles	-irent

- other irregular verbs:

je	-us
il/elle	-it
nous	-ûmes
ils/elles	-urent

For verbs which have an irregular past historic, including *venir*, see the verb tables on pages 146–157.

Passive

Use and meaning

To understand the passive, it is necessary to understand the difference between the subject and object of the verb.

In the sentence 'The secretary writes the letters', the verb 'writes' is an active verb: it is the secretary who is doing the action. To make the verb passive, the letter, which is currently the direct object, must be made into the subject but the meaning of the sentence must remain the same – 'The letters are written by the secretary'. The verb 'are written' is therefore in the passive form.

Formation

The formation of the passive in French is very straightforward. The appropriate tense of *être* is used, + the past participle which agrees with the subject.

- Present tense: *Les lettres sont écrites par le secrétaire.*
- Perfect: *Le projet a été conçu il y a deux ans* ('was devised').
- Imperfect: *Dans les années 60 les trains étaient utilisés davantage* ('were used').
- Future: *Le centre sera ouvert par le président* ('will be opened').

- Conditional: *Il a dit que de nouvelles méthodes seraient employées* ('would be used').
- Future perfect: *Le travail aura été fini* ('will have been finished').
- Conditional perfect: *La décision aurait été prise plus tôt* ('would have been taken').
- Pluperfect: *Les raisons avaient été oubliées* ('had been forgotten').

NOTES

1. The use of *être* to form the passive must not be confused with the use of *être* as the auxiliary verb.
2. Verbs that take *être* to form their compound tenses cannot be made passive, as they do not have a direct object.

Avoiding the passive

French tends to avoid the passive wherever possible; there are two main ways of doing this:

- By using *on* (this is only possible when the action can be performed by a person, and when it is not known – or stated – precisely who that person is):
  On t'a vu au concert. – You were seen at the concert.
  On m'a demandé de remplir une fiche. – I was asked to fill in a form.
  Note that the best way of translating *on* into English is often by using the passive.
- By using a reflexive verb:
  Nos articles se vendent partout en Europe. – Our products are sold everywhere in Europe.

NOTE

Since the passive can only be used with sentences which contain a direct object, it cannot be used with verbs that are followed by *à* + person since these verbs take an indirect object. The sentence 'She is not allowed to go to the cinema on her own' could therefore not be translated into French using the passive because *permettre* is followed by *à*. Another way of expressing it must be found. This might be:
  On ne lui permet pas d'aller au cinéma toute seule.
  Another possibility, though rather formal, is:
  La permission ne lui est pas accordée d'aller au cinéma toute seule.

Imperative

The imperative is used to give commands or to suggest that something be done.

To form the imperative, use the *tu*, *nous* or *vous* forms of the present tense without the subject pronoun. With *-er* verbs, the final *-s* is omitted from the *tu* form:

	-er	-ir	-re
(tu)	*regarde*	*finis*	*descends*
(nous)	*regardons*	*finissons*	*descendons*
(vous)	*regardez*	*finissez*	*descendez*

There are some irregular forms:
aller – va, allons, allez
avoir – aie, ayons, ayez
être – sois, soyons, soyez
savoir – sache, sachons, sachez

With reflexive verbs, the reflexive pronouns must be retained. It comes after the verb with a hyphen. Note that *te* becomes *toi*:

> *Assieds-toi!   Arrêtons-nous!   Amusez-vous!*

For the order of pronouns with the imperative, see page 144.

The *il/elle/ils/elles* forms of the imperative ('may he', 'let them', etc.) are provided by the subjunctive.

> *Elle n'aime pas le vin? Alors, qu'elle boive de l'eau!*
> *Vive la liberté!*

NOTES

A very polite command may be expressed by using the infinitive. This is usually found only in public notices:

> *S'adresser au concierge.* – Please see the caretaker.

Present participle

The present participle is formed from the *nous* form of the present tense; remove the *-ons* ending and replace it by *-ant*:
(nous) parlons → parlant
(nous) finissons → finissant
(nous) attendons → attendant

There are some irregulars:
avoir → ayant
être → étant
savoir → sachant

The most common use of the present participle is with *en*, when it means 'by (doing)', 'on (doing)' or 'while (doing)':

> *En travaillant dur, elle a réussi.*
> *En ouvrant la porte, elle a vu le PDG.*
> *On ne peut pas faire le ménage en regardant la télévision.*

The spelling of the participle does not change and the subject of the participle must be the same as that of the main verb.

The participle may sometimes be used without *en*:

> *Se rendant compte qu'il avait oublié sa carte, il est rentré chez lui.* – Realising that he had forgotten his map, he went back home.

NOTES

1 If the present participle is used purely as an adjective, it must agree with the noun it is describing:
   une maison impressionnante
2 The reflexive pronoun changes according to the subject:
   Me levant tôt, je suis allé au bureau à pied.
3 French often prefers to use a relative clause where English uses a present participle:
   Il a vu son collègue qui entrait dans le bureau. – He saw his colleague coming into the office.
   This may also be expressed by an infinitive:
   Il a vu son collègue entrer dans le bureau.

Subjunctive

The ability to use the subjunctive is essential at A-level. Some of its applications are more widespread than others, and it is easy to learn a few of the expressions in which the subjunctive is required and thereby improve one's style. As far as tenses are concerned, modern French generally uses the present, and the perfect is quite often needed. The imperfect and pluperfect subjunctives should be recognised, but not used, at A-level.

Uses

The categories of expression listed below are followed by a verb in the subjunctive. It is worth remembering that the subjunctive is almost always introduced by *que*.

Wishing and feeling

For example:

aimer (mieux) que	*préférer que*
avoir peur que	*regretter que*
avoir honte que	*souhaiter que*
comprendre que	*vouloir que*
être content que	*c'est dommage que*
craindre que	*il est temps que*
désirer que	*il vaut mieux que*
s'étonner que	

Examples:
Je veux que vous m'accompagniez à la conférence.
Il s'étonne que tu viennes régulièrement.

NOTES

1 *Avoir peur que* and *craindre que* both need *ne* before the subjunctive:
   J'ai peur qu'il ne se trompe.
2 There is no need to use the subjunctive if the subject of both halves of the sentence is the same. In that case, the infinitive should be used:
   Nous regrettons de ne pas pouvoir expédier les articles.

Possibility and doubt

il est possible que
il se peut que (**but not** *il est probable que*)
il est impossible que
il n'est pas certain que
il semble que (**but not** *il me semble que*)
douter que

Examples:

Il semble qu'il y ait une amélioration de la condition féminine.
Je doute qu'il vienne.

NOTES

The subjunctive is used after *croire* and *penser* only when they are in the negative or question forms, so that there is an element of doubt:

Je crois que les femmes ont maintenant les chances égales.
Je ne crois pas que les toxicomanes puissent être facilement guéris.
Penses-tu qu'ils veuillent venir aux centres de réinsertion?

Necessity

Il faut que
Il est nécessaire que

Example:

Il faut que vous renonciez au tabac.

After particular conjunctions

à condition que	*jusqu'à ce que*
afin que	*pour que*
à moins que	*pourvu que*
avant que	*quoique*
bien que	*sans que*
de peur que	

Examples:

Bien que les problèmes de l'adolescence soient grands, on finira par se débrouiller.
Je t'expliquerai pour que tu comprennes les raisons.

NOTES

1 *À moins que* and *de peur que* (and sometimes *avant que*) also require *ne* before the subjunctive.
2 French often avoids the subjunctive by using a noun: *avant sa mort* ('before his/her death').

Talking, commanding, allowing and forbidding

défendre que	*exiger que*
dire que	*ordonner que*
empêcher que	*permettre que*

Examples:

Vous permettez que j'aille au concert?

NOTES

Empêcher also requires *ne* before the subjunctive.

Superlative, negative and indefinite expressions

(Superlatives include *le premier*, *le dernier* and *le seul*.)

Examples:

C'est le roman le plus intéressant que j'aie jamais lu.
Il n'y a personne qui me comprenne.

Whoever, whatever, etc.

où que
quel que
qui que
quoi que

Examples:

D'habitude nos parents nous aiment quoi que nous faisons.
Quels que soient les problèmes, vous réussirez à les résoudre.

Imperative

Used for the third person of the command (see page 140).

Present subjunctive

Formation

The present subjunctive is formed by removing *-ent* from the *ils* form of the present tense and replacing it with the following endings:

je	-e	nous	-ions
tu	-es	vous	-iez
il/elle/on	-e	ils/elles	-ent

Examples:

je mette	*nous disions*
tu vendes	*vous écriviez*
il finisse	*ils ouvrent*

Irregular subjunctives (see the verb tables on pages 146–157) are:

aller	*pouvoir*
avoir	*savoir*
être	*vouloir*
faire	

In addition the following verbs change in the *nous/vous* parts to a form that is exactly the same as that of the imperfect tense. These include:

appeler (+ group – see page 146)	
boire	*prendre* (+ compounds – see page 152)
croire	*recevoir* (+ group – see page 152)
devoir	*tenir*
envoyer	*venir*
jeter	*voir*
mourir	

Examples:

je boive	nous buvions
tu boives	vous buviez
il boive	ils boivent

Perfect subjunctive

This is used in all the categories of expression listed above when a past tense is required.

Formation

The subjunctive of the auxiliary verb + the past participle, which conforms to the usual rules of agreement.

> Il est possible qu'elle soit déjà arrivée.
> Bien que nous ayons pris un taxi, nous sommes arrivés en retard.

Imperfect subjunctive

This is rarely seen in French now. There are three groups of endings, which are directly linked to those of the past historic tense.

Past historic verbs in -ai: -asse, -asses, -ât, -assions, -assiez, -assent
Past historic verbs in -is: -isse, -isses, -ît, -issions, -issiez, -issent
Past historic verbs in -us: -usse, -usses, -ût, -ussions, -ussiez, -ussent

The only exceptions are venir and tenir: vinsse, vinsses, vînt, vinssions, vinssiez, vinssent.

The most useful forms of the imperfect subjunctive to recognise are those of avoir and être, which are used to form the pluperfect subjunctive:

> quoiqu'il eû décidé; à condition qu'il fût parti

Indirect speech

Care should be taken to use the correct tense in indirect (reported) speech. The tense in the second half of the sentence is linked to that of the 'saying' verb and is the same as in English:

- Direct speech:
  J'irai au match avec toi. – I will go to the match with you.
- Indirect speech:
  Il dit qu'il ira au match avec moi. – He says that he will go to the match with me.
  Il a dit qu'il irait au match avec moi. – He said he would go to the match with me.

- Direct speech:
  Les marchandises ont été expédiées. – The goods have been sent.
- Indirect speech:
  La compagnie nous a informés que les marchandises ont été expédiées.
  – The company has informed us that the goods have been sent.

- Direct speech:
  Avez-vous jamais rencontré quelqu'un qui souffre du sida? – Have you ever met someone who has Aids?
- Indirect speech:
  Il nous a demandé si nous avions jamais rencontré quelqu'un qui souffrait du sida. – He asked us if we had ever met anyone who had Aids.

NOTE

Although 'that' may be omitted in English, que must always be included in French.

Inversion

The subject and verb should be inverted in the following circumstances:

- After direct speech:
  «Je ne peux pas supporter cette situation,» ai-je dit.
  «Ne t'en fais pas,» a-t-elle répondu.

- After question words (see also interrogative forms on page 136):
  De quelle façon t'a-t-on accueilli?
  If the subject is a noun, it is placed before the inverted verb + appropriate pronoun:
  Pourquoi les femmes ne sont-elles pas contentes de leur situation?

- After expressions such as à peine, aussi (meaning 'and so'), en vain, peut-être and sans doute:
  Elle avait besoin d'argent, aussi a-t-elle demandé des allocations supplémentaires.
  Sans doute devrons-nous utiliser d'autres sources d'énergie.
  Peut-être les autorités pourront-elles trouver une autre solution.

NOTES

1 In the case of peut-être, inversion may be avoided by the use of que:
  Peut-être que les autorités pourront trouver une autre solution.
  or by placing peut-être at the end of the sentence or clause:
  Les autorités pourront trouver une autre solution, peut-être.

2 Inversion is not required after jamais and non seulement when they start a sentence, although it is needed in English:
  Jamais je n'ai entendu parler d'une telle chose. – Never have I heard of such a thing.

Good French style requires inversion in the following types of sentence involving ce que, que and où:

> Ils n'ont pas compris ce que disait le directeur.
> Vous savez où se trouve la rue de la République?
> Voilà le petit garçon que cherchaient ses parents.

Particular care must be taken in translating sentences of this last type, since *que* could be confused with *qui* and the meaning of the sentence changed.

Prepositions

Prepositions show the relation of a noun or pronoun to another word. They include such words as *à, de, dans, sur*, etc. It would be impossible to list all the uses of such words here, and the best advice is to consult a good dictionary and make a note of useful phrases as vocabulary items.

French use of prepositions sometimes differs from that of English. A few of the most important variations and meanings of well-known prepositions that are not mentioned elsewhere in this grammar section are listed below.

à – usually 'to' or 'at' but may mean 'in' (*à mon avis, à la main*), 'from' (*à ce que tu dis*), 'by' (*je l'ai reconnue à sa voix*), 'away' (*la maison est à 2 km*).

chez – usually 'at the house of'; may have the more general meaning of 'with' or 'among' groups of people or animals: *l'agression est-elle normale chez les humains?* and 'in the works of': *chez Anouilh, le héros a toujours un conflit à résoudre.*

dans – used for time at the end of which something happens: *je vous verrai dans deux jours* ('in two days' time').

de – usually 'of' or 'from', but may mean 'in'; *de nos jours, de cette façon, d'une voix faible.*

depuis – usually 'since' but may mean 'from': *depuis Lyon jusqu'à Marseille.* (See also present and imperfect tenses, pages 136 and 138.)

devant – required in French after *passer* when the object being passed does not move (usually a building): *vous devez passer devant la mairie.*

en – usual meanings include 'in', 'to' (feminine countries), 'by' (methods of transport), 'into' (*traduisez en anglais*). Used for time taken: *j'y voyagerai en deux heures.* May also mean 'as': *en ami* – 'as a friend', *en tant que maire* – 'in his rôle as mayor'.

entre – usually 'between' or 'among'; may mean 'in': *entre les mains de la police.*

par – usually 'by'; may mean 'out of': *il l'a fait par pitié*, and 'per': *deux fois par an.* Note also *par ici* – 'this way', and *par un temps pareil* – 'in weather like this'.

pendant – usually 'during' or 'for', used with present or past tenses but not with the future. May sometimes be omitted without changing the meaning: *j'ai habité là (pendant) six mois.*

pour – 'for'; used with time in the future: *j'irai en France pour deux semaines. Pour* is not required with *payer* (for the item that has been bought: *tu as payé les réparations?*) or with *chercher: je l'ai cherché partout.* Note also: *vous en avez pour deux heures* – you have enough (to keep you occupied) for two hours.

sous – usually means 'under', but may mean 'in': *j'aime marcher sous la pluie/le neige* (logically, 'under' because the rain or snow is coming from overhead). Also *sous le règne de Louis XVI.*

sur – usually 'on' but may mean 'towards': *il a attiré l'attention sur lui*; 'by': *sur invitation, 5 mètres sur 4 mètres*; and 'out of': *neuf sur dix.*

vers – usually 'towards' but may mean 'about' with expressions of time: *vers trois heures.* 'Towards' linked with attitude is *envers: je ne peux pas supporter son attitude envers moi.*

NOTE

1 A preposition must be repeated before a second noun:
    Il a dit bonjour à sa sœur et à ses parents.
2 When something is being taken away from somewhere, e.g. he picked the book up from the table – French uses the preposition for the place where the item originally was:
    Il a pris le livre sur la table.
    Je buvais du thé dans une grande tasse.

Conjunctions

Conjunctions are used to join sentences or clauses, or words within those sentences and clauses. At the simplest level words such as *et, mais, ou, car, quand* and *donc* are conjunctions; so are *comme, quand, si* and various prepositions used with *que* such as *pendant que, aussitôt que* and *après que.* Some of these have already been considered elsewhere in these pages; specific points concerning others are listed below:

car – 'for' in the sense of 'because/as'. It is used more than the English 'for' with this meaning, but less than 'because' as it is not usually an appropriate alternative to *parce que* in answering a question. Compare the following sentences:
    Il est venu de bonne heure, car il voulait aider à préparer le repas.
    Pourquoi est-il venu de bonne heure? Parce qu'il voulait aider à préparer le repas.

puisque – 'since' in the sense of 'because'. It must not be confused with *depuis* (see present and imperfect tenses on pages 136 and 138):
    Puisque tu le veux, nous irons au café.

pendant que – this means 'while' when two actions are taking place at the same time, with no sense of contrast or conflict:
    Il lisait pendant que je faisais la vaisselle.

tandis que – 'while', 'whilst' or 'whereas'; includes the idea of contrast:
    Lui, il lisait tandis que moi, je faisais la vaisselle.

alors que – also means 'while', 'whilst' or 'whereas', but has a stronger sense than *tandis que*:
    Alors que moi, je porte des bagages, toi tu restes là sans rien faire.

si – may mean 'whether'. In this case, the verb in French is in the same tense as in English:

> *Je me demandais s'il arriverait à temps.*

When *si* means 'if', the tenses used are as follows:

- *si* + present tense – main verb in future tense:
Si nous gagnons, nous serons contents.
- *si* + imperfect tense – main verb in conditional:
Si nous gagnions, nous serions contents.
- *si* + pluperfect tense – main verb in conditional perfect:
Si nous avions gagné, nous aurions été contents.

NOTES

When *avant que, bien que, comme, lorsque* and *quand* introduce two consecutive clauses, the second clause is introduced by *que*:

> *Avant que les enfants aillent au lit et que nos amis arrivent …*

Numbers

It is usually acceptable to write high numbers in figures rather than words. When it is necessary to write numbers in full, remember the following:

- *vingt* as part of *quatre-vingt* has *-s* only if it is exactly eighty:
80 – *quatre-vingts*; 93 – *quatre-vingt-treize*
- *cent* is similar:
300 – *trois cents*; 432 – *quatre cent trente-deux*

Approximate numbers are expressed as follows:

- By the use of *à peu près, vers* or *environ*:
à peu près quinze; vers dix heures
- In the case of 10, 12, 20, 30, 40, 50, 60 and 100, by adding *-aine* and making the number into a noun (final *-e* is dropped first):
une douzaine (de); des centaines (de)
- For larger numbers, by using the nouns *millier(s), million(s)* and *milliard(s)*.

Ordinal numbers

'First' is *premier/première*; 'second' is *second* or *deuxième*; then add *-ième* to the cardinal number, making appropriate adjustments to spelling:

> *quatrième, cinquième,* etc.

NOTES

'Twenty-first' is *vingt et unième*.

Fractions

un quart – a quarter
un tiers – a third
trois quarts – three quarters
demi – 'half' as an adjective:
> *midi et demi* but *trois heures et demie* (*midi* is masculine, *heure* is feminine).
la moitié – 'half' as a noun

For other fractions, add *-ième* as with ordinal numbers:

trois cinquièmes, un huitième, etc.

Note that the definite article should be used before fractions:

> *J'ai déjà lu la moitié du livre.*
> *Les trois quarts de son œuvre son bien connus.*

Dimension

There are two ways of expressing length, breadth and height:

- *avoir* + dimension + *de* + masculine form of adjective:
La pièce a cinq mètres de long.
- *être* + adjective (agrees) + *de* + dimension:
La pièce est longue de cinq mètres.

Time

Note that the days of the week and months of the year are all masculine.

The definite article is used with the following expressions of time:

- To express a regular action:
Je sors avec mes copains le samedi. – I go out with my friends on Saturdays.
The definite article is omitted if the action is not regular:
Je travaille samedi. – I'm working on Saturday.
- With times of the day:
Elle a visité sa tante le matin. – She visited her aunt in the morning.
- With *prochain* or *dernier* (week, month, year):
Je pars en Espagne l'année prochaine.
- With dates:
C'est aujourd'hui samedi le six février. – It's Saturday the 6th of February today.

Note the translation of 'when' with the article:

- definite article + *où*:
Le moment où je me suis rendu compte …
- indefinite article *que*:
Un soir que je travaillais dans le jardin …

Note that *après-midi* may be masculine or feminine. It has no plural form.

an/année; jour/journée; matin/matinée; soir/soirée

The distinction between these is not always easy to grasp and has in any case become blurred over time. Theoretically the longer feminine forms are used when the whole of the time is being considered:

> *J'ai passé la matinée à faire du lèche-vitrines.* – I spent the morning window-shopping.

The best advice is probably to learn certain expressions by heart:

> *cette année; ce jour-là; la veille au soir.*

VERB TABLES

NOTE: Only the present tense (indicative and subjunctive) is given in full. For complete endings and formation of compound tenses (pluperfect, future perfect and conditional perfect), refer to page 139.

Regular verbs

Present	Perfect	Imperfect	Future	Conditional	Past historic	Present subjunctive	Present participle
-er group							
je trouv**e**	j'ai trouvé	je trouvais	je trouverai	je trouverais	je trouvai	je trouve	trouvant
tu trouv**es**						tu trouves	
il trouv**e**						il trouve	
nous trouv**ons**						nous trouvions	
vous trouv**ez**						vous trouviez	
ils trouv**ent**						ils trouvent	
-ir group							
je fin**is**	j'ai fini	je finissais	je finirai	je finirais	je finis	je finisse	finissant
tu fin**is**						tu finisses	
il fin**it**						il finisse	
nous fin**issons**						nous finissions	
vous fin**issez**						vous finissiez	
ils fin**issent**						ils finissent	
-re group							
je vend**s**	j'ai vendu	je vendais	je vendrai	je vendrais	je vendis	je vende	vendant
tu vend**s**						tu vendes	
il vend						il vende	
nous vend**ons**						nous vendions	
vous vend**ez**						vous vendiez	
ils vend**ent**						ils vendent	

Regular verbs with spelling changes

acheter group (includes *geler, lever, mener, peser, semer*) – grave accent before a silent syllable							
j'achète	j'ai acheté	j'achetais	j'achèterai	j'achèterais	j'achetai	j'achète	achetant
tu achètes						tu achètes	
il achète						il achète	
nous achetons						nous achetions	
vous achetez						vous achetiez	
ils achètent						ils achètent	

appeler group (includes *épeler, jeter*) – double consonant before a silent syllable.							
j'appelle	j'ai appelé	j'appelais	j'appellerai	j'appellerais	j'appelai	j'appelle	appelant
tu appelles						tu appelles	
il appelle						il appelle	
nous appelons						nous appelions	
vous appelez						vous appeliez	
ils appellent						ils appèlent	

Present	Perfect	Imperfect	Future	Conditional	Past historic	Present subjunctive	Present participle
nettoyer group (includes verbs ending in -ayer and -uyer) -y changes to -i before a silent syllable.							
je nettoie	j'ai nettoyé	je nettoyais	je nettoierai	je nettoierais	je nettoyai	je nettoie	nettoyant
tu nettoies						tu nettoies	
il nettoie						il nettoie	
nous nettoyons						nous nettoyions	
vous nettoyez						vous nettoyiez	
ils nettoient						ils nettoient	

NOTE Verbs in -ayer may have y instead of i.

Present	Perfect	Imperfect	Future	Conditional	Past historic	Present subjunctive	Present participle
espérer group (includes céder, préférer, régler, révéler) – acute accent changes to grave accent before a silent syllable, but not in the future or conditional tenses.							
j'espère	j'ai espéré	j'espérais	j'espérerai	j'espérerais	j'espérai	j'espère	espérant
tu espères						tu espères	
il espère						il espère	
nous espérons						nous espérions	
vous espérez						vous espériez	
ils espèrent						ils espèrent	

NOTE Verbs ending in -cer and -ger require a slight modification before a, o and u for pronunciation purposes: *nous commençons, nous déménageons, elle lançait, il commença, j'aperçus.*

Reflexive verbs

Present	Perfect	Imperfect	Future	Conditional	Past historic	Present subjunctive	Present participle
se laver							
je me lave	je me suis lavé(e)	je me lavais	je me laverai	je me laverais	je me lavai	je me lave	(se) lavant
tu te laves						tu te laves	
il se lave						il se lave	
nous nous lavons						nous nous lavions	
vous vous lavez						vous vous laviez	
ils se lavent						ils se lavent	

Irregular verbs in frequent use

Present	Perfect	Imperfect	Future	Conditional	Past historic	Present subjunctive	Present participle
aller – to go							
je vais	je suis allé(e)	j'allais	j'irai	j'irais	j'allai	j'aille	allant
tu vas						tu ailles	
il va						il aille	
nous allons						nous allions	
vous allez						vous alliez	
ils vont						ils aillent	

Present	Perfect	Imperfect	Future	Conditional	Past historic	Present subjunctive	Present participle
avoir – to have							
j'ai	j'ai eu	j'avais	j'aurai	j'aurais	j'eus	j'aie	ayant
tu as						tu aies	
il a						il ait	
nous avons						nous ayons	
vous avez						vous ayez	
ils ont						ils aient	
battre – to beat							
je bats	j'ai battu	je battais	je battrai	je battrais	je battis	je batte	battant
tu bats						tu battes	
il bat						il batte	
nous battons						nous battions	
vous battez						vous battiez	
ils battent						ils battent	
boire – to drink							
je bois	j'ai bu	je buvais	je boirai	je boirais	je bus	je boive	buvant
tu bois						tu boives	
il boit						il boive	
nous buvons						nous buvions	
vous buvez						vous buviez	
ils boivent						ils boivent	
conduire – to drive							
je conduis	j'ai conduit	je conduisais	je conduirai	je conduirais	je conduisis	je conduise	conduisant
tu conduis						tu conduises	
il conduit						il conduise	
nous conduisons						nous conduisions	
vous conduisez						vous conduisiez	
ils conduisent						ils conduisent	

NOTE Verbs such as *détruire* and *construire* are formed in the same way.

Present	Perfect	Imperfect	Future	Conditional	Past historic	Present subjunctive	Present participle
connaître – to know (a person or place)							
je connais	j'ai connu	je connaissais	je connaîtrai	je connaîtrais	je connus	je connaisse	connaissant
tu connais						tu connaisses	
il connaît						il connaisse	
nous connaissons						nous connaissions	
vous connaissez						vous connaissiez	
ils connaissent						ils connaissent	

NOTE *apparaître* and *paraître* are formed in the same way.

Present	Perfect	Imperfect	Future	Conditional	Past historic	Present subjunctive	Present participle

courir – to run

Present	Perfect	Imperfect	Future	Conditional	Past historic	Present subjunctive	Present participle
je cours	j'ai couru	je courais	je courrai	je courrais	je courrus	je coure	courant
tu cours						tu coures	
il court						il coure	
nous courons						nous courions	
vous courez						vous couriez	
ils courent						ils courent	

craindre – to fear

Present	Perfect	Imperfect	Future	Conditional	Past historic	Present subjunctive	Present participle
je crains	j'ai craint	je craignais	je craindrai	je craindrais	je craignis	je craigne	craignant
tu crains						tu craignes	
il craint						il craigne	
nous craignons						nous craignions	
vous craignez						vous craigniez	
ils craignent						ils craignent	

NOTE Verbs ending in -eindre and -oindre are formed in the same way.

croire – to think, believe

Present	Perfect	Imperfect	Future	Conditional	Past historic	Present subjunctive	Present participle
je crois	j'ai cru	je croyais	je croirai	je croirais	je crus	je croie	croyant
tu crois						tu croies	
il croit						il croie	
nous croyons						nous croyions	
vous croyez						vous croyiez	
ils croient						ils croient	

devoir – to have to (must)

Present	Perfect	Imperfect	Future	Conditional	Past historic	Present subjunctive	Present participle
je dois	j'ai dû	je devais	je devrai	je devrais	je dus	je doive	devant
tu dois						tu doives	
il doit						il doive	
nous devons						nous devions	
vous devez						vous deviez	
ils doivent						ils doivent	

dire – to say, tell

Present	Perfect	Imperfect	Future	Conditional	Past historic	Present subjunctive	Present participle
je dis	j'ai dit	je disais	je dirai	je dirais	je dis	je dise	disant
tu dis						tu dises	
il dit						il dise	
nous disons						nous disions	
vous dites						vous disiez	
ils disent						ils disent	

Grammaire

Present	Perfect	Imperfect	Future	Conditional	Past historic	Present subjunctive	Present participle
dormir – to sleep							
je dors	j'ai dormi	je dormais	je dormirai	je dormirais	je dormis	je dorme	dormant
tu dors						tu dormes	
il dort						il dorme	
nous dormons						nous dormions	
vous dormez						vous dormiez	
ils dorment						ils dorment	
écrire – to write							
j'écris	j'ai écrit	j'écrivais	j'écrirai	j'écrirais	j'écrivis	j'écrive	écrivant
tu écris						tu écrives	
il écrit						il écrive	
nous écrivons						nous écrivions	
vous écrivez						vous écriviez	
ils écrivent						ils écrivent	
envoyer – to send							
j'envoie	j'ai envoyé	j'envoyais	j'enverrai	j'enverrais	j'envoyais	j'envoie	envoyant
tu envoies						tu envoies	
il envoie						il envoie	
nous envoyons						nous envoyions	
vous envoyez						vous envoyiez	
ils envoient						ils envoient	
être – to be							
je suis	j'ai été	j'étais	je serai	je serais	je fus	je sois	étant
tu es						tu sois	
il est						il soit	
nous sommes						nous soyons	
vous êtes						vous soyez	
ils sont						ils soient	
faire – to do, to make							
je fais	j'ai fait	je faisais	je ferai	je ferais	je fis	je fasse	faisant
tu fais						tu fasses	
il fait						il fasse	
nous faisons						nous fassions	
vous faites						vous fassiez	
ils font						ils fassent	
falloir – to be necessary (must)							
il faut	il a fallu	il fallait	il faudra	il faudrait	il fallut	il faille	-

Present	Perfect	Imperfect	Future	Conditional	Past historic	Present subjunctive	Present participle

lire – to read

Present	Perfect	Imperfect	Future	Conditional	Past historic	Present subjunctive	Present participle
je lis	j'ai lu	je lisais	je lirai	je lirais	je lus	je lise	lisant
tu lis						tu lises	
il lit						il lise	
nous lisons						nous lisions	
vous lisez						vous lisiez	
ils lisent						ils lisent	

mettre – to put, put on

Present	Perfect	Imperfect	Future	Conditional	Past historic	Present subjunctive	Present participle
je mets	j'ai mis	je mettais	je mettrai	je mettrais	je mis	je mette	mettant
tu mets						tu mettes	
il met						il mette	
nous mettons						nous mettions	
vous mettez						vous mettiez	
ils mettent						ils mettent	

mourir – to die

Present	Perfect	Imperfect	Future	Conditional	Past historic	Present subjunctive	Present participle
je meurs	je suis mort(e)	je mourais	je mourrai	je mourrais	je mourus	je meure	mourant
tu meurs						tu meures	
il meurt						il meure	
nous mourons						nous mourions	
vous mourez						vous mouriez	
ils meurent						ils meurent	

ouvrir – to open

Present	Perfect	Imperfect	Future	Conditional	Past historic	Present subjunctive	Present participle
j'ouvre	j'ai ouvert	j'ouvrais	j'ouvrirai	j'ouvrirais	j'ouvris	j'ouvre	ouvrant
tu ouvres						tu ouvres	
il ouvre						il ouvre	
nous ouvrons						nous ouvrions	
vous ouvrez						vous ouvriez	
ils ouvrent						ils ouvrent	

NOTE couvrir, découvrir, offrir and souffrir are formed in a similar way.

partir

Present	Perfect	Imperfect	Future	Conditional	Past historic	Present subjunctive	Present participle
je pars	je suis parti(e)	je partais	je partirai	je partirais	je partis	je parte	partant
tu pars						tu partes	
il part						il parte	
nous partons						nous partions	
vous partez						vous partiez	
ils partent						ils partent	

pleuvoir – to rain

Present	Perfect	Imperfect	Future	Conditional	Past historic	Present subjunctive	Present participle
il pleut	il a plu	il pleuvait	il pleuvra	il pleuvrait	il plut	il pleuve	pleuvant

Present	Perfect	Imperfect	Future	Conditional	Past historic	Present subjunctive	Present participle
pouvoir – to be able (can)							
je peux	j'ai pu	je pouvais	je pourrai	je pourrais	je pus	je puisse	pouvant
tu peux						tu puisses	
il peut						il puisse	
nous pouvons						nous puissions	
vous pouvez						vous puissiez	
ils peuvent						ils puissent	

NOTE   An alternative form of the first person singular (present tense) exists in the question form *Puis-je?*

Present	Perfect	Imperfect	Future	Conditional	Past historic	Present subjunctive	Present participle
prendre – to take							
je prends	j'ai pris	je prenais	je prendrai	je prendrais	je pris	je prenne	prenant
tu prends						tu prennes	
il prend						il prenne	
nous prenons						nous prenions	
vous prenez						vous preniez	
ils prennent						ils prennent	
recevoir – to receive							
je reçois	j'ai reçu	je recevais	je recevrai	je recevrais	je reçus	je reçoive	recevant
tu reçois						tu reçoives	
il reçoit						il reçoive	
nous recevons						nous recevions	
vous recevez						vous receviez	
ils reçoivent						ils reçoivent	

NOTE   Other verbs ending in *-evoir*, such as *apercevoir*, are formed in the same way.

Present	Perfect	Imperfect	Future	Conditional	Past historic	Present subjunctive	Present participle
rire – to laugh							
je ris	j'ai ri	je riais	je rirai	je rirais	je ris	je rie	riant
tu ris						tu ries	
il rit						il rie	
nous rions						nous riions	
vous riez						vous riiez	
ils rient						ils rient	

NOTE   *Sourire* is formed in the same way.

Present	Perfect	Imperfect	Future	Conditional	Past historic	Present subjunctive	Present participle
savoir – to know (a fact), to know how to							
je sais	j'ai su	je savais	je saurai	je saurais	je sus	je sache	sachant
tu sais						tu saches	
il sait						il sache	
nous savons						nous sachions	
vous savez						vous sachiez	
ils savent						ils sachent	

Present	Perfect	Imperfect	Future	Conditional	Past historic	Present subjunctive	Present participle

sentir – to feel, to smell

Present	Perfect	Imperfect	Future	Conditional	Past historic	Present subjunctive	Present participle
je sens	j'ai senti	je sentais	je sentirai	je sentirais	je sentis	je sente	sentant
tu sens						tu sentes	
il sent						il sente	
nous sentons						nous sentions	
vous sentez						vous sentiez	
ils sentent						ils sentent	

NOTE *servir* (*nous servons*, etc.) is formed in the same way.

sortir – to go out

Present	Perfect	Imperfect	Future	Conditional	Past historic	Present subjunctive	Present participle
je sors	je suis sorti(e)	je sortais	je sortirai	je sortirais	je sortis	je sorte	sortant
tu sors						tu sortes	
il sort						il sorte	
nous sortons						nous sortions	
vous sortez						vous sortiez	
ils sortent						ils sortent	

suivre – to follow

Present	Perfect	Imperfect	Future	Conditional	Past historic	Present subjunctive	Present participle
je suis	j'ai suivi	je suivais	je suivrai	je suivrais	je suivis	je suive	suivant
tu suis						tu suives	
il suit						il suive	
nous suivons						nous suivions	
vous suivez						vous suiviez	
ils suivent						ils suivent	

tenir – to hold

Present	Perfect	Imperfect	Future	Conditional	Past historic	Present subjunctive	Present participle
je tiens	j'ai tenu	je tenais	je tiendrai	je tiendrais	je tins	je tienne	tenant
tu tiens						tu tiennes	
il tient					il tint	il tienne	
nous tenons					nous tînmes	nous tenions	
vous tenez						vous teniez	
ils tiennent					ils tinrent	ils tiennent	

NOTE The same formation applies to verbs such as *appartenir*, *contenir* and *retenir*.

venir – to come

Present	Perfect	Imperfect	Future	Conditional	Past historic	Present subjunctive	Present participle
je viens	je suis venu(e)	je venais	je viendrai	je viendrais	je vins	je vienne	venant
tu viens						tu viennes	
il vient					il vint	il vienne	
nous venons					nous vînmes	nous venions	
vous venez						vous veniez	
ils viennent					ils vinrent	ils viennent	

Present	Perfect	Imperfect	Future	Conditional	Past historic	Present subjunctive	Present participle
vivre – to live							
je vis	j'ai vécu	je vivais	je vivrai	je vivrais	je vécus	je vive	vivant
tu vis						tu vives	
il vit						il vive	
nous vivons						nous vivions	
vous vivez						vous viviez	
ils vivent						ils vivent	
voir – to see							
je vois	j'ai vu	je voyais	je verrai	je verrais	je vis	je voie	voyant
tu vois						tu voies	
il voit						il voie	
nous voyons						nous voyions	
vous voyez						vous voyiez	
ils voient						ils voient	
vouloir – to want, be willing							
je veux	j'ai voulu	je voulais	je voudrai	je voudrais	je voulu	je veuille	voulant
tu veux						tu veuilles	
il veut						il veuille	
nous voulons						nous voulions	
vous voulez						vous vouliez	
ils veulent						ils veuillent	

Less common irregular verbs

Present	Perfect	Imperfect	Future	Conditional	Past historic	Present subjunctive	Present participle
acquérir – to acquire							
j'acquiers	j'ai acquis	j'acquérais	j'acquerrai	j'acquerrais	j'acquis	j'acquière	acquérant
tu acquiers						tu acquières	
il acquiert						il acquière	
nous acquérons						nous acquérions	
vous acquérez						vous acquériez	
ils acquièrent						ils acquièrent	

NOTE *conquérir* is formed in the same way.

Present	Perfect	Imperfect	Future	Conditional	Past historic	Present subjunctive	Present participle
s'asseoir – to sit down							
je m'assieds	je me suis assis(s)	je m'asseyais	je m'assiérai OR je m'asseyerai	je m'assiérais OR je m'asseyerais	je m'assis	je m'asseye	(s')asseyant
tu t'assieds						tu t'asseyes	
il s'assied						il s'asseye	
nous nous asseyons						nous nous asseyions	
vous vous asseyez						vous vous asseyiez	
ils s'asseyent						ils s'asseyent	

NOTE Alternative forms with *o* (*je m'assois*, etc.) are also used.

Present	Perfect	Imperfect	Future	Conditional	Past historic	Present subjunctive	Present participle
coudre – to sew							
je couds	j'ai cousu	je cousais	je coudrai	je coudrais	je cousis	je couse	cousant
tu couds						tu couses	
il coud						il couse	
nous cousons						nous cousions	
vous cousez						vous cousiez	
ils cousent						ils cousent	
croître – to grow, increase							
je crois	j'ai crû	je croissais	je croîtrai	je croîtrais	je crûs	je croisse	croissant
tu crois						tu croisses	
il croit						il croisse	
nous croissons						nous croissions	
vous croissez						vous croissiez	
ils croissent						ils croissent	
cueillir – to pick, gather							
je cueille	j'ai cueilli	je cueillais	je cueillerai	je cueillerais	je cueillis	je cueille	cueillant
tu cueilles						tu cueilles	
il cueille						il cueille	
nous cueillons						nous cueillions	
vous cueillez						vous cueilliez	
ils cueillent						ils cueillent	
cuire – to cook							
je cuis	j'ai cuit	je cuisais	je cuirai	je cuirais	je cuisis	je cuise	cuisant
tu cuis						tu cuises	
il cuit						il cuise	
nous cuisons						nous cuisions	
vous cuisez						vous cuisiez	
ils cuisent						ils cuisent	
fuir – to flee							
je fuis	j'ai fui	je fuyais	je fuirai	je fuirais	je fuis	je fuie	fuyant
tu fuis						tu fuies	
il fuit						il fuie	
nous fuyons						nous fuyions	
vous fuyez						vous fuyiez	
ils fuient						ils fuient	
haïr – to hate							
je hais	j'ai haï	je haïssais	je haïrai	je haïrais	je haïs	je haïsse	haïssant
tu hais						tu haïsses	
il hait						il haïsse	
nous haïssons						nous haïssions	
vous haïssez						vous haïssiez	
ils haïssent						ils haïssent	

Present	Perfect	Imperfect	Future	Conditional	Past historic	Present subjunctive	Present participle
inclure – to include							
j'inclus	j'ai inclus	j'incluais	j'inclurai	j'inclurais	j'inclus	j'inclue	incluant
tu inclus						tu inclues	
il inclut						il inclue	
nous incluons						nous incluions	
vous incluez						vous incluiez	
ils incluent						ils incluent	

NOTE *conclure* and *exclure* are formed in the same way except that their past participles are *conclu* and *exclu* respectively.

Present	Perfect	Imperfect	Future	Conditional	Past historic	Present subjunctive	Present participle
mouvoir – to move							
je meus	j'ai mû	je mouvais	je mourrai	je mourrais	je mus	je meuve	mouvant
tu meus						tu meuves	
il meut						il meuve	
nous mouvons						nous mouvions	
vous mouvez						vous mouviez	
ils meuvent						ils meuvent	
naître – to be born							
je nais	je suis né(e)	je naissais	je naîtrai	je naîtrais	je naquis	je naisse	naissant
tu nais						tu naisses	
il naît						il naisse	
nous naissons						nous naissions	
vous naissez						vous naissiez	
ils naissent						ils naissent	
nuire – to harm							
je nuis	j'ai nui	je nuisais	je nuirai	je nuirais	je nuisis	je nuise	nuisant
tu nuis						tu nuises	
il nuit						il nuise	
nous nuisons						nous nuisions	
vous nuisez						vous nuisiez	
ils nuisent						ils nuisent	

NOTE *luire* is formed in the same way.

Present	Perfect	Imperfect	Future	Conditional	Past historic	Present subjunctive	Present participle
plaire – to please							
je plais	j'ai plu	je plaisais	je plairai	je plairais	je plus	je plaise	plaisant
tu plais						tu plaises	
il plaît						il plaise	
nous plaisons						nous plaisions	
vous plaisez						vous plaisiez	
ils plaisent						ils plaisent	

Present	Perfect	Imperfect	Future	Conditional	Past historic	Present subjunctive	Present participle
résoudre – to solve							
je résous	j'ai résolu	je résolvais	je résoudrai	je résoudrais	je résolus	je résolve	résolvant
tu résous						tu résolves	
il résout						il résolve	
nous résolvons						nous résolvions	
vous résolvez						vous résolviez	
ils résolvent						ils résolvent	
rompre – to break							
je romps	j'ai rompu	je rompais	je romprai	je romprais	je rompis	je rompe	rompant
tu romps						tu rompes	
il rompt						il rompe	
nous rompons						nous rompions	
vous rompez						vous rompiez	
ils rompent						ils rompent	
suffire – to be sufficient							
je suffis	j'ai suffi	je suffisais	je suffirai	je suffirais	je suffis	je suffise	suffisant
tu suffis						tu suffises	
il suffit						il suffise	
nous suffisons						nous suffisions	
vous suffisez						vous suffisiez	
ils suffisent						ils suffisent	
se taire – to be silent							
je me tais	je me suis tut(e)	je me taisais	je me tairai	je me tairais	je me tus	je me taise	(se) taisant
tu te tais						tu te taises	
il se tait						il se taise	
nous nous taisons						nous nous taisions	
vous vous taisez						vous vous taisiez	
ils se taisent						ils se taisent	
vaincre – to conquer							
je vaincs	j'ai vaincu	je vainquais	je vaincrai	je vaincrais	je vainquis	je vainque	vainquant
tu vaincs						tu vainques	
il vainc						il vainque	
nous vainquons						nous vainquions	
vous vainquez						vous vainquiez	
ils vainquent						ils vainquent	
valoir – to be worth							
je vaux	j'ai valu	je valais	je vaudrai	je vaudrais	je valus	je vaille	valant
tu vaux						tu vailles	
il vaut						il vaille	
nous valons						nous valions	
vous valez						vous valiez	
ils valent						ils vaillent	

Expressions utiles

Fréquence · *Frequency*

(pratiquement) tout le temps	*(almost) all the time*	parfois	*sometimes*
tous les jours	*every day*	pas beaucoup	*not a lot*
souvent	*often*	relativement peu	*relatively rarely*
régulièrement	*regularly*	deux fois par semaine	*twice a week*
beaucoup	*a lot*	une fois par semaine	*once a week*
pas mal de	*quite a lot of*		

Degré et quantité · *Degree and quantity*

un peu	*a little*	peu	*a little*
plutôt	*rather*	près de	*nearly*
très	*very*	pas moins de	*not less than*
tout à fait	*completely*	environ	*about*
vraiment	*really*	pas plus de	*not more than*
trop	*too much*	à peu près	*approximatively*

Passé et présent · *Past and present*

autrefois	*in the old days*	lors de	*during, as part of*
avant/auparavant	*before/earlier*	aujourd'hui	*today*
à cette époque	*at that time*	de nos jours	*nowadays*
dès (son enfance)	*from (his/her childhood) onwards*	maintenant	*now*
suite à	*following*	Dans le passé, … , tandis qu'aujourd'hui	*In the past, … , whereas today*

Comparer · *Comparing*

plus … que	*more … than*	le meilleur/la meilleure	*the best*
aussi … que	*as … as*	le/la pire	*the worst*
moins … que	*less … than*	sans rapport avec	*unrelated to*
le moins/le plus	*the least/the most*	contrairement à	*contrary to*

Raconter une histoire · *Telling a story*

On a vu	*We saw*	J'ai (vraiment) aimé	*I (really) enjoyed*
On a fait	*We did*	C'était génial de	*It was great to*
Je me souviens (très bien) de la fois où	*I remember (well) the time when*	J'ai même	*I even*

Expliquer des statistiques · *Explaining statistics*

Selon/D'après certains chiffres,	*According to some figures,*	Le nombre de X augmente/est en hausse.	*The number of X is increasing.*
Les études/analyses montrent que	*Studies/Analysis shows (that)*	Le nombre de X est en progression.	*The number of X is increasing.*
La destination la plus/moins populaire est	*The most/least popular destination is*	Le nombre de X diminue/est en baisse.	*The number of X is decreasing.*
Plus de/Moins de Français vont à X qu'à Y.	*More/Fewer French people go to X than to Y.*	Le nombre de X chute.	*The number of X is falling.*
Autant de Français vont à X qu'à Y.	*As many French people go to X as to Y.*	Le nombre de X devance largement Y.	*The number of X is well ahead of Y.*
Vingt pour cent vont à X tandis que 15% vont à Y.	*Twenty percent go to X while 15% go to Y.*	On peut parler d'une augmentation significative.	*We can talk about a significant increase.*

| La plupart/La majorité des Français vont à | Most/A majority of French people go to | On compte plus de X entre … et … | There are more X between … and … |
| Les pourcentages de … atteignent | The proportion of … reaches | en moyenne | on average |

Décrire une perspective d'avenir — *Describing a future prospect*

il y aura plus de/moins de	there will be more/less/fewer	aller de mieux en mieux/ de pire en pire	to get better and better/ worse and worse
ce qui améliorera/créera/ causera	which will improve/create/ cause	au lieu de	instead of
des problèmes comme/tels que	problems such as	sinon,	if not,

Discuter d'un texte — *Discussing a text*

| Le thème majeur de ce texte, c'est | The main theme of this text is | Selon ce texte, il y a de plus en plus de | According to this text, there is/are more and more |
| Dans ce texte, il s'agit de | This text is about | | |

Exprimer ses goûts — *Expressing appreciation*

Personnellement,	Personally,	(Ce genre/style de) me plaît beaucoup.	I really enjoy (this type/ style of)
Je dois dire que	I must say (that)	(Ce genre/style de) me paraît tout à fait/plutôt/un peu trop	I find (this type/style of …) quite/rather/a little too
Il faut avouer que	I must admit (that)		
On ne peut pas nier que [+subj]	I can't deny (that)	Je n'ai pas l'habitude de lire/ regarder/écouter (ce genre de)	I don't normally read/watch/ listen to (this type of)
J'apprécie beaucoup (ce genre/style de)	I really like (this type/style of)		
Je ne supporte pas	I can't stand	Je trouve (ce genre/ce film/ce livre/cette chanson)	I find (this type/this film/this book/this song)
J'ai horreur de	I hate		

Présenter l'information — *Presenting facts and information*

En ce qui concerne X,	As far as X is concerned,	Beaucoup de/Trop de/ Cinquante pour cent de …	A lot of/Too many/ Fifty percent of …
Dans le domaine de	In the field of		
En premier/deuxième lieu,	First of all/Secondly,	On pourrait penser/croire que	You might think/believe that
Selon les statistiques, …	According to statistics, …	De plus/D'ailleurs,	Moreover/What's more,

Organiser les idées — *Organising ideas*

Premièrement,	First of all,	En définitive,	In the final analysis,
Dans un premier temps/ En premier lieu,	To start with,	Tout bien considéré,	When all is said and done,
		J'aimerais conclure en disant que	I'd like to conclude by saying
Deuxièmement/ Dans un deuxième temps,	Secondly,	On ne peut arriver qu'à une conclusion logique	There is only one logical conclusion
Alors,	So,	D'ailleurs/De plus,	Besides/Moreover,
Finalement/Enfin,	Finally,	Ajoutons que	Let's add that
Pour résumer/En résumé,	To sum up,	Quant à	As for
En un mot/En bref,	In a word,	Cependant/Pourtant/Néanmoins,	However/Nevertheless,
En (guise de) conclusion/ Pour conclure,	To conclude,	Par contre/En revanche,	On the other hand,
		Quoi qu'il en soit,	Whatever the case,
En dernier lieu,	To finish,	Alors que/Tandis que	Whereas
En somme,	To sum up,		

Décrire un problème — *Describing a problem*

Un des (plus grands) problèmes, c'est	One of the main problems is	C'est à la fois choquant et inquiétant.	It's both shocking and worrying.
Il est évident/clair/manifeste que	It is obvious/clear (that)	Une autre difficulté est le fait que	Another difficulty is the fact that
Il apparaît que	It would seem (that)		

Proposer des solutions à un problème — *Suggesting solutions to a problem*

Comment adresser/résoudre le problème?	*How can the problem be tackled/solved?*	Il ne suffit pas de	*It isn't enough to*
Des mesures d'urgence s'imposent.	*Urgent action is needed.*	Il est important/essentiel/capital de [+inf]/que [+subj]	*It is important/essential/capital to*
Il s'agit de	*It is necessary to*	Il est urgent de [+inf]/que [+subj]	*It is urgent to*
Il faut/faudrait [+inf]/Il faut/faudrait que [+subj]	*We must/should*	On pourrait/On devrait/Il faudrait	*We could/We should*
Il suffit de	*All there is to do is*	Ce qui compte par-dessus tout, c'est que [+subj]	*What matters most is that*

Persuader — *Persuading*

Pourquoi (donc) ne pas [+inf]?	*(So) why not … ?*	Faisons face à la réalité/à la vérité/aux faits.	*Let's face reality/the truth/the facts.*
Ne serait-il pas mieux/préférable/plus facile/plus efficace de [+ inf]?	*Wouldn't it be better/preferable/easier/more effective to … ?*	Soyons réalistes/positifs/pratiques.	*Let's be realistic/positive/practical.*
La meilleure solution ne serait-elle pas de [+inf]?	*Wouldn't the best solution be to … ?*	Cherchons une autre/meilleure solution.	*Let's find another/better solution.*
Comment nier le fait que … ?	*How can you deny the fact that … ?*	avant qu'il ne soit trop tard	*before it's too late*
		si on ne veut pas finir par	*if we don't want to end up*

Faire des suggestions — *Making suggestions*

Il y a plusieurs/maintes possibilités.	*There are several/many possibilities.*	Tu pourrais devenir	*You could become*
Tu pourrais envisager de [+inf]	*You could envisage*	Tu devrais considérer (le métier de)	*You should consider (a job like)*

Exprimer un point de vue — *Expressing a viewpoint*

Je crois que	*I believe (that)*	Je pense qu'on peut/qu'on ne peut pas [+inf]	*I think we can/can't*
J'estime/Je considère que	*I consider (that)*		
Je suis certain(e)/convaincu(e) que	*I'm sure/convinced (that)*	Je ne pense pas qu'il soit possible de [+inf]	*I don't think it is possible to*
Je suis persuadé(e) que	*I'm certain (that)*	Il vaut/vaudrait mieux [+inf]/Il vaut/vaudrait mieux que [+subj]	*It would be better to*
Je trouve inadmissible que	*I find it unacceptable (that)*		
Cela me choque que	*I'm shocked (that)*	À mon avis/Selon moi/D'après moi, il faut [+inf]	*I think we should*
On exagère quand on affirme	*It is an exaggeration to state*	Pour ma part, je pense	*As for me, I think*
On a tort/raison de croire	*It is wrong/right to believe*	Moi personnellement,	*Personally,*
Il me semble que	*It seems to me (that)*	Comme je l'ai déjà dit,	*As I've already said,*

Justifier un point de vue — *Justifying a viewpoint*

à cause de/en raison de	*because of*	N'oublions pas que	*Let's not forget (that)*
parce que/puisque/car	*because*	Prenons l'exemple de	*Take the example of*
faute de	*for the lack of*	Considérons le cas de	*Consider the case of*
grâce à	*thanks to*	Il faut attirer l'attention sur (le fait que)	*We should draw attention to (the fact that)*
comme	*as*		
(L'augmentation) est due au fait qu'il y a	*(The increase) is due to the fact that there is*		

Nuancer une opinion — *Qualifying an opinion*

malgré le fait que	*in spite of the fact (that)*	Certes, il est vrai que … , mais	*Although it is a fact that … ,*
à condition que	*on the condition (that)*	Je doute que [+subj]	*I doubt (that)*
même si	*even though*	Il est possible que [+subj]	*it is possible (that)*
sauf	*except that*		

Présenter des arguments par écrit — *Presenting arguments in writing*

Certes, il est indéniable que	*True, it can't be denied that*	Il faut attirer l'attention sur le fait que	*It's important to draw attention to the fact that*
Sans doute,	*It is true that*	Il faut déterminer les causes (de)	*We must identify the causes (of)*
Toutefois,	*However,*	Il me semble injuste de (dire)	*It seems to me unfair to (say)*
Soulignons que/Notons que	*Let me point out that*	Considérons l'exemple de	*Let's take the example of*
Il faut tenir compte de	*You have to take into account*		

Émettre une hypothèse — *Formulating a hypothesis*

Je présume que	*I assume (that)*	J'imagine que	*I imagine (that)*
Je suppose que	*I suppose (that)*		

Évaluer les avantages et les inconvénients — *Evaluating advantages and disadvantages*

Un avantage/inconvénient, c'est que	*One advantage/disadvantage is that*	En revanche/Par contre,	*On the other hand,*
D'un côté, … , de l'autre côté/d'un autre côté	*On the one hand, … , on the other hand*	Le revers de la médaille, c'est que	*The downside is that*
D'une part, … , d'autre part	*On the one hand, … , on the other hand*	Certes, mais	*True, but*
		Peut-être, mais	*Maybe, but*
		Oui, c'est vrai, mais	*Yes, that's true, but*
		C'est exact, mais	*That's true, but*

Exprimer son accord — *Agreeing*

Tu as/Vous avez/[Nom] a bien raison.	*You're/[Name] is quite right.*	Je partage ton avis/ton opinion.	*I share your view/your opinion.*
Je suis tout à fait/complètement/totalement d'accord avec	*I totally agree with*	Je partage l'opinion/l'optimisme/les inquiétudes de	*I share the opinion/optimism/concerns of*
Je suis en partie/partiellement/plus ou moins d'accord avec	*I partly/more or less agree with*		

Exprimer son désaccord/Contredire — *Disagreeing/Contradicting*

Au contraire,	*On the contrary,*	Mais c'est une absurdité/n'importe quoi!	*But it's absurd/complete nonsense!*
Tu as/Vous avez/[Nom] a complètement tort.	*You're/[Name] is completely wrong.*	C'est un argument ridicule.	*It's a ridiculous argument.*
Je ne suis pas (du tout) d'accord avec	*I don't agree (at all) with*	C'est absurde de dire que	*It's absurd to say (that)*
Je ne suis pas entièrement/tellement/vraiment d'accord avec toi/[Nom].	*I'm not entirely/really in agreement with you/[name].*	Je suis désolé(e), mais tu oublies/vous oubliez que	*I'm sorry, but you're forgetting that*
Tu oublies/Vous oubliez que	*You're forgetting (that)*	Tu ne tiens/Vous ne tenez pas compte de …	*You're not taking … into account …*
Tu vas/[Nom] va trop loin quand tu dis/quand il/elle dit	*You are going too far when you say/[Name] is going too far when he/she says*	Peut-être, mais	*Maybe, but*
		Toutefois,	*However,*
		Cela dit, on doit admettre que	*Having said that, you must admit (that)*
Je refuse d'accepter ça.	*I refuse to accept that.*	Que X soit … , c'est exact, mais	*It is a fact that X is … , but*

Décrire le point de vue des autres — *Describing others' point of view*

Beaucoup de gens disent que	*A lot of people say (that)*	affirmer/soutenir/révéler/ expliquer/préciser/rapporter/répondre/se plaindre/avouer que	*to assert/to insist/to reveal/to explain/to specify/to report/to answer/to complain/to admit (that)*
Certains croient que	*Some believe (that)*		
Certaines personnes trouvent que	*Some people find (that)*		
D'autres déclarent/maintiennent	*Others declare/maintain*		
Une majorité de personnes pensent que	*Most people think (that)*		
Une minorité considère que	*A few people consider (that)*	D'après certains,	*According to some,*
On estime que	*It is thought (that)*	Selon d'autres,	*According to others,*
		Les uns/Les autres	*Some/Others*

ACKNOWLEDGEMENTS

Anneli McLachlan would like to thank: Richard Marsden, Joanne and Didier Facchin, Alex Harvey, Julian Harvey, Geneviève Talon, Alastair White, Mathilde Yang, Dinah Nuttall, Howard Horsfall, Alliance Française de Vancouver, Kitsilano High School, Vancouver.

Clive Bell would like to thank: Sylvie Fauvel and the students of the European Section, Lycée Claude Monet, Le Havre.

Publishers: Servane Jacob and Trevor Stevens

The publishers would like to thank:
Charonne Prosser, Isabelle Retailleau, Séverine Chevrier-Clarke, Sabine Tartarin, Geneviève Talon, Colette Thomson, Andrew Garratt, Lisa Probert, Julie Green, Lorraine Poulter, Young Digital Planet.

The authors and publisher would like to thank all who have given permission to reproduce material in this book. In some sources, the wording has been adapted.

Text material:
Pages 12-13: © Phosphore, issue 314, Aug 2007, Bayard Jeunesse; **Page 14, 99:** Enquête ESPAD 2003; **Page 14:** Gérard Mermet, *Francoscopie 2005* © Larousse 2004; **Pages 16-17:** Label France, issue 47, 2002; **Pages 18:** Le Frat www.frat.org; **Page 20:** © Ado.fr; **Page 21:** © Christelle Pangrazzi, Géo Ados Sept 2007; **Pages 22-23:** Famille Frenkel, www.la-family.net; **Page 25:** Presse Océan, 10/7/07; **Page 33, 36, 70, 123:** © Psychonet.fr; **Page 34, 82, 115:** Pédagogies magazine, issue 4, July/Aug 2007; **Page 36:** www.yepla.com; **Page 37, 48, 62, 81, 85, 110:** Gérard Mermet, *Francoscopie 2007* © Larousse 2006; **Page 39, 76, 87:** © Phosphore, issue 308, Sept 2007, Bayard Jeunesse; **Pages 40-41, 98:** Pédagogies magazine, issue 5, Oct/Nov 2007; **Page 54:** L'Expansion, www.lexpansion.com; **Page 58:** Médiamétrie – Médiamat; www.orange.fr; **Page 59:** Nicolas Racine, www.techno.branchez-vous.com, 28/08/07; **Page 60:** Citations extraites de l'article de Doctissimo.fr par Alain Sousa, "La télé influence le QI" Tous droits réservés, Doctissimo, 2008; **Page 63-62:** Okapi, Bayard Jeunesse 2000; **Page 80, 122:** INSEE; **Page 84:** Info Santé, special issue *Les conseils de votre pharmacien: la Nutrition*, June 2007; **Page 86:** Lycée polyvalent Arthur Rimbaud, Libre tribune; **Page 88:** www.linternaute.com; **Page 90:** Société des Amis d'Alexandre Dumas, la Bibliothèque Dumas, www.dumaspere.com; **Page 91:** Thierry Goix, *Balade le Nez au Vent*, www.yanous.com http://membres.lycos.fr/romviet; **Page 92:** Dossier de presse, OIF, *La Francophonie dans le monde 2006-2007*, p.328, éditions Nathan 2007; **Page 99:** SOFRES/Direction du Tourisme, March 2006; **Page 101:** Info Santé, special issue *Les conseils de votre pharmacien: la Nutrition*, June 2007; **Page 106:** Frank Beau and David Kaplan, www.internetactu.net, 6/01/05; **Page 107:** SACEM/SOFRES; **Page 108:** DR Dimension, Cinéma Gaumont et Pathé 2008; **Page 108-109:** www.allocine.fr; **Page 112 and 113:** © Françoise-Marie SANTUCCI, Libération, www.liberation.fr, 18/09/06; **Page 116:** Citations extraites de l'article de Doctissimo.fr par Catherine Maillard, "Pourquoi veulent-ils tous devenir célèbres?" Tous droits réservés, Doctissimo, 2008; Psychologies magazine, propos recueillis par Hélène Mathieu; **Page 117:** AFP

Photographs:

The authors and publishers would like to thank the following individuals and organisations for permission to reproduce photographs:

AJS life / Alamy p.70; Alamy / AM Corporation p.84; Alamy / Bill Bachman p.83; Alamy / blickwinkel p.84; Alamy / Bubbles Photolibrary p.85; Alamy / foodfolio p.84; Alamy / Gordon M. Grant p.84; Alamy / Helene Rogers p.48; Alamy / Imagebroker p.42; Alamy / Imagestate p.5; Alamy / JAUBERT BERNARD p.84; Alamy / Jim Crotty p.84; Alamy / Jon Hicks p.14; Alamy / Jupiter Images / bananastock p.8; Alamy / mediacolor's p.93; Alamy / Pictorial Press Ltd p.104; Alex Segre/Alamy p.37; arte.tv p.58; Bananastock p.113; CANAL + FRANCE p.58; Chris Ratcliffe / Alamy p.71; Clark Wiseman. 2007 / Pearson Education p.106; Corbis / Amon / PhotoCuisine p.14;Corbis / Ariel Skelley p.40; Corbis / Eric Fougere / VIP Images p.105; Corbis / Franck Guiziou / Hemis p.88; Corbis / Jerome Prebois / Kipa p.105 ; Corbis / John Van Hasselt p.14; Corbis / Karen Kasmauski p.12; Corbis / Ken Redding p.8; Corbis / Lucy Nicholson / Reuters p.98; Corbis / Mike Powell p.13; Corbis / Philippe Lissac / Godong p.25; Corbis / Stephane Reix / For Picture p.105; Corbis p.34; Corbis Sygma / Thierry Orban p.105; Darius Azari / Corbis UK Ltd p.108; David Fisher / Rex Features p.116; ELECTROLUX FRANCE SAS - Division LDA p.65; Etienne George / Corbis UK Ltd p.108; France Télévisions p.58; Francis & Monica Frenkel pp.22, 23; Getty Images / Aaron Black p.78; Getty Images / Adrian Weinbrecht p.56; Getty Images / AFP p.105; Getty Images / Clive Mason p.76; Getty Images / Frank Huster p.78; Getty Images / John Eder p.53; Getty Images / Michael Ochs Archives p.104; Getty Images / Pascal Pavani p.86; Getty Images / PhotoDisc p.84; Getty Images / Roger Viollet pp.104, 105; Getty Images / Romilly Lockyer p.76; Getty Images / Tom Sanders p.78; Getty Images / Ulli Seer p.12; Getty Images / Wilfried Krecichwost p.78; Getty Images / WIN p.115; Getty Images p.12; Graham Light / Alamy p.60; Image Source / Rex Features p.110; INPES p.86; iStockPhoto p.103; Janine Wiedel Photolibrary / Alamy p.106; Jennie Hart / Alamy p.21; Jupiter Images / Creatas / Alamy p.122; Jupiter Images / Photos.com p.34; Jupiter images / Pixland / Alamy p.33; Kathrin Ziegler / Taxi / Getty Images p.59; Le Journal du Dimanche p.108; Les Cahiers du Cinéma - Le Monde p.108; M6 p.58; Markus Moellenberg/Zefa / Corbis UK Ltd p.20; Martin Schoeller / august - acte 2 / Premiere / HFM (Hachette Filipacchi Media) p.108; Martyn F. Chillmaid pp.14, 70; Miramax/Everett / Rex Features p.108; MTV Networks UK & Ireland p.58; N.Kampargard / IBL / Rex Features p.110; PA Photos / Visual p.105; Paris Claude Sygma / Corbis UK Ltd p.110; Paris Première / M6 p.58; Paul Grover / Rex Features p.117; Pearson Education Limited / Sabine T p.10; Pearson Education Ltd / Studio 8, Clark Wiseman p.6, p.39; Pearson Education Ltd / Tudor Photography p.84; Pearson Education Ltd/Chris Parker p.31; Photographers Direct / Stephen Hay Photography p.110; Photolibrary / Christophe Ichou p.75; Photolibrary p.88; p.93; Picard p. 65; Rex Features / Aurora Photos p.13; Rex Features / Fotex p.14; Rex Features / Roger Viollet p.90; Rex Features / Sipa Press p.105; Rex Features p.83; Richard Klune/Corbis UK Ltd p.99; Roy Morsch/Zefa / Corbis UK Ltd p.19; RTL9 p.58; Rubberball/ Getty p.49Serie Club/M6 p.58; Sipa Press / Rex Features pp.58, 116, 117; Steve Skjold / Alamy p.106; TéléCinéObs / Le Nouvel Observateur p.108; Télérama.fr p.108; Téva / M6 p.58; TF1 p.58; Yanous Amis p.91

Audio material:

Produced by Colette Thomson at Footsteps productions
Engineer: Andrew Garratt
Recorded at Air-Edel studios, London

Songs, pages 104-105:

Extract 1: *Hoby*, Philippe Guez & Patrick Maarek, Kosinus, KPMMUSICHOUSE
Extract 2: *Oh John* Yann Benoist Kosinus, KPMMUSICHOUSE
Extract 3: *Piaf Chantait*, Eric Gemsa/Elisabeth Conjard, Kosinus, KPMMUSICHOUSE
Extract 4: *Paris Disco Galaxy*, Laurent Lombard, Kosinus, KPMMUSICHOUSE
Extract 5: *Le Ringuard*, Laurent Dury, Carlin, Carlin Production Music.
Extract 6: *Mon Ami Reviens-moi*, Laurent Dury, Carlin, Carlin Production Music

Every effort has been made to contact copyright holders of material reproduced in this book. Any omissions will be rectified in subsequent printings if notice is given to the publishers

Heinemann is an imprint of Pearson Education Limited, a company incorporated in England and Wales, having its registered office at Edinburgh Gate, Harlow, Essex, CM20 2JE. Registered company number: 872828

www.heinemann.co.uk

Heinemann is a registered trademark of Pearson Education Limited

Text © Pearson Education Limited 2008

First published 2008

15
10 9 8

British Library Cataloguing in Publication Data is available from the British Library on request.

ISBN 978 0 435396 01 5

Publishers: Servane Jacob and Trevor Stevens
Produced by Ken Vail Graphic Design, Cambridge
Illustrated by The Bright Agency (Dan Chernett and Ned Woodman); Joy Gosney and Ken Laidlaw
Cover design by Jonathan Williams
Picture research by Cristina Lombardo at Zooid
Cover photo: Ed Gifford/Masterfile
Cover illustration: David Tazzyman/Private View
Printed and bound in Great Britain by Ashford Colour Press Ltd., Gosport, Hampshire

Interactive CD-rom developed by Young Digital Planet

Websites
The websites used in this book were correct and up-to-date at the time of publication. It is essential for tutors to preview each website before using it in class so as to ensure that the URL is still accurate, relevant and appropriate. We suggest that tutors bookmark useful websites and consider enabling students to access them through the school/college intranet.